ENGELAND, ENGELAND

Van Julian Barnes verschenen eerder bij uitgeverij Atlas:

Trioloog
Het stekelvarken
Brieven uit Londen
Over het Kanaal

Julian Barnes

ENGELAND, ENGELAND

Vertaald door Marijke Versluys

Uitgeverij Atlas – Amsterdam/Antwerpen

De vertaalster ontving voor deze vertaling een werkbeurs van de Stichting Fonds voor de Letteren

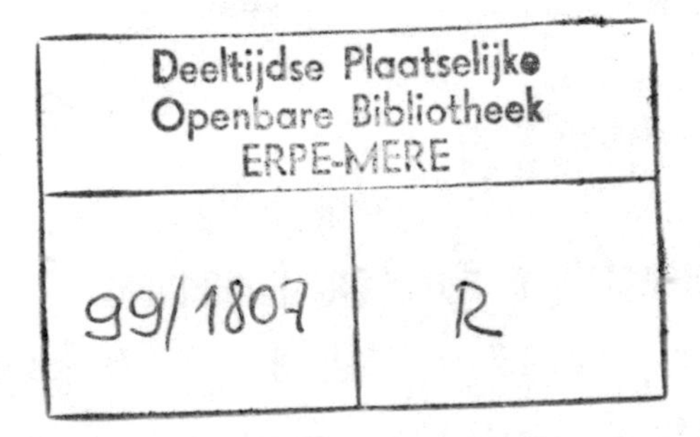

Oorspronkelijke titel: *England, England*
Oorspronkelijke uitgave: Jonathan Cape, Londen

Omslagontwerp: Marjo Starink
Omslagillustratie: Bill Gregory (naar de *Our Counties*-legpuzzel, Tower Press)
Foto auteur: Jerry Bauer

ISBN 90 450 0345 7
D/1999/0108/603
NUGI 301

Voor Pat

DEEL EEN

Engeland

‘Wat is je vroegste herinnering?’ werd haar weleens gevraagd.

En dan antwoordde ze: ‘Dat weet ik niet meer.’

De meeste mensen namen aan dat het een grapje was, hoewel enkelen haar ervan verdachten spitsvondig te willen zijn. Maar het was haar overtuiging.

‘Ik weet precies wat je bedoelt,’ zeiden gelijkgestemden, die klaarstonden om te verklaren en te simplificeren. ‘Er zit altijd een herinnering vlak achter je eerste herinnering, en daar kun je net niet bij.’

Maar nee, dat was ook niet wat ze bedoelde. Je eerste herinnering was niet zoiets als je eerste beha, of je eerste vriendje, of je eerste kus, of je eerste keer seks, of je eerste huwelijk, of je eerste kind, of het overlijden van de eerste van je ouders, of je eerste plotselinge besef van de vlijmende uitzichtloosheid van het menselijk bestaan – het leek op niets van dat alles. Het was geen concreet, tastbaar ding, dat de tijd in de loop der jaren op zijn moeizame, humoristische wijze misschien zou opsieren met verzonnen details – een wazige nevelflard, een donderwolk, een kroontje – maar nooit kon uitwissen. Een herinnering was per definitie geen ding, het was... een herinnering. Een herinnering nu aan een herinnering een poosje terug aan een herinnering daar weer voor aan een herinnering heel lang geleden. Aldus herinnerden de mensen zich met grote stelligheid een gezicht, een knie waarop ze paardje hadden gereden, een wei in de lente; een hond, een oma, een wollen beest waar een oor afgesabbeld was; ze herinnerden zich een kinderwagen, het uitzicht vanuit een kinderwagen, dat ze uit een kinderwagen waren getuimeld en met hun hoofd tegen een omgekeerde bloempot waren gevallen die hun broertje als opstapje had neergezet om de nieuwe baby te bekijken (al zouden ze zich vele jaren later gaan afvragen of dat broertje hen in een primitieve opwelling van rivaliteit niet wreed uit hun slaap had gewekt en met hun hoofd tegen die bloempot had gesmakt...). Ze herinnerden zich dat alles vol overtuiging, onweerlegbaar, maar of het nu het verhaal van anderen was, een dierbare fantasie of de vagelijk bewuste poging om het hart van de toehoorder tussen duim en wijsvinger te nemen en er zo hard in te knijpen dat de bloeduitstorting die ontstond zou aanhouden tot de liefde toesloeg – wat de oorsprong en de bedoeling er ook van waren, zij stond er wantrouwend tegenover. Martha Cochrane was een lang leven beschoren, en van haar levensdagen zou ze nooit een vroegste herinnering tegenkomen die naar haar mening geen leugen was.

Zij loog dus ook.

Haar eerste herinnering, zei ze, was dat ze op de keukenvloer zat, die was belegd met van die grof geweven raffia matting met gaten erin, gaten waar ze met een lepel in kon porren om ze groter te maken, waarvoor ze dan een tik kreeg – ze voelde zich veilig omdat haar moeder op de achtergrond in zichzelf stond te zingen – ze zong tijdens het koken altijd oude liedjes, niet van het soort waar ze op andere momenten graag naar luisterde – en tot op de dag van vandaag rook Martha als ze de radio aanzette en bijvoorbeeld 'You're the Top' of 'We'll All Gather at the River' of 'Night and Day' hoorde, opeens brandnetelsoep of uitjes die worden gebakken, was dat niet heel vreemd? – en door 'vreemd' schoot haar nog zo eentje te binnen: 'Love Is the Strangest Thing', wat haar altijd deed denken aan het abrupt doormidden snijden en sijpelen van een sinaasappel – en daar, uitgespreid op de mat, lag haar legpuzzel van de graafschappen van Engeland, en mamma had besloten haar te helpen door alvast de hele rand en de zee te doen, zodat de omtrek van het land voor haar lag, dat grappig gevormde stuk raffia vloer, een beetje als een bolronde oude dame die met gestrekte benen op het strand zat – de benen waren dan Cornwall, al had ze dat toentertijd natuurlijk niet gedacht, ze kende het woord Cornwall niet eens en wist evenmin welke kleur het stukje had, en je weet hoe kinderen zijn met legpuzzels: ze pakken het eerste het beste stukje en proberen dat uit alle macht in de open plek te drukken; waarschijnlijk had ze dan ook Lancashire gepakt en dat gedwongen te doen alsof het Cornwall was.

Ja, dát was haar vroegste herinnering, haar eerste ingenieuze, argeloos geconstrueerde leugen. En vaak had iemand anders als kind dezelfde legpuzzel gehad, en dan volgde er een licht wedijverige woordenwisseling over welk stukje ze het eerst hadden gelegd; doorgaans was het Cornwall, maar soms was het Hampshire, want Hampshire had Wight eraan vast zitten en stak uit in de zee en je kon de juiste plek er gemakkelijk voor vinden, en na Cornwall of Hampshire kwam misschien East Anglia, want Norfolk en Suffolk lagen op elkaar als broer en zus, of klampten zich aan elkaar vast als een pafferig parende man en vrouw, of waren elk de helft van een walnotendop. Dan had je Kent, dat waarschuwend met zijn vinger of neus naar het vasteland van Europa wees: voorzichtig, daarginds zitten buitenlanders; Oxfordshire, dat lepeltje-lepeltje deed met Buckinghamshire en Berkshire plette; Nottinghamshire en Derbyshire als wortels of dennenkegels zij aan zij; de gave zeeleeuwronding van Cardigan. Ze konden zich nog herinneren dat de grote graafschappen met duidelijke contouren aan de rand lagen, en als je die had gelegd bleef er in het midden een lastig rommeltje kleinere, vreemd gevormde graafschappen over, en je kon maar niet onthouden waar Staffordshire moest. En dan probeerden ze zich de kleur van de stukjes voor de geest te halen, wat indertijd zo belangrijk had geleken, even belangrijk als de namen, maar nu, zo lang daarna: was Cornwall nou lichtpaars geweest, Yorkshire geel en Nottinghamshire bruin, of was Nórfolk geel geweest – of was dat z'n zus, Suffolk? En juist dat soort herinneringen waren, ook al klopten ze niet, minder onwaar.

Maar het volgende, meende ze, zou weleens een waarheidsgetrouwe, onbewerkte herinnering kunnen zijn: ze was bevorderd van de vloer naar de keukentafel, en haar vingers waren nu rapper met de graafschappen, preciezer en eerlijker – ze probeerden niet Somerset in de rol van Kent te dwingen – en meestal werkte ze de hele kust af: Cornwall, Devon, Somerset, Monmouthshire, Glamorgan, Carmarthen, Pembrokeshire (want Engeland omvatte ook Wales, dat was de buik van de bolronde oude dame), helemaal terug tot aan Devon, en daarna vulde ze de rest in, om de rommelige Midlands tot het laatst te bewaren, en dan had ze hem af en ontbrak er een stukje. Leicestershire, Derbyshire, Nottinghamshire, Warwickshire, Staffordshire – doorgaans was het een van deze –, waarop haar een gevoel van wanhoop, mislukking en teleurstelling om de onvolmaaktheid van de wereld overviel, totdat pappa, die op dat moment altijd in de buurt scheen te zijn, het ontbrekende stukje op de meest onwaarschijnlijke plek vond. Wat deed Staffordshire nou in zijn broekzak? Hoe was het daar terechtgekomen? Had zij gezien dat het pootjes had gekregen? Dacht ze soms dat de poes het erin had gestopt? En dan schudde ze lachend van ja of van nee, want Staffordshire was terecht, en haar legpuzzel, haar Engeland en haar hart waren weer compleet.

Dat was een waarachtige herinnering, maar Martha bleef achterdochtig; de herinnering was waar, maar niet onbewerkt. Ze wist dat het was gebeurd, want het was verscheidene keren gebeurd, maar in de daaropvolgende versmelting waren de onderscheidende kenmerken van elk afzonderlijk voorval – dat ze nu zou moeten verzinnen, bijvoorbeeld die keer dat haar vader in de regen had gelopen en haar een klammig Staffordshire had teruggegeven, of die keer dat hij het hoekje van Leicestershire had geknakt – verloren gegaan. Jeugdherinneringen waren de dromen die je bijbleven nadat je wakker was geworden. Je droomde de hele nacht, of lange, aanzienlijke delen van de nacht, maar bij het wakker worden had je nog slechts de herinnering in de steek gelaten te zijn, of verraden, in de val gelopen, aan je lot overgelaten op een ijzige vlakte; en soms dat niet eens, maar een vervagend nabeeld van de emotie die door dergelijke gebeurtenissen was opgeroepen.

En er was nog een reden voor wantrouwen. Als een herinnering geen ding was maar een herinnering aan een herinnering aan een herinnering, evenwijdig opgestelde spiegels, dan was wat het brein je nu vertelde over wat er toen naar het beweerde was gebeurd, waarschijnlijk vertekend door wat tussentijds was gebeurd. Het was als een land dat zich zijn geschiedenis herinnert: het verleden was nooit uitsluitend het verleden, het was datgene wat het heden in staat stelde met zichzelf te leven. Hetzelfde gold voor de mens, hoewel het proces duidelijk niet rechttoe, rechtaan verliep. Herinnerden mensen die door het leven teleurgesteld waren zich een idylle, of iets wat rechtvaardigde dat hun leven op een teleurstelling was uitgelopen? Herinnerden mensen die tevreden waren over hun leven zich vroegere tevredenheid, of een moment van goed geconstrueerde tegenslag die heldhaftig was overwonnen? Tussen iemands innerlijk en uiterlijk speelde altijd een element van propaganda, van verkoop en marketing.

Voortdurend zelfbedrog eveneens. Want ook al erkende je dit alles, ook al doorzag je de onzuiverheid en verderfelijkheid van het geheugenstelsel, dan nog bleef je in zeker opzicht geloven in dat onschuldige, authentieke ding – ja, ding – dat je een herinnering noemde. Op de universiteit was Martha bevriend geraakt met een Spaans meisje, Cristina. De gemeenschappelijke geschiedenis van hun twee landen, of in elk geval het omstreden gedeelte, lag eeuwen terug; maar toen Cristina in een ogenblik van goedmoedige plagerij had gezegd: 'Francis Drake was een piraat,' had ze geantwoord dat dat niet waar was, want ze wist dat hij een Engelse held, sir en admiraal was, en derhalve een gentleman. Toen Cristina, meer in ernst ditmaal, herhaalde: 'Hij was een piraat,' begreep Martha dat dit de troostrijke zij het noodzakelijke fictie van de verslagen partij was. Naderhand had ze Drake opgezocht in een Britse encyclopedie, en weliswaar stond het woord 'piraat' er niet in, de woorden 'kaperkapitein' en 'plunderen' kwamen wel veelvuldig voor, en ze zag heel goed in dat wie voor de een een plunderende kaperkapitein was, voor de ander best een piraat kon zijn, maar toch bleef sir Francis Drake voor haar een door deze kennis onbezoedelde Engelse held.

Terugblikkend zag ze dan ook duidelijke en veelbetekenende herinneringen die ze wantrouwde. Wat zou haar helderder en beter bijgebleven kunnen zijn dan die dag op de Landbouwtentoonstelling? Een dag met wufte wolken met stemmig blauw erachter. Haar ouders hadden haar behoedzaam bij de polsen gepakt en haar hoog de lucht in gezwierd, en toen ze neerkwam was het bobbelige gras een trampoline. De witte tenten met gestreepte ingangen, even degelijk van bouw als een pastorie. Een oprijzende heuvel erachter, vanwaar zorgeloze, onverzorgde dieren neerkeken op hun vertroetelde, gehalsterde verwanten binnen de omheining beneden. De lucht bij de achteringang van de biertent naarmate de temperatuur opliep. In de rij staan bij de toiletwagen, waar het bijna net zo rook. Gezag uitstralende kartonnen naamplaatjes die aan knoopjes van geruite Viyella overhemden bungelden. Vrouwen die zijdeachtige geiten borstelden, mannen die trots op ouderwetse tractors rondtuften, kinderen die zich in tranen van pony's lieten glijden terwijl op de achtergrond snelle figuren de in duigen gevallen hindernissen weer opbouwden. Mannen van de vrijwillige eerstehulpdienst die wachtten op mensen die flauwvielen, over scheerlijnen struikelden of een hartaanval kregen; wachtten tot er iets misging.

Maar er was niets misgegaan, niet die dag, niet in haar herinnering aan die dag. En ze had het lijstenboek tientallen jaren bewaard en kende de vreemde poëzie ervan grotendeels uit haar hoofd. Het Prijzenschema van het Regionale Land- en Tuinbouwgenootschap. Niets dan een kleine dertig pagina's met een kaftje van rood papier erom, maar voor haar veel meer: een prentenboek, ook al stonden er alleen maar woorden in, een almanak, het kruidenboek van een apotheker, een toverdoos, een geheugensteun.

Drie wortelen – lang
Drie wortelen – klein
Drie koolrapen – variëteit naar keuze
Vijf aardappels – lang
Vijf aardappels – rond
Zes tuinbonen
Zes pronkbonen
Negen stambonen
Zes sjalotten, groot rood
Zes sjalotten, klein rood
Zes sjalotten, groot wit
Zes sjalotten, klein wit
Groenteassortiment. Zes verschillende soorten. Ingeval van bloemkool moet deze met stronk worden aangeboden.
Schaal met groenten. Schaal mag worden gegarneerd, maar er mag alleen gebruik worden gemaakt van peterselie.
20 aren koren
20 aren gerst
Zode opnieuw ingezaaid grasland in tomatenkistje
Zode blijvend grasland in tomatenkistje
Mededingende geiten moeten bij de halster worden geleid en er dient *te allen tijde* een afstand van twee meter te worden aangehouden tussen deze geiten en niet-mededingende geiten.
Alle geiten die meedingen dienen van het vrouwelijk geslacht te zijn.
Geiten die worden opgegeven voor klasse 164 en voor klasse 165 dienen een jong te hebben geworpen.
Onder een jong wordt verstaan een worp van maximaal 12 maanden geleden.
Pot marmelade
Pot jam van zacht fruit
Pot citroenboter
Pot fruitgelei
Pot uien in zoetzuur

Pot slasaus
Friese koe, melkgevend
Friese koe, drachtig
Friese vaars, melkgevend
Friese vaars, ongedekt, met maximaal twee brede tanden
Gekeurd vee moet bij de halster worden gevoerd en er dient *te allen tijde* een afstand van twee meter te worden aangehouden tussen dit vee en niet-gekeurd vee.

Martha begreep niet alle woorden, en maar heel weinig van de aanwijzingen, maar de lijsten hadden iets – een rustige overzichtelijkheid en volledigheid – wat haar tevreden stemde.

Drie sierdahlia's, minimaal 20 cm – in drie vazen
Drie sierdahlia's, 15 - 20 cm lang – in één vaas
Vier sierdahlia's, 7,5 - 15 cm lang – in één vaas
Vijf miniatuurpompondahlia's
Vijf pompondahlia's, maximaal 5 cm doorsnee
Vier cactusdahlia's, 10 - 38 cm lang – in één vaas
Drie cactusdahlia's, 15 - 20 cm lang – in één vaas
Drie cactusdahlia's, minimaal 20 cm – in drie vazen

De hele dahliawereld was vertegenwoordigd. Geen enkele ontbrak.

Ze werd door de veilige handen van haar ouders naar de hemel omhooggezwierd. Ze liep tussen hen tweeën in over loopplanken, onder zeildoek, door warme graslucht, en ze las met het gezag van een schepper uit haar boekje voor. Ze had het idee dat de voor hen uitgestalde voorwerpen niet echt konden bestaan als zij ze niet had benoemd en in een categorie had ondergebracht.

'En, wat hebben we hier, meisje Muis?'

'Twee zeven nul. Vijf moesappels.'

'Dat lijkt aardig te kloppen. Vijf stuks. Wat voor soort zou het zijn?'

Martha keek weer in het boekje. 'Variëteit naar keuze.'

'Mooi zo. Variëteit-naar-keuzemoesappels – we moeten maar eens kijken of die in de winkel te krijgen zijn.' Hij deed alsof hij het meende, maar haar moeder lachte dan en verschikte volkomen onnodig iets aan Martha's haar.

Ze zagen hoe schapen, ingeklemd tussen de benen van zwetende mannen met forse biceps, onder het gesnor van een zoemende tondeuse van hun wollen jekker werden ontdaan; in kooien zaten angstige konijnen zo groot en schoongewassen dat ze niet echt leken; dan was er de Veetentoonstelling, de Kostuum-op-de-popwedstrijd en de Terriërwedren. In warme tenten had je reuzelkoeken, kleine pannenkoekjes, bessentaartjes en haverkoeken; gehalveerde Schotse eieren als ammonieten; pastinaken en wortels van een meter lang en taps toelopend tot de diameter van een kaarsenpit; gladglanzende uien met omgebogen nek en door bindtouw tot overgave gedwongen; groepjes van vijf eieren, met een zesde ter beoordeling kapotgeslagen in een kommetje ernaast; doorgesneden bietjes, die net als bomen ringen bleken te hebben.

Maar het waren de boontjes van meneer A. Jones die haar – toen, later en nog later – als relikwieën stralend voor de geest stonden. Er werden rode kaartjes voor de eerste prijs uitgereikt, blauwe voor de tweede prijs en witte voor een eervolle vermelding. Alle rode kaartjes bij alle bonen waren van meneer A. Jones. Negen pronkbonen variëteit naar keuze, Negen stokbonen rond, Negen stambonen plat, Negen stambonen rond, Zes tuinbonen wit, Zes tuinbonen groen. Hij won ook Negen peulen doperwtjes en Drie wortelen klein, maar die interesseerden haar minder. Meneer A. Jones haalde namelijk ook nog een foefje uit met zijn bonen. Hij stalde ze uit op lapjes zwart fluweel.

'Net de etalage van een juwelier, hè, schat?' zei haar vader. 'Een paar oorbellen? Wie?' Hij stak zijn hand uit naar meneer Jones' Negen stambonen rond, haar moeder giechelde, en Martha zei: 'Nee', heel hard.

'O, dan niet, meisje Muis.'

Dat had hij niet mogen doen, ook al was hij het niet echt van plan geweest. Dat was niet leuk. Meneer A. Jones zag kans een boon er volmaakt te laten uitzien. De kleur, de proporties, de gelijkmatigheid. En negen bonen nog veel en veel mooier.

Op school hadden ze vaak lessen moeten opdreunen. Ze zaten met z'n vieren naast elkaar in hun groene uniform, doperwtjes in een peul. Acht benen rond, acht benen kort, acht benen lang, acht benen variëteit naar keuze.

Elke dag begonnen ze met de godsdienstdreunen, die door Martha Cochrane werden vervalst. Later kwamen de droge, hiërarchische rekendreunen en de compacte poëziedreunen. Vreemder en spannender waren de geschiedenisdreunen. Daarbij werden ze aangespoord tot een geloofsijver die tijdens de dagopening misplaatst zou zijn. De godsdienstdreunen werden haastig mompelend opgezegd, maar bij geschiedenis ging juffrouw Mason, mollig als een kloek en wel een paar eeuwen oud, hen voor in gebed als een charismatische priesteres: ze sloeg de maat, ze voerde de koorzangers aan.

55 voor Christus (klap klap) Invasie der Romeinen
1066 (klap klap) Slag bij Hastings
1215 (klap klap) Magna Charta
1512 (klap klap) Koning Hendrik Acht (klap klap) Verdediger der kerkelijke macht (klap klap)

Die laatste had ze mooi gevonden: door het rijm was het gemakkelijker te onthouden. Zeventienzesenzeventig (klap klap) Amerika onafhankelig (klap klap) – zo spraken ze het altijd uit, hoe vaak juffrouw Mason hen ook verbeterde. En zo ging het opdreunen verder, tot aan

1940 (klap klap) Slag om Engeland
1973 (klap klap) Verdrag van Rome

Juffrouw Mason loodste hen de eeuwen door, en voerde hen, van Rome naar Rome, weer terug naar het begin. Op die manier bracht ze hen in de stemming en maakte ze hun geest soepel. Daarna vertelde ze hun verhalen over ridderschap en roem, pest en hongersnood, tirannie en democratie; over koninklijke pracht en praal en de duurzame deugden van bescheiden individualisme; over Sint-Joris, die niet alleen schutspatroon was van Engeland, Aragon en Portugal, maar ook beschermheer van Genua en Venetië; over sir Francis Drake en zijn heldendaden; over Boadicea en koningin Victoria; over de plaatselijke landheer die ter kruistocht was gegaan en nu in steen naast zijn vrouw in de dorpskerk lag, met zijn voeten tegen een hondje. Ze luisterden extra aandachtig, want als juffrouw Mason tevreden was, werd de les met nog meer opdreunen afgesloten, maar ditmaal anders. Dan volgden er gebeurtenissen waar een jaartal bij moest; variaties, improvisaties en listigheidjes; de woorden doken en duikelden terwijl zij allen houvast zochten bij een spoortje ritme. Elizabeth en Victoria (klap klap klap klap), en dan antwoordden zij 1558 en 1837 (klap klap klap klap). Of (klap klap) Wolfe in Quebec (klap) en dan moesten zij antwoorden met (klap klap) 1759 (klap). Of in plaats van hun het Buskruitverraad (klap klap) aan te reiken, maakte ze ervan: Guido Fawkes waagt z'n lijf (klap klap), en dan moesten zij het rijm erbij zoeken: 1605 (klap klap). Ze loodste hen twee millennia in en uit en maakte van de geschiedenis niet een stug voortschrijden, maar een reeks levendige, met elkaar wedijverende momenten: bonen op zwart fluweel. Veel later, toen alles wat er in haar leven zou gebeuren was gebeurd, zag Martha Cochrane soms een jaartal of een naam in een boek en hoorde dan in haar hoofd nog de geklapte reactie van juffrouw Mason. Die arme Nelson kogel in z'n lijf, Trafalgar 1805. Koning Edward Acht versmaadt zijn land, 1936 Troonsafstand.

Jessica James, vriendin en christen, zat bij geschiedenis achter haar. Jessica James, hypocriet en verraadster, zat tijdens de dagopening voor haar. Martha was een pienter meisje, en derhalve niet gelovig. Tijdens het ochtendgebed bad zij, met haar ogen stijf dicht, iets anders:

> Ouwe kater die in de Avon schijt,
> uw naam worde gegeiligd,
> uw bonenrijk kome,
> uw wijn worde versneden,
> in Hemel Hempstead, maar zo ook in Ardley.
> Geef ons gesneden en belegd brood,
> en geef ons onze koeken, gevulde,
> gelijk wij iets geven aan zakkenvullers,
> en leid ons niet in Liverpool,
> maar verlos ons van de rozen.
> Want uwer is het bonenrijk, de bloemenpracht en de hele historie in der eeuwigheid a-mens.

Ze sleutelde nog steeds aan een paar regels die verbetering behoefden. Ze beschouwde het niet als godslasterlijk, behalve misschien dat stukje over schijten. Sommige dingen vond ze eigenlijk wel mooi: dat stukje over het bonenrijk en de bloemenpracht deed haar altijd denken aan Negen stokbonen rond, waaraan God, als Hij bestond, waarschijnlijk zijn goedkeuring zou hebben gehecht. Maar Jessica James had haar verlinkt. Nee, ze had iets slimmers gedaan: ze had het zo weten te regelen dat Martha zichzelf verlinkte. Op een ochtend had iedereen in haar buurt op een teken van Jessica opeens z'n mond gehouden, en Martha's solostem bepleitte, duidelijk hoorbaar, dringend het belang van gesneden en belegd brood, gevulde koeken en verlossing van de rozen; op dat punt aangeland had ze haar ogen geopend om te worden geconfronteerd met de gedraaide schouder, kloekachtige boezem en christelijk boze blik van juffrouw Mason, die bij hun klas zat.

De rest van dat semester had ze terzijde moeten staan en de school moeten voorgaan in gebed, zodat ze wel gedwongen was duidelijk te articuleren en een vurig geloof te huichelen. Na een poosje merkte ze dat het haar best goed afging: een wedergeboren veroordeelde die de commissie die over detentieontslag beslist verzekert dat hij inmiddels van zonden is schoongewassen en wilden ze nu zo vriendelijk zijn te overwegen hem in vrijheid te stellen. Hoe argwanender juffrouw Mason werd, des te meer genoegen Martha eraan beleefde.

De mensen begonnen haar apart te nemen. Ze vroegen haar wat ze toch dacht te bereiken met haar tegendraadse gedrag. Ze zeiden tegen haar dat je ook intelligenter kon zijn dan goed voor je was. Ze waarschuwden haar dat cynisme een zeer eenzame deugd is, hoor Martha. Ze hoopten maar dat ze niet brutaal was. Ze zinspeelden er ook op, in meer of min bedekte termen, dat het bij Martha thuis niet zo toeging als bij anderen thuis, maar dat beproevingen er waren om te worden doorstaan, net zo goed als een karakter er was om aan te bouwen.

Ze begreep niet wat dat was, bouwen aan je karakter. Een karakter was toch zeker iets wat je had, of iets wat veranderde door wat je meemaakte, bijvoorbeeld haar moeder die tegenwoordig nogal kortaf en prikkelbaar was. Hoe kon je nu aan je eigen karakter bouwen? Ze keek in het dorp naar muren, speurend naar verwarde vergelijkingen: blokken steen, en specie ertussen, en daarna een rij schuin gelegde stukken steen ten teken dat je volwassen was, dat de bouw van je karakter voltooid was. Er klopte iets niet. Op foto's keek Martha altijd ernstig de wereld in, met haar onderlip vooruitgestoken, haar wenkbrauwen gefronst. Was dat afkeuring van wat ze zag, bleek daaruit dat haar 'karakter' te wensen overliet, of kwam het louter doordat men tegen haar moeder had gezegd (toen zij klein was) dat je altijd foto's moest nemen met de zon rechtsachter?

Hoe dan ook, in die periode had het bouwen aan haar karakter voor haar niet de hoogste prioriteit. Drie dagen na de Landbouwtentoonstelling – en dit was een ware, afzonderlijke, onbewerkte herinnering, dat wist ze zeker, dat wist ze bijna zeker – zat Martha aan de keukentafel; haar moeder was met het eten bezig maar zong niet, herinnerde ze zich – nee, ze wíst het, ze was inmiddels op een leeftijd dat herinneringen stollen tot feiten – haar moeder was met het eten bezig en zong niet, dat was een feit, Martha had haar legpuzzel af, dat was een feit, door een opening ter grootte van Nottinghamshire was de nerf van de keukentafel te zien, dat was een feit, haar vader was niet op de achtergrond, dat was een feit, haar vader had Nottinghamshire in zijn zak zitten, dat was een feit, ze keek op, dat was een feit, en de tranen drupten van haar moeders kin in de soep, dat was een feit.

Haar kinderlogica schonk haar de zekerheid dat ze haar moeders uitleg niet kon geloven. Ze voelde zich zelfs een tikje verheven boven zoveel onbegrip en tranen. Voor Martha lag de zaak heel simpel. Pappa was Nottinghamshire gaan zoeken. Hij dacht dat het stukje in zijn zak zat, maar toen hij het wilde pakken was het er niet. Dat was de reden dat hij niet glimlachend op haar neerkeek en de poes de schuld gaf. Hij wist dat hij haar niet mocht teleurstellen, en dus was hij het stukje gaan zoeken, en het duurde domweg langer dan hij had gedacht. Straks kwam hij terug en zou alles weer goed komen.

Later – en later kwam maar al te gauw – drong er een vreselijk gevoel haar leven binnen, een gevoel dat ze nog niet met woorden kon omschrijven. Een plotselinge, logische, gerijmde reden (klap klap) waarom pappa was weggegaan. Zíj had het stukje weggemaakt, zíj had Nottinghamshire weggemaakt, had het ergens neergelegd en wist niet meer waar, of misschien had ze het ergens laten liggen waar een dief het had kunnen stelen, en daarom was haar vader, die van haar hield, die zei dat hij van haar hield, en die haar niet graag teleurgesteld zag, niet wilde dat meisje Muis haar onderlip op die manier uitstak, het stukje gaan zoeken, en als je boeken en verhalen moest geloven zou het een lange, lange speurtocht worden. Haar vader kwam misschien in geen jaren terug, en dan zou hij zijn baard hebben laten staan, en daar zou sneeuw in zitten, en hij zou er – hoe zeiden ze dat ook alweer? – uitgemergeld uitzien door voedselgebrek. En dat was allemaal haar schuld, want zij was slordig of dom geweest, en zij was de oorzaak van haar vaders verdwijning en haar moeders verdriet, dus ze mocht nooit meer slordig of dom zijn, want dat kreeg je er nou van.

In de gang bij de keuken had ze een eikenblaadje gevonden. Haar vader liep altijd blad mee naar binnen. Dat kwam, zei hij, doordat hij zo'n haast had om weer bij Martha te zijn. Mamma zei dan altijd op geïrriteerde toon tegen hem dat hij niet altijd zo moest overdrijven, en dat Martha best kon wachten tot hij zijn voeten had geveegd. Martha zelf, bang eenzelfde afkeuring uit te lokken, veegde altijd nauwgezet haar voeten en was dan altijd heel tevreden over zichzelf. Nu lag er een eikenblaadje op haar vlakke hand. Door het schulprandje had het iets weg van een puzzelstukje, en even fleurde ze op. Het was een teken, of toeval, of wat dan ook: als ze dit blaadje goed bewaarde als aandenken aan pappa, zou hij Nottinghamshire goed bewaren, en dan zou hij terugkomen. Ze zei niets tegen haar moeder, maar legde het blaadje in het rode boekje van de Landbouwtentoonstelling.

Wat Jessica James, vriendin en verraadster, betrof, na verloop van tijd deed de kans om wraak te nemen zich voor, en Martha greep die kans. Ze was niet christelijk, en vergevensgezindheid was een deugd die anderen in praktijk brachten. Jessica James, met haar varkensoogjes, vroomheid en dagopeningsstem, Jessica James, die een vader had die nooit zou verdwijnen, kreeg verkering met een lange slungel wiens rode handen de vochtige, slappe vormeloosheid hadden van een ontbeende kluif. Martha was zijn naam snel vergeten, maar die handen waren haar altijd bijgebleven. Als Martha ouder was geweest zou ze het misschien het allerwreedst hebben gevonden om Jessica James en haar besmuikt lachende vrijer aan hun kuis-knusse zelfgenoegzaamheid over te laten tot ze op weg naar het altaar langs de kruisvaarder met zijn voeten tegen het hondje liepen, de zonsondergang van hun verdere leven tegemoet.

Maar zo doorgewinterd was Martha nog niet. In plaats daarvan liet Kate Bellamy, vriendin en samenzweerster, de jongen weten dat Martha heel misschien wel verkering met hem zou willen, als hij aan iets beters toe was. Martha was al tot de ontdekking gekomen dat ze bijna elke jongen verliefd op haar kon maken zolang zij maar niet verliefd was op hem. Er moesten nu diverse plannen worden besproken. Ze kon de jongen gewoon inpikken, een poosje met hem pronken en Jessica James tegenover de hele school voor schut zetten. Of ze konden een kleine pantomime opvoeren: Kate zou de nietsvermoedende Jessica James mee uit wandelen nemen, en het toeval zou haar naar een plek voeren waar haar preutse hartje in stukken zou breken door de aanblik van een kluif die een prille borst omsloot.

Martha koos evenwel voor de wreedste wraak, en wel de wraak waar zij het minste voor hoefde te doen. Kate Bellamy, onschuldig van stem maar dubbelhartig, overtuigde de jongen ervan dat Martha oprecht van hem zou kunnen leren houden – als ze hem eenmaal had leren kennen –, maar aangezien ze liefdeszaken ernstig opvatte, evenals al het andere waar de liefde voor stond, zou hij pas kans maken als hij onherroepelijk en openlijk met mejuffrouw Vroom brak. Na enkele dagen van nadenken en smachten deed de jongen dat, en Jessica James werd daarop in tot voldoening stemmende tranen waargenomen. Weer verstreken er een paar dagen. Martha vertoonde zich overal met een lachend profiel, maar liet niets van zich horen. Onzeker benaderde de jongen haar bondgenote, die zich van de domme hield en zei dat hij het vast verkeerd begrepen had: Martha Cochrane, verkering, met hém? Het idéé. Woedend en vernederd klampte de jongen Martha na schooltijd aan; ze lachte hem uit omdat hij zo aanmatigend was geweest op haar gevoelens vooruit te lopen. De jongen zou er wel overheen komen, zo ging dat met jongens. Wat Jessica James betrof, die kwam er maar niet achter wie haar ellende had bekokstoofd, wat Martha tot de laatste schooldag genoegen deed.

Met het verstrijken van de winters werd het Martha geleidelijk aan duidelijk dat Nottinghamshire noch haar vader zou terugkomen. Ze bleef daarin geloven zolang haar moeder huilde, iets inschonk uit een van de flessen van de bovenste plank, haar te stevig knuffelde en tegen haar zei dat alle mannen óf slecht óf slap waren, en sommige allebei. Martha huilde bij die gelegenheden mee, alsof hun gezamenlijke tranen haar vader zouden kunnen terugbrengen.

Toen verhuisden ze naar een ander dorp, dat verder van school lag, zodat ze met de bus moest. Daar was geen bovenste plank voor flessen; haar moeder hield op met huilen en liet haar haar kort knippen. Ongetwijfeld bouwde ze aan haar karakter. In dit nieuwe huis, dat kleiner was, ontbraken foto's van haar vader. Haar moeder zei niet meer zo vaak tegen haar dat mannen óf slecht óf slap waren. In plaats daarvan zei ze tegen haar dat vrouwen flink moesten zijn en voor zichzelf moesten zorgen, want je kon er niet van uitgaan dat iemand anders dat deed.

Als reactie hierop nam Martha een besluit. Elke morgen voordat ze naar school ging haalde ze de legpuzzeldoos onder haar bed vandaan, opende met gesloten ogen het deksel en pakte er een graafschap uit. Ze keek nooit, voor het geval het een van haar favorieten was: Somerset of Lancashire misschien. Natuurlijk herkende ze Yorkshire als het stukje waar haar vingers nauwelijks omheen pasten, maar ach, ze had nooit een bijzonder voorliefde voor Yorkshire gehad. In de bus reikte ze achter zich en duwde het graafschap diep weg tussen rugleuning en zitting van de stoel. Een paar keer ontmoetten haar vingers een ander graafschap dat tussen de strakke bekleding ingeklemd zat, een stukje dat ze daar dagen of weken terug had achtergelaten. Er waren zo'n vijftig graafschappen om zich van te ontdoen, en ze deed er dan ook bijna het hele semester over. De zee en de doos mikte ze in de vuilnisbak.

Ze wist niet of het de bedoeling was dat ze het verleden onthield of vergat. In dit tempo kreeg ze haar karakter nooit af. Ze hoopte maar dat het niet erg was dat ze zo vaak aan de tentoonstelling moest denken; ze kon in elk geval niet verhinderen dat hij een lichtpuntje in haar gedachten bleef. Hun laatste uitje als gezin. Hoog hemelwaarts gezwierd op een plek waar, ondanks het lawaai en het gedrang, orde heerste en regels golden, en waar een wijs oordeel werd geveld door mannen in witte jas, net dokters. Ze had het idee dat je op school vaak verkeerd werd beoordeeld, evenals thuis, maar dat er op de tentoonstelling een beter soort rechtvaardigheid beschikbaar was.

Vanzelfsprekend bracht ze het niet zo. Toen ze vroeg of ze zich voor de tentoonstelling mocht opgeven, was haar grootste angst dat haar moeder boos zou worden en dat het Prijzenschema zou worden afgepakt omdat het haar op 'vreemde ideeën' had gebracht. Dat was ook weer zo'n jeugdzonde die ze nooit goed kon zien aankomen. Ben je brutaal, Martha? Cynisme is een zeer eenzame deugd, hoor. Hoe kom je trouwens op dat vreemde idee?

Maar haar moeder knikte alleen en sloeg het boekje open. Het eikenblaadje viel eruit. 'Wat is dat?' vroeg ze.

'Dat wil ik bewaren,' antwoordde Martha, bang voor een standje, of voor herkenning van haar beweegreden. Maar haar moeder stak het blaadje gewoon weer tussen twee bladzijden en begon, met de nieuwe kordaatheid die ze tegenwoordig aan de dag legde, de categorieën in de afdeling Kinderen op te zoeken.

'Een Vogelverschrikker (maximale lengte 30 cm)? Een voorwerp van Zoutdeeg? Een Wenskaart? Een Gebreide Muts? Een Masker, materiaal naar keuze?'

'Bonen,' zei Martha.

'Eens even kijken, je hebt ook nog Vier Zandkoekjes, Vier Versierde Cakejes, Zes Marsepeinfiguurtjes, een Macaroniketting. Dat klinkt wel leuk, een Macaroniketting.'

'Bonen,' herhaalde Martha.

'Bonen?'

'Negen stokbonen rond.'

'Ik weet niet of jij je daar wel voor kunt opgeven. Dat staat niet bij de afdeling Kinderen. Eens kijken bij de voorschriften. Afdeling A. Deelname staat open voor Gezinshoofden en Volkstuinders binnen een straal van 15 kilometer van het tentoonstellingsterrein. Ben jij een Gezinshoofd, Martha?'

'Een volkstuintje dan?'

'Die heb je hier in de buurt niet, helaas. Afdeling B. Deelname staat open voor iedereen. Ah, dat zijn alleen maar bloemen. Dahlia's? Goudsbloemen?' Martha schudde haar hoofd. 'Afdeling C. Deelname beperkt tot tuiniers die minder dan 5 kilometer van het tentoonstellingsterrein woonachtig zijn. Ik zou niet weten waarom wij daar niet onder zouden vallen. Tuinier jij, Martha?'

'Waar kunnen we de zaaibonen krijgen?'

Samen spitten ze een lapje grond om, brachten wat paardenmest op en zetten twee wigwamvormige bonenstaken neer. Daarna moest Martha zelf voor alles zorgen. Ze rekende uit hoeveel weken voor de tentoonstelling er gezaaid moest worden, duwde de boontjes in de grond, gaf ze water, wachtte, wiedde, gaf ze water, wachtte, wiedde, tilde kluitjes aarde op van de plek waar ze misschien al opkwamen, zag de glinsterende, veerkrachtige uitlopertjes door de aarde heen breken, steunde de spiraalsgewijs klimmende ranken, zag de rode bloempjes ontstaan en uitkomen, gaf water toen de piepkleine peultjes verschenen, gaf water, wiedde, gaf water, gaf water, en ja hoor, één of twee dagen voor de tentoonstelling had ze negenenzeventig Stokbonen rond om een keuze uit te maken. Als ze met de bus uit school kwam ging ze meteen haar tuintje inspecteren. Want uwer is het bonenrijk, de bloemenpracht en de hele historie. Het leek helemaal niet godslasterlijk.

Haar moeder prees haar pienterheid en groene vingers. Martha wees erop dat haar bonen niet erg leken op die van meneer A. Jones. Die van hem waren vlak en glad geweest, en egaal groen, alsof ze bespoten waren. Die van haar hadden regelmatige, likdoornachtige bobbeltjes daar waar de erwtjes zaten, en hier en daar spikkelige gele plekjes op de schil. Haar moeder zei dat ze nu eenmaal zo groeiden. Dat ze zo karakter kregen.

Op de zaterdag van de tentoonstelling stonden ze vroeg op, en haar moeder hielp met het plukken van de bonen boven aan de bonenstaak. Daarna maakte Martha haar keuze. Ze had om zwart fluweel gevraagd, maar het enige wat ze daarvan in huis hadden zat nog aan een jurk vast, en daarom was er zwart vloeipapier waar haar moeder een bout overheen had gehaald, maar dat er toch nog vrij kreukelig uitzag. Ze zat bij iemand achter in de auto, met haar duimen op vloeipapier, en zag de bonen over de schaal bewegen en rollen als ze de bocht omgingen.

'Niet zo hard,' zei ze op een gegeven moment streng.

Vervolgens hotsten ze over een parkeerterrein met diepe voren en moest ze haar bonen opnieuw redden. In de tuinbouwtent gaf een man in witte jas haar een formulier waarop alleen een nummer stond, opdat de juryleden niet zouden weten wie ze was, en hij bracht haar naar een lange tafel waar alle anderen eveneens hun bonen aan het uitstallen waren. Stokoude tuinders met opgewekte stemmen zeiden: 'Wie hebben we daar!' ook al hadden ze haar nog nooit gezien, en: 'Je zult je beste beentje moeten voorzetten, Jonesie!' Het kon haar niet ontgaan dat niemand anders z'n bonen eruitzagen zoals de hare, maar dat kwam vast doordat ze andere variëteiten teelden. Toen moesten ze allemaal weg omdat het beoordelen ging beginnen.

Meneer A. Jones won. Iemand Anders werd tweede. Iemand Anders kreeg de eervolle vermelding. 'Volgende keer beter!' zei iedereen. Knuisten met knokige knokkels werden van bovenaf naar haar uitgestoken om haar te troosten. 'Volgend jaar zullen we ons beste beentje moeten voorzetten,' herhaalden de oude mannen.

Naderhand zei haar moeder: 'Toch zijn ze heel lekker.' Martha gaf geen antwoord. Haar onderlip stak vochtig en koppig naar voren. 'Dan neem ik de jouwe wel,' zei haar moeder, en een vork werd naar haar bord uitgestoken. Martha voelde zich zelfs te ellendig om het spelletje mee te spelen.

Af en toe kwamen er mannen die een auto hadden haar moeder ophalen. Zelf konden ze zich geen auto veroorloven, en als ze zag dat haar moeder zo snel werd weggevoerd – een wuivend gebaar, een glimlach, een knikje, en nog voordat de auto uit het zicht was wendde haar moeder zich al naar de bestuurder toe – als Martha dat zag kwam altijd de gedachte op dat haar moeder ook zou verdwijnen. Ze moest niets hebben van de mannen die op bezoek kwamen. Sommigen probeerden haar te paaien en aaiden haar alsof ze de poes was, en anderen bekeken haar van een afstandje, denkend: dat is een lastpost. Ze gaf de voorkeur aan de mannen die haar als een lastpost beschouwden.

Het ging er niet alleen om dat zij eenzaam achterbleef. Het ging erom dat haar moeder eenzaam achterbleef. Ze bekeek al die incidentele mannen, en of ze nu neerhurkten om haar de geijkte vragen te stellen over huiswerk en televisie of staande met hun sleutels rammelden en mompelden: 'Zullen we dan maar?', ze zag hen allemaal in hetzelfde licht: als mannen die haar moeder verdriet zouden doen. Misschien niet die avond of de volgende dag, maar eens, zonder enige twijfel. Ze had er slag van om koorts, kwaaltjes en menstruatiepijn te krijgen van een aard die haar moeders aanwezigheid vereiste.

'Een echt tirannetje, dat ben je,' zei haar moeder dan, op een toon die het midden hield tussen genegenheid en wanhoop.

'Nero was een tiran,' antwoordde Martha dan.

'Ik weet zeker dat zelfs Nero zijn moeder af en toe een uitje gunde.'

'Nou, Nero heeft zijn moeder anders laten vermoorden, heeft meneer Henderson ons verteld.' Dat was pas echt brutaal, wist ze.

'Het zit er eerder in dat ik jóúw eten vergiftig als dit zo doorgaat,' zei haar moeder.

Op een dag waren ze lakens aan het opvouwen die buiten aan de lijn te drogen hadden gehangen. Opeens zei haar moeder, alsof ze in zichzelf praatte maar net zo hard dat Martha het verstond: 'Dit is het enige waarvoor je met z'n tweeën moet zijn.'

Ze werkten zwijgend door. In de breedte rekken (je armen zijn nog niet lang genoeg, Martha), punten naar elkaar toe, bovenaan beetpakken, links loslaten, zonder kijken opvangen, in de breedte rekken, trekken, nog een keer dubbelvouwen en nog eens en opvangen, dan trekken, trekken (harder, Martha), vervolgens naar elkaar toe lopen, omhoogreiken naar mamma's handen, loslaten en opvangen, nog één keer trekken, vouwen, aanreiken en wachten op het volgende laken.

Het enige waarvoor je met z'n tweeën moet zijn. Als ze trokken rimpelde er iets door het laken wat niet alleen het gladtrekken van de plooien was, het was meer, iets tussen hen beiden. Bovendien was het een vreemd soort trekken: jij trok eerst alsof je bij die ander weg wilde, maar het laken hield je vast en daarna leek het je omver te trekken en naar elkaar toe. Ging dat altijd zo?

'O, ik had het niet over jóú,' zei haar moeder, en opeens knuffelde ze Martha.

'Wat was pappa?' vroeg Martha later die dag.

'Hoezo, wat? Pappa was... pappa.'

'Ik bedoel: was hij slecht of slap. Welk van de twee?'

'Ach, ik weet het niet...'

'Je zei dat ze óf het een óf het ander zijn. Dat heb je zelf gezegd. Welk van de twee was hij?'

Haar moeder keek haar aan. Deze koppigheid was nieuw. 'Hmm, als hij óf het een óf het ander was, dan was hij slap, vermoed ik.'

'Waar kun je dat aan zien?'

'Dat hij slap was?'

'Nee, hoe kun je zien of ze slecht of slap zijn?'

'Martha, je bent nog niet oud genoeg voor dat soort dingen.'

'Ik moet het weten.'

'Waarom moet je dat weten?'

Martha zweeg even. Ze wist wel wat ze wilde zeggen, maar durfde niet goed. 'Om te voorkomen dat ik dezelfde fouten maak als jij.'

Ze had even gezwegen omdat ze verwachtte dat haar moeder zou gaan huilen. Maar die kant van haar moeder was verdwenen. In plaats daarvan stootte ze het droge lachje uit waar ze zich tegenwoordig in gespecialiseerd had. 'Wat een verstandig kind heb ik op de wereld gezet. Zorg maar dat je niet voortijdig oud wordt, Martha.'

Dat was een nieuwe. Wees niet zo brutaal. Hoe kom je op dat vreemde idee? Nu was het: zorg maar dat je niet voortijdig oud wordt.

'Waarom wil je het me niet vertellen?'

'Ik zal je alles vertellen wat ik weet, Martha. Maar het antwoord luidt: je weet het pas als het al te laat is, als je mijn leven als maatstaf neemt. En jij zult niet dezelfde fouten maken als ik, want iedereen maakt andere fouten, dat is nu eenmaal zo.'

Martha keek haar moeder aandachtig aan. 'Daar schiet ik niet veel mee op,' zei ze.

Maar op den duur schoot ze er wel degelijk wat mee op. Terwijl ze opgroeide, terwijl haar karakter werd opgebouwd, terwijl ze eerder koppig dan brutaal werd en slim genoeg om te weten wanneer ze haar slimheid maar beter kon verbergen, terwijl ze vrienden, uitgaan en een nieuw soort eenzaamheid ontdekte, terwijl ze van het platteland naar de stad verhuisde en haar toekomstige herinneringen begon te vergaren, moest ze erkennen dat de stelregel van haar moeder klopte: zij hadden hun fouten gemaakt, nu maak jij jouw fouten. En dat leidde tot een logische gevolgtrekking, die deel ging uitmaken van Martha's credo: na je vijfentwintigste mocht je je ouders geen verwijten meer maken. Natuurlijk gold dat niet als je ouders iets verschrikkelijks hadden gedaan – je hadden verkracht en vermoord en al je geld hadden afgepakt en je tot prostitutie hadden gedwongen –, maar in het doorsneeverloop van een doorsneeleven, als je doorsneevaardigheden en een doorsnee-intelligentie bezat, en des te meer als je meer kon en meer wist, dan mocht je je ouders geen verwijten maken. Uiteraard deed je dat wel, er waren ogenblikken dat de verleiding gewoonweg te groot was. Hadden ze maar rolschaatsen voor me gekocht zoals ze hadden beloofd, hadden ze het maar goedgevonden dat ik met David omging, waren ze maar anders geweest, liefdevoller, rijker, slimmer, eenvoudiger. Waren ze maar toegeeflijker geweest; waren ze maar strenger geweest. Hadden ze me maar meer aangemoedigd; hadden ze me maar om de juiste redenen geprezen... Niets van dat alles. Natuurlijk voelde Martha het op bepaalde momenten zo, wilde ze dat soort wrok koesteren, maar dan riep ze dat een halt toe en nam zichzelf onder handen. Je bent nu op jezelf aangewezen, meid. Het is normaal dat je tijdens je jeugd beschadigd raakt. Je mocht hun geen verwijten meer maken. Dat mocht niet.

Maar er was één ding, één heel klein maar onuitwisbaar pijnlijk iets waartegen ze maar geen remedie kon vinden. Na haar universitaire studie was ze in Londen gaan wonen. Ze zat op kantoor en deed alsof ze dolenthousiast was over haar baan; ze had liefdesverdriet, niet al te ernstig, gewoon om een man, gewoon de gebruikelijke kleine ramp; ze was ongesteld. Dat kon ze zich allemaal nog herinneren. De telefoon ging.

'Martha? Met Phil.'

'Met wie?' Iemand met rode bretels die te familiair doet, dacht ze.

'Phil. Philip. Je vader.' Ze wist niets te zeggen. Na een poosje, alsof haar stilte zijn identiteit in twijfel trok, bevestigde hij het nogmaals. 'Pappa.'

Hij wilde weten of ze een afspraak konden maken. Een keertje lunchen misschien? Hij wist een restaurant dat ze volgens hem wel aardig zou vinden, en zij verbeet de vraag: 'Hoe kan jij dat nou weten, verdomme?' Hij zei dat er een heleboel te bepraten was, hij vond dat ze er geen van beiden te hoog gespannen verwachtingen van moesten hebben. Dat was ze met hem eens.

Ze vroeg haar vrienden en vriendinnen om raad. Er waren er die zeiden: zeg wat je op je hart hebt; zeg hem wat je denkt. Anderen zeiden: wacht eerst eens af wat hij wil; waarom nu pas? Anderen zeiden: niet doen. Anderen zeiden: vertel het aan je moeder. Anderen zeiden: wat je ook doet, vertel het niet aan je moeder. Anderen zeiden: zorg dat je er eerder bent dan hij. Anderen zeiden: laat hem maar wachten, de rotzak.

Het was een ouderwets restaurant met eikenhouten lambrisering en al wat oudere obers wier afgestomptheid aan sardonische inefficiëntie grensde. Het was warm, maar er stond alleen zware herenclubkost op het menu. Hij spoorde haar aan zoveel te eten als ze maar wilde; ze bestelde minder. Hij stelde voor er een fles wijn bij te nemen; zij dronk water. Ze gaf hem antwoord alsof ze een vragenformulier invulde: ja, nee, dat zal wel; zeer zeker, nee, nee. Hij zei tegen haar dat ze een heel aantrekkelijke vrouw was geworden. Het kwam over als een impertinente opmerking. Ze wilde bevestigen noch ontkennen en zei daarom: 'Zou kunnen.'

'Herkende je me niet?' vroeg hij.

'Nee,' antwoordde ze. 'Mijn moeder heeft je foto's verbrand.' Dat was waar, en hij verdiende die pijnlijke schok, zo niet erger. Ze zag een al wat oudere man met een rood gezicht en dunnend haar tegenover haar aan tafel zitten. Ze had zich stellig voorgenomen niets te verwachten; niettemin zag hij er sjofeler uit dan ze had gedacht. Ze besefte dat ze al die tijd van een verkeerde aanname was uitgegaan. De afgelopen vijftien jaar of langer had ze verondersteld dat als je verdween, als je vrouw en kind in de steek liet, dat je dat deed omwille van een beter leven: meer geluk, meer seks, meer geld, meer van alles waaraan het in je voorgaande leven had ontbroken. Terwijl ze deze man die zich Phil noemde monsterde, vond ze dat hij eruitzag alsof hij een minder goed leven had gehad dan als hij thuis was gebleven. Maar misschien wílde ze dat geloven.

Hij vertelde haar een verhaal. Zij onthield zich van een oordeel over het waarheidsgehalte ervan. Hij was verliefd geworden. Het was hem overkomen. Hij zei dat niet om zich te rechtvaardigen. Hij had indertijd gemeend dat een radicale breuk in alle opzichten het beste was. Martha had een halfbroer, Richard heette hij. Het was een aardige jongen, al wist hij niet wat hij met zijn leven moest aanvangen. Vrij normaal op die leeftijd, waarschijnlijk. Stephanie – de naam werd opeens op Martha's helft van de tafel gemorst, als een omgestoten wijnglas – Steph was drie maanden terug overleden. Kanker was een rotziekte. Vijf jaar geleden had ze te horen gekregen dat ze het had, daarna waren de klachten enige tijd weggebleven. Toen was het teruggekomen. Als het terugkomt is het altijd erger. Het verteert je.

Dat alles leek – wat? – niet onwaarachtig, maar onbelangrijk, niet een manier om het duidelijk begrensde, unieke, gefiguurzaagde gat binnen in haar op te vullen. Ze vroeg hem Nottinghamshire terug.

'Wat zeg je?'

'Toen je wegging had je Nottinghamshire in je zak.'

'Dan had ik het toch goed verstaan.'

'Ik was mijn puzzel van de graafschappen van Engeland aan het leggen.' Ze voelde zich ongemakkelijk toen ze dat zei; niet gegeneerd, maar alsof ze te veel van haar hart liet zien. 'Je had de gewoonte een stukje weg te pakken en te verstoppen, om het op het laatst weer op te diepen. Toen je wegging heb je Nottinghamshire meegenomen. Weet je dat niet meer?'

Hij schudde zijn hoofd. 'Deed jij legpuzzels? Ik denk dat alle kinderen dat wel leuk vinden. Richard ook. Een poosje tenminste. Hij had een ongelooflijk moeilijke puzzel, weet ik nog, een en al wolken of zoiets – pas halverwege wist je welke kant boven lag...'

'Weet je het niet meer?'

Hij keek haar aan.

'Weet je het écht niet meer?'

Dat zou ze hem altijd blijven verwijten. Ze was de vijfentwintig gepasseerd, en ze zou almaar ouder worden dan vijfentwintig, ouder en ouder en ouder dan vijfentwintig, en ze zou op zichzelf aangewezen zijn; maar dát zou ze hem altijd blijven verwijten.

DEEL TWEE

Engeland, Engeland

EEN

Pitman House was trouw aan de architecturale beginselen van zijn tijd. Het ademde een sfeer van door menselijkheid getemperde seculiere macht: glas en staal werden verzacht door essen- en beukenhout; een likje nijlgroen hier en gifgeel daar deed een beteugelde hartstocht vermoeden; in de hal werd de heerschappij van de rechte hoek ondermijnd door een dofrood cilindrisch receptie-eiland à la Le Corbu. Het verheven atrium belichaamde de aspiraties van deze wereldse kathedraal, terwijl natuurlijke ventilatie en energiebesparing duidden op betrokkenheid bij maatschappij en milieu. De ruimten waren multifunctioneel en de leidingen zaten in het zicht; volgens het team architecten van Slater, Grayson & White paarde het gebouw raffinement van middelen aan helderheid van doelstellingen. Ook voor harmonie met de natuur had men zich duidelijk ingezet: achter Pitman House was een moeraspartij aangelegd. Op het plankier (hardhout afkomstig uit herbebossingsprojecten) konden de werknemers hun boterham eten terwijl ze het vluchtige vogelleven aan de rand van Hertfordshire in ogenschouw namen.

De architecten waren wel gewend aan inmenging van de cliënt, maar woorden schoten zelfs hun tekort bij het toelichten van sir Jack Pitmans persoonlijke inbreng in hun ontwerp: de toevoeging op directieniveau van een dubbelgroot kantoor, voorzien van geprofileerde kroonlijsten, hoogpolig tapijt, kolengestookte open haarden, staande lampen, veloutébehang, olieverfschilderijen, trompe-l'oeilramen met gordijnen, en mopneusachtige lichtknopjes. Zoals sir Jack peinzend opmerkte: 'Hoewel wij ons terecht beroemen op de mogelijkheden van het heden, mag de prijs daarvoor, naar mijn idee, niet bestaan uit minachting voor het verleden.' Slater, Grayson & White hadden getracht erop te wijzen dat het bouwen van het verleden tegenwoordig helaas aanzienlijk duurder was dan het bouwen van het heden of de toekomst. Hun cliënt had zich van commentaar onthouden, en de architecten restte de overweging dat dit besloten, bijna statige vertrek waarschijnlijk eerder zou worden beschouwd als persoonlijke rariteit van sir Jack dan als onderdeel van hun eigen ontwerpboodschap. Zolang niemand hen maar complimenteerde met het ironische postpostmodernistische ervan.

Tussen de ijle, fluisterende ruimte die de architecten hadden gecreëerd en de knusse werkkamer die sir Jack had willen hebben, lag een kantoortje – niet meer dan een doorgangstunnel –, bekend als de citaatkamer. Daar liet sir Jack bezoekers graag wachten tot ze door zijn secretaresse werden ontboden. Het was wel voorgekomen dat sir Jack zelf op weg van het kantoor aan de buitenzijde naar het heilige der heiligen langer dan enkele ogenblikken in die tunnel was blijven dralen. Het was een eenvoudige, kale, schaars verlichte ruimte. Er waren geen tijdschriften en geen tv-monitors die promovideo's over het Pitman-imperium toonden. Ook opzichtig comfortabele banken bekleed met de huiden van zeldzame diersoorten ontbraken. In plaats daarvan stond er één stoel met hoge rugleuning uit de tijd van Jakobus en Elizabeth tegenover een door een spotje beschenen plaquette. De bezoeker werd aangemoedigd, nee, gedwongen, te bestuderen wat er in Times-romein was uitgebeiteld.

JACK PITMAN

is een groot man in alle betekenissen van het woord.
Groot qua ambitie, groot qua levenslust, groot qua ruimhartigheid.
Grote verbeeldingskracht is nodig
om deze man in al zijn facetten te doorgronden.
Klein begonnen, maar als een meteoor gerezen
naar grootse zaken. Ondernemer, vernieuwer,
ideeënman, mecenas, binnenstadstimulator.

Sir Jack, niet zozeer een 'captain of industry' als wel
een admiraal,
verkeert weliswaar met presidenten,
maar is niet bang om zelf
de handen uit de mouwen te steken.
In weerwil van al zijn roem en rijkdom
gaat zijn privacy hem boven alles en is hij een goed huisvader.
Sir Jack, zo nodig autoritair, en altijd recht-door-zee,
laat niet met zich spotten;
domme of bemoeizuchtige lieden duldt hij niet.
Niettemin is hij diep begaan met zijn medemens.
Sir Jack, nog immer rusteloos en ambitieus,
bezit een duizelingwekkende werkkracht,
zijn weergaloze charme is verbijsterend.

Deze woorden, althans het merendeel ervan, waren enkele jaren tevoren geschreven door een profielschetser van *The Times*, die daarop voor korte tijd door sir Jack in dienst was genomen. Hij had verwijzingen naar zijn leeftijd, uiterlijk en geschatte rijkdom geschrapt, het hele stuk door een tekstschrijver laten omwerken en opdracht gegeven om de definitieve tekst uit te beitelen in een plaat leisteen uit Cornwall. Tot zijn genoegen was het citaat niet meer te traceren; enkele jaren terug was de bronvermelding 'The Times of London' weggehakt en de open plek met een rechthoekje leisteen opgevuld. Daar was het eerbetoon, voor zijn gevoel, gezaghebbender en tijdlozer van geworden.

Nu stond hij precies midden in zijn dubbelgrote, knusse werkkamer, onder de kroonluchter van Muranoglas en op gelijke afstand van de twee open haarden in Beierse-jachthuisstijl. Hij had zijn colbertje over de Brancusi gehangen op een manier die – in zijn ogen althans – eerder getuigde van gekscherende ongedwongenheid dan van oneerbiedigheid, en toonde zijn ronde romboïdale gestalte aan zijn secretaresse en zijn ideeënvanger. Voor laatstgenoemde figuur had eerst een andere officiële benaming bestaan, maar sir Jack had die vervangen door ‘ideeënvanger’. Iemand had hem eens vergeleken met een reusachtig stuk vuurwerk, omdat hij ideeën opwierp zoals een vuurrad vonken uitspuwt, en hij vond het niet meer dan passend dat zij die werpen iemand hebben die vangt. Hij nam een trekje van de gebruikelijke sigaar na de lunch en liet zijn Marylebone Cricket Club-bretels, rood met geel, ketchup met eidooier, knallen. Hij was geen lid van de MCC, en zijn bretelmaker stelde wijselijk geen vragen. Trouwens, hij had net zomin op Eton gezeten of bij de Guards gediend, noch was hij als lid van de Garrick Club geaccepteerd; niettemin bezat hij de bretels die zulks deden vermoeden. In de grond een rebel, mocht hij graag denken. Een non-conformist in zekere zin. Een man die voor niemand door de knieën gaat. En toch in zijn hart een goed vaderlander.

‘Wat rest mij nog?’ begon hij. Paul Harrison, de ideeënvanger, schakelde de reversmicrofoon niet meteen in. De afgelopen maanden was dit een bekende stijlfiguur geworden. ‘De meeste mensen zijn geneigd te zeggen dat ik in mijn leven alles heb gedaan wat een man vermag. Velen hébben dat ook gezegd. Ik heb bedrijven van de grond getild. Ik heb geld verdiend, dat zullen maar weinigen ontkennen. Eer is mij ten deel gevallen. Ik ben de betrouwbare vertrouweling van staatshoofden. Ik ben de minnaar geweest, al zeg ik het zelf, van beeldschone vrouwen. Ik ben een achtenswaardig maar, zo moet ik met nadruk stellen, niet té achtenswaardig lid van de samenleving. Ik heb een titel. Mijn vrouw is de tafeldame van presidenten. Wat rest er nog?’

Sir Jack ademde uit, zodat zijn woorden door de sigarenrook wervelden die de laagste druppels van de kroonluchter omfloersten. De aanwezigen wisten dat de vraag volstrekt retorisch was. Een vroegere secretaresse was zo naïef geweest te veronderstellen dat sir Jack op zulke momenten op zoek was naar nuttige suggesties, of, nog naïever, naar troost; voor haar was minder veeleisend werk elders in het concern gezocht.

‘Wat is echt? Zo verwoord ik die vraag voor mezelf weleens. Ben jíj bijvoorbeeld echt – en jij en jij?’ Sir Jack gebaarde gespeeld hoffelijk naar de andere aanwezigen in het vertrek, maar wendde zijn hoofd niet af van zijn gedachte. 'Jullie beschouwen jezelf als echt, dat spreekt vanzelf, maar zo worden dat soort dingen op het hoogste niveau niet beoordeeld. Mijn antwoord zou luiden: nee. Helaas. En jullie willen mij mijn openhartigheid vast wel vergeven, maar ik zou jullie nog sneller kunnen laten vervangen door substituten, door... schijngestalten, dan ik mijn dierbare Brancusi zou kunnen verkopen. Is geld echt? In zekere zin is het echter dan jullie. Is God echt? Dat is een vraag die ik liever voor me uit schuif tot de dag dat ik oog in oog met mijn Schepper kom te staan. Natuurlijk heb ik zo mijn theorieën, ik heb me zelfs, zou je kunnen zeggen, een beetje in termijnspeculaties gestort. Laat me bekennen – en zwijg als het graf, anders ben je er geweest, zo heet dat toch? – dat ik me die dag weleens probeer voor te stellen. Laat ik jullie deelgenoot maken van mijn veronderstellingen. Stel je het ogenblik eens voor waarop ik voor mijn Schepper wordt genood, die in Zijn oneindige wijsheid onze onbeduidende leventjes in dit tranendal met belangstelling heeft gevolgd. Wat, zo vraag ik jullie, zou hij voor sir Jack in petto kunnen hebben? Als ik Hem was – toegegeven, een aanmatigende gedachte – zou ik me vanzelfsprekend genoopt zien sir Jack te bestraffen voor zijn vele menselijke feilen en ijdelheden. Nee, nee!' Sir Jack stak zijn handen op om de voorziene protesten van zijn werknemers in de kiem te smoren. 'En wat zou ik – Hij – dan doen? Ik – Hij – zou misschien geneigd zijn om me in een citatenkamer helemaal voor mij alleen te zetten – o, niet al te lang, daar ga ik van uit. Een voorgeborchte helemaal alleen voor sir Jack. Ja, ik zou hem – mij! –onderwerpen aan de harde stoel en het spotje. Een imposante plaquette. En *geen tijdschriften*, zelfs niet de allervroomste!'

Ingehouden lachjes zouden hier op hun plaats zijn, en werden prompt verschaft. Sir Jack verkeert met de godheid, lady Pitman is Gods tafeldame.

Sir Jack kuierde met zware tred naar Pauls bureau en boog zich naar hem toe. De ideeënvanger kende de regels: oogcontact was nu geboden. Meestentijds deed je liever alsof werken voor sir Jack opgetrokken schouders, neergeslagen ogen en uiterste concentratie vergde. Nu gleed zijn blik als een camera naar het gezicht van zijn werkgever: het golvende, gitzwarte haar; de vlezige oren en het linkerlelletje dat was uitgerekt door een van sir Jacks onderhandelingstics; de gladde bolling van kaak en onderkin waarin de adamsappel schuilging; de wijnrode teint; het putje op de plek waar een moedervlek was verwijderd; de met zilverdraden doorschoten matjes van wenkbrauwen; en dan de ogen, die al op je wachtten en timeden hoe lang het duurde voor je moed had gevat. Je zag van alles in die ogen: minzame minachting, kille genegenheid, geduldige irritatie, redelijke boosheid, al was het nog maar de vraag of zulke geschakeerde emoties inderdaad bestonden. Je verstand zei dat de techniek waarmee sir Jack zijn personeel aanpakte eruit bestond dat hij nooit de stemming of de uitdrukking aan de dag legde die op dat moment voor de hand lag. Maar het kwam ook voor dat je je afvroeg of sir Jack alleen maar voor je stond met een stel spiegeltjes in zijn gezicht, rondjes waarin je je eigen verwarring las.

Toen sir Jack tevreden was – en je wist nooit goed wat sir Jack tevredenstelde – verplaatste hij zijn omvangrijke gestalte weer naar het midden van de kamer. Met Muranoglas boven zijn hoofd en hoogpolig tapijt om zijn veters kabbelend liet hij een volgende gewichtige vraag langs zijn verhemelte rollen.

'Is mijn naam... echt?' Sir Jack dacht over de kwestie na, evenals zijn twee werknemers. Sommigen geloofden dat de naam van sir Jack strikt genomen niet echt was en dat hij die enkele tientallen jaren terug van de *mitteleuropäische* bijklank had ontdaan. Anderen hadden uit gezaghebbende bron vernomen dat de kleine Jacky, hoewel ergens ten oosten van de Rijn geboren, in feite was voortgekomen uit een buitenechtelijke verhouding in een garage, tussen de aristocratische Engelse echtgenote van een Hongaarse glasfabrikant en de chauffeur van een gast uit Loughborough, en dat hij, zijn opvoeding, oorspronkelijke paspoort en sporadische foute klinker ten spijt, derhalve honderd procent Brits was. Aanhangers van de samenzweringstheorie en onverbeterlijke cynici gingen nog verder; zij suggereerden dat die foute klinkers juist een trucje waren: sir Jack Pitman was de zoon van het eenvoudige, allang afgekochte echtpaar Pitman, en de tycoon had zich langzaam laten omhullen door de mythe van een continentale afkomst; maar of persoonlijke mystiek of beroepsmatig voordeel daar de reden van was, konden ze niet uitmaken. Ditmaal kreeg geen van deze hypotheses steun, want hij verschafte zijn eigen antwoord. 'Als een man uitsluitend dochters heeft verwekt, is zijn naam niet meer dan een kleinood geleend van de eeuwigheid.'

Een kosmische huivering, waarvan de oorsprong wellicht in zijn spijsvertering lag, doorvoer sir Jack Pitman. Hij draaide zich op zijn hakken om, pafte rook uit en begon naar zijn samenvatting toe te werken.

'Zijn grootse ideeën echt? Dat willen de filosofen ons doen geloven. Natuurlijk heb ik in mijn tijd grootse ideeën gehad, maar toch – niet noteren, Paul, ik weet niet zeker of het bewaard moet blijven – toch vraag ik me weleens af hoe echt ze waren. Dit is misschien het geraaskal van een seniele gek – ik hoor niet dat jullie me luid tegenspreken, dus ik neem aan dat jullie het met me eens zijn – maar misschien zit er nog leven in deze ouwe kerel. Wat ik nodig heb, misschien, is nog één groots idee. Om het af te leren, hè, Paul? Dat mag je wel vastleggen.'

Paul tikte in: 'Wat ik nodig heb, misschien, is nog één groots idee', bekeek dit op het scherm, bedacht dat hij ook verantwoordelijk was voor het redigeren, dat hij 'mijn eigen parlementair verslaggever' was, zoals sir Jack het eens had gesteld, en wiste het slappe 'misschien'. De uitspraak zou in zijn assertievere vorm in het archief worden opgenomen, voorzien van datum en uur.

Sir Jack stalde zijn sigaar welgemoed in het buikgat van een voorstudie van Henry Moore, rekte zich uit en maakte lichtvoetig een pirouette. 'Zeg tegen Woodie dat het tijd is,' zei hij tegen zijn secretaresse, van wie hij de naam maar niet kon onthouden. In één opzicht kon hij dat natuurlijk wel: ze heette Susie. Hij noemde al zijn secretaresses namelijk Susie. Ze kwamen en gingen in tamelijk hoog tempo. Het was dan ook eigenlijk niet haar naam waarover hij in het onzekere verkeerde, maar haar persoon. Zoals hij daarnet al had gezegd: tot op welke hoogte was ze echt? Precies.

Hij pakte zijn colbertje van de Brancusi en schokschouderde het over zijn MCC-bretels. In de citaatkamer stond hij even stil om de welbekende aanhaling nog eens te lezen. Hij kende hem uiteraard uit zijn hoofd, maar mocht er nog steeds graag bij verpozen. Ja, nog één groots idee. De wereld had hem de afgelopen paar jaar niet bepaald met respect bejegend. Goed, dan moest hij de wereld maar eens versteld doen staan.

Paul zette zijn initialen onder zijn memorandum en bewaarde het document. De nieuwste Susie belde naar beneden naar de chauffeur en bracht verslag uit over de stemming van hun werkgever. Daarna pakte ze sir Jacks sigaar, doofde hem en legde hem terug in diens bureaula.

'Wees zo goed een beetje met me mee te dromen.' Sir Jack hief vragend de karaf.

'Mijn tijd, jouw geld,' antwoordde Jerry Batson van Cabot, Albertazzi en Batson. Zijn manier van doen was altijd plezierig en altijd ondoorzichtig. Hij reageerde bijvoorbeeld niet merkbaar, met woord of gebaar, op het aangeboden drankje, maar toch was het op de een of andere wijze duidelijk dat hij beleefd een armagnac aanvaardde, die hij vervolgens op wellevende, plezierige en ondoorzichtige wijze zou beoordelen.

'Jouw bréín, mijn geld.' Sir Jacks correctie was een goedmoedig gebrom. Je solde niet met iemand als Jerry Batson, maar sir Jack was het restje instinct om zijn overwicht te doen gelden nooit kwijtgeraakt. Hij deed dit door middel van zijn jovialiteit, zijn embonpoint, zijn voorkeur om te blijven staan terwijl anderen zaten en zijn gewoonte om werktuiglijk de eerste zin van zijn gesprekspartner te verbeteren. Jerry Batson pakte het anders aan. Hij was tenger gebouwd, had grijzend krulhaar en gaf een slap handje, maar liever niet. Hij bepaalde, of betwistte, wie het overwicht uitoefende door te weigeren het na te streven, door zich terug te trekken in een kort zen-ogenblik waarin hij slechts een kiezel was die kortstondig door een luidruchtige stroom werd overspoeld, door een neutrale houding aan te nemen en alleen de *feng shui* van zijn omgeving te beleven.

Sir Jack deed zaken met de *crème de la happy few*, vandaar dat hij zaken deed met Jerry Batson van Cabot, Albertazzi en Batson. De meeste mensen veronderstelden dat Cabot en Albertazzi de transatlantische en Milanese compagnons van Jerry waren en konden zich indenken dat die er wel aanstoot aan zouden nemen dat het internationale driemanschap eigenlijk alleen uit Batson bestond. In feite stoorden ze zich echter geen van beiden aan het primaatschap van Jerry Batson, aangezien ze, hoewel ze een kantoor, een bankrekening en een maandsalaris hadden, in werkelijkheid geen van beiden bestonden. Zij waren vroege voorbeelden van Jerry's zachthandige bedrevenheid met de waarheid. 'Als je jezelf niet weet te presenteren, hoe kan men dan van je verwachten dat je een product presenteert?' mocht hij in zijn openhartige, pre-mondiale begintijd graag mompelen. Zelfs nu nog, minstens twintig jaar later, mocht hij het, als hij pas gegeten had of herinneringen ophaalde, graag doen voorkomen alsof zijn stille vennoten echt bestonden. 'Bob Cabot heeft me een van de belangrijkste lessen van dit vak geleerd...' begon hij dan. Of: 'Natuurlijk, Silvio en ik waren het vroeger nooit eens over...' Misschien had de realiteit van die maandelijkse overschrijvingen via de Kanaaleilanden de rekeninghouders een latente tastbaarheid verleend.

Jerry accepteerde het glas armagnac en bleef rustig zitten terwijl sir Jack het ronddraaien en opsnuiven, het tandvlees spoelen en de extatische blik afwerkte. Jerry droeg een gedekt kostuum, stippeltjesdas en zwarte instappers. Dat uniform was gemakkelijk aan te passen om jeugdigheid, bezadigdheid, modebewustzijn of gewichtigheid kenbaar te maken; kasjmier coltruien, sokken van Missoni en een design-brilletje met ongeslepen glazen verleenden alle een zekere nuance. Maar tegenover sir Jack liep hij niet te koop met beroepsmatig toebehoren, menselijk noch materieel. Hij zat daar glimlachend gedienstig te zijn, bijna alsof hij wachtte tot zijn cliënt de voorwaarden van het dienstverband uiteenzette.

Uiteraard was de tijd dat 'cliënten' Jerry Batson 'in dienst namen' allang voorbij. Een jaar of tien geleden had zich een belangrijke verandering van voorzetsel voorgedaan, toen Jerry besloot dat hij liever mét dan vóór mensen werkte. Bijgevolg had hij in verschillende periodes (maar soms ook niet) samengewerkt met de werkgeversorganisaties én de vakbondsorganisaties, met het dierenbevrijdingsfront én de bonthandel, met Greenpeace én de nucleaire industrie, met alle grote politieke partijen én diverse splintergroeperingen. Ongeveer terzelfder tijd was hij het gebruik van botte etiketten zoals reclameboy, lobbyist, crisismanager, imagohersteller en bedrijfsstrateeg gaan ontmoedigen. Jerry, geheimzinnige figuur en in avondkleding gestoken alumnus van de societyrubrieken, waarin erop werd gezinspeeld dat hij weldra sir Jerry zou worden, stelde zich tegenwoordig liever anders op. Hij was consultant van de uitverkorenen. Niet van de gekozenen, merkte hij graag op, maar de uitverkorenen. Vandaar dat hij in sir Jacks penthouse in de City sir Jacks armagnac zat te drinken, met heel donker, fonkelend Londen achter een vliesgevel van glas, waar zijn in instappers gestoken voeten zachtjes tegenaan tikten. Hij was hier om met een paar ideeën te stoeien. Alleen al zijn aanwezigheid riep synergie op.

'Je hebt een nieuw account,' verklaarde sir Jack.

'O ja?' In de stem klonk een uiterst licht, uiterst ondoorzichtig fronsje. 'Silvio en Bob gaan over alle nieuwe accounts.' Dat wist iedereen. Hij, Jerry, was boven de strijd verheven. Hij beschouwde zichzelf vroeger als een soort superieure advocaat, een die zijn pleidooien hield in de hogere, bredere rechtscolleges van de publieke opinie en de publieke emotie. Onlangs had hij zichzelf tot de rechterlijke macht bevorderd. Daarom was praten over accounts in zijn bijzijn eerlijk gezegd een tikje ordinair. Maar ja, van sir Jack verwachtte je nu eenmaal geen fijngevoeligheid. Iedereen was het erover eens dat het hem, om welke reden dan ook, ontbrak aan *finesse* en *savoir.*

'Nee, Jerry, m'n vrind, dit is een nieuw account maar tegelijkertijd een heel oud account. Ik vraag je alleen, zoals ik al zei, om een beetje met me mee te dromen.'

'Vind ik het een mooie droom?' Jerry wendde een lichte nervositeit voor.

'Je nieuwe cliënt is Engeland.'

'Engeland?'

'Exact.'

'Heb je koopplannen, Jack?'

'Laten we eens dromen dat dat zo is. Bij wijze van spreken.'

'Je wilt dat ik droom?'

Sir Jack knikte. Jerry Batson haalde een zilveren snuifdoos te voorschijn, liet het dekseltje openklappen, lanceerde het poeder op zijn gekromde duim in elk neusgat en niesde weinig overtuigend in een paisley zakdoek. Het snuifpoeder was zwart gemaakte cocaïne, zoals sir Jack waarschijnlijk wel wist. Ze zaten in eendere Louis Farouk-leunstoelen. Londen lag aan hun voeten, als verwachtte de stad onderwerp van gesprek te worden.

'Tijd is het probleem,' begon Jerry. 'Naar mijn oordeel. Altijd al zo geweest. De mensen kunnen het maar niet aanvaarden, zelfs niet in hun dagelijks leven. "Je bent zo oud als je je voelt," zeggen ze. *Herstel.* Je bent zo oud, precies zo oud, als je bent. Dat geldt voor mensen, relaties, samenlevingen, staten. Begrijp me niet verkeerd, hoor. Ik ben een goed vaderlander, en qua bewondering voor ons geweldige land doe ik voor niemand onder, ik ben dól op dit land. Maar het probleem kan eenvoudig onder woorden worden gebracht: men vertikt het om in de spiegel te kijken. Toegegeven, we zijn in dat opzicht niet uniek, maar van alle leden van de volkerengemeenschap die zich elke ochtend dichtplamuren terwijl ze fluiten "Je bent zo oud als je je voelt", zijn wij een wel heel erg bedroevend geval.'

'Bedroevend?' zei sir Jack vragend. 'Je vergeet dat ik ook een goed vaderlander ben.'

'Goed, Engeland komt bij me, en wat zeg ik dan tegen haar? Ik zeg: "Hoor eens, liefje, je kunt er niet omheen. We schrijven het derde millennium, en je tieten zijn gaan hangen. Een push-upbeha is de oplossing niet."'

Sommige mensen vonden Jerry Batson een cynicus, andere alleen maar een schurk. Maar een hypocriet was hij niet. Hij zag zichzelf als een goed vaderlander; sterker nog, hij bezat de lidmaatschappen daar waar sir Jack alleen de bretels bezat. Maar hij geloofde niet in blindelingse voorouderverering; naar zijn mening hoorde je vaderlandslievendheid actief uit te dragen. Er liepen nog steeds oudgedienden rond die terugverlangden naar het Britse Rijk, net zo goed als er lieden waren die het in hun broek deden bij het idee dat het Verenigd Koninkrijk uiteen zou vallen. Jerry had zich in het openbaar nog niet uitgelaten – en de voorzichtigheid zou wellicht prevaleren tot hij veilig en wel sir Jerry was – over zaken waarover hij in het gezelschap van vrijdenkers graag zijn mening spuide. Hij zag bijvoorbeeld niets dan historische onvermijdelijkheid in het denkbeeld dat heel Ierland vanuit Dublin zou te worden bestuurd. Als de Schotten de onafhankelijkheid wilden uitroepen en zich als soevereine staat bij Europa wilden aansluiten, dan zou Jerry – die in zijn tijd had samengewerkt met de onafhankelijkheidsbeweging én met de unionistische jongens, en die in de positie was om begrip te hebben voor alle argumenten – dan zou Jerry hun geen strobreed in de weg leggen. Wales idem dito trouwens.

Maar volgens hem kon en moest je tijd, verandering en ouderdom kunnen accepteren zonder een historische depressieveling te worden. Het was wel voorgekomen dat hij het mooie land Brittannië had vergeleken met de nobele wetenschap der wijsbegeerte. Toen de studie en de ontwikkeling van de filosofie een aanvang hadden genomen, ergens ver weg in Griekenland of daaromtrent, hadden deze allerlei vakgebieden omvat: geneeskunde, astronomie, rechtsgeleerdheid, natuurkunde, esthetica enzovoort. Er werd door het menselijk brein niet veel voortgebracht dat niet onder filosofie viel. Maar geleidelijk aan, in de loop van de eeuwen, had elk van die uiteenlopende vakgebieden zich afgesplitst van het grote geheel en was voor zichzelf begonnen. Op dezelfde manier, zo mocht Jerry graag redeneren – en dat deed hij nu – had Brittannië eens de scepter gezwaaid over grote delen van het aardoppervlak, had die op de kaart van pool tot pool roze gekleurd. Mettertijd hadden die rijksdelen zich afgesplitst en zich gevestigd als soevereine naties. Groot gelijk. Wat was er dan nog over? Het zogenaamd Verenigd Koninkrijk, dat, als je eerlijk was kon je er niet omheen, zijn bijvoeglijk naamwoord niet waarmaakte. De leden waren verenigd zoals huurders die huur betalen aan dezelfde huisbaas verenigd zijn. En iedereen wist dat je een huurcontract kon opzeggen. Maar had de filosofie haar bemoeienis met de grote problemen van het leven gestaakt alleen omdat de astronomie en haar maatjes elders domicilie hadden gekozen? Geenszins. Je zou zelfs kunnen redeneren dat de filosofie tegenwoordig beter in staat was zich op wezenlijke kwesties te concentreren. En zou Engeland ooit zijn krachtige, unieke individualiteit verliezen die in de loop van zovele eeuwen was gevestigd, in het hypothetische geval dat Wales, Schotland en Noord-Ierland besloten af te taaien? Volgens Jerry niet.

'Tieten,' bracht sir Jack hem in herinnering.

'Daar had ik het net over. Exact. Je kunt er niet omheen. We schrijven het derde millennium en je tieten zijn gaan hangen, liefje. De tijd dat er een kanonneerboot werd gestuurd, om van een stel roodgejaste soldaten nog maar te zwijgen, ligt ver achter ons. We bezitten het beste leger ter wereld, dat behoeft geen betoog, maar tegenwoordig leasen we het ten behoeve van oorlogjes die door anderen zijn gefiatteerd. We zijn geen supermacht meer. Hoe komt het toch dat sommige mensen dat maar niet kunnen toegeven? De spinmachine staat in het museum, de olie begint op te drogen. Andere mensen produceren goedkoper. Bij onze vrienden in de City stroomt het geld nog binnen, en we verbouwen ons eigen voedsel; op bescheiden schaal gaan we als kapitalisten met poen om. Soms boeken we winst, soms lijden we verlies. Maar wat we wél hebben, wat we altijd zullen hebben, is iets wat anderen niet hebben: een opeenstapeling van tijd. Tijd. Mijn sleutelwoord, begrijp je wel.'

'Ik begrijp het.'

'Als je een ouwe knar bent in een schommelstoel op de veranda, speel je geen basketbal met de jongelui. Ouwe knarren springen niet. Je blijft zitten en maakt van de nood een deugd. Ook doe je het volgende: je maakt die jongelui wijs dat iedereen, maar dan ook iedereen, kan springen, maar dat alleen een wijze ouwe vent weet hoe je daar moet zitten schommelen.

Er zijn mensen – in mijn ogen klassieke historische depressievelingen – die vinden dat het onze taak is, bij uitstek onze geopolitieke rol, om als symbool van aftakeling te fungeren, een morele en economische vogelverschrikker. Je weet wel, wij hebben de wereld cricket leren spelen en nu is het onze plicht, een teken van ons hardnekkige koloniale schuldgevoel, te dulden dat iedereen ons verslaat. Gelul dus. Ik wil die denkwijze ombuigen. Wat liefde voor dit land betreft doe ik voor niemand onder. Het is een kwestie van het product op de juiste manier in de markt zetten, dat is alles.'

'Zet het dan maar voor me in de markt, Jerry.' Sir Jacks ogen stonden dromerig, maar zijn stem klonk begerig.

De consultant van de uitverkorenen nam nog een duimpje snuif tot zich. 'Jij – wij – Engeland – mijn cliënt – is – zijn – een zeer oud land met een geweldige historie, een grote opeenhoping van wijsheid. Maatschappelijke en culturele geschiedenis – bergen hebben we ervan, stapels –, uitstekend aan de man te brengen, vooral in het huidige klimaat. Shakespeare, koningin Victoria, de Industriële Revolutie, tuinieren, dat soort dingen. Als ik een kreet mag introduceren, en ik eis meteen het copyright op: "Wij zijn nu al wat anderen alleen maar kunnen hopen te worden." Dat is geen zelfbeklag, dat is de kracht van onze positie, onze trots, ons product-placement. Wij zijn de nieuwe pioniers. Wij moeten andere landen ons verleden verkopen als hun toekomst!'

'Hoe kom je d'rop,' mompelde sir Jack. 'Hoe kom je d'rop.'

'Pa-pa-pa-pa pom pom pom,' deed sir Jack terwijl Woodie, met de pet onder de arm, het portier van de limousine opende. 'Pom pa-pa-pa-pa pomm pomm pomm. Herken je het, Woodie?'

'Is het misschien die schitterende Pastorale, meneer?' De chauffeur wendde nog steeds een lichte onzekerheid voor, wat hem een knikje van zijn werkgever opleverde en nog meer vertoon van kennerschap.

'Ontwaken van vredige gemoedsbewegingen bij aankomst op het platteland. Sommige vertalers maken er "opgewekte" van, ik geef de voorkeur aan "vredige". Kom me over twee uur maar halen bij The Dog and Badger.'

Wood reed langzaam weg naar het afgesproken punt aan het andere eind van het dal, waar hij de kastelein zou betalen om zijn werkgever drankjes van het huis aan te bieden. Sir Jack trok de tongen van zijn wandelschoenen recht, pakte zijn sleedoornhouten wandelstok over van de ene hand naar de andere, waarna hij staande een lange trage wind uitperste, als een radiator die wordt ontlucht. Voldaan tikte hij met zijn stok tegen een stenen muur die even regelmatig was als een scrabblebord en begaf zich op weg door het late-herfstlandschap. Sir Jack zong graag de lof van eenvoudige genoegens – wat hij eenmaal per jaar deed als erevoorzitter van de landelijke wandelaarsbond –, maar hij wist ook dat geen enkel genoegen nog eenvoudig was. Het melkmeisje en haar vrijer zwierden niet langer rond de meiboom terwijl ze zich intussen verheugden op een punt koude schapenpastei. De industrialisatie en de vrije markt hadden hen al lang geleden afgedankt. Eten was niet eenvoudig, en voor een historische reconstructie van het voedselpakket van het melkmeisje kwam heel wat kijken. Drank lag tegenwoordig vrij gecompliceerd. Seks? Alleen domkoppen waren van mening dat seks een eenvoudig genoegen was. Lichaamsbeweging? Dansen om de meiboom was conditietraining geworden. Kunst? Kunst was de vermaaksindustrie geworden.

En dat was allemaal prima in orde, naar de mening van sir Jack. Pa-pa-pa-pa pom pom pom. Hoe zou Beethoven ervoor staan als hij in deze tijd leefde? Rijk, beroemd, en onder behandeling van een goede arts, zo zou hij ervoor staan. Wat een puinhoop moet het die decemberavond in Wenen zijn geweest. 1808, als zijn geheugen hem niet in de steek liet. Absoluut waardeloze mecenassen, musici die niet genoeg hadden gerepeteerd, dom publiek dat rilde van de kou. En welk genie was op het lumineuze idee gekomen om de Vijfde én die schitterende Pastorale op een en dezelfde avond voor het eerst uit te voeren? Plus het vierde pianoconcert? Plús de Koorfantasie. Vier uur in een onverwarmde zaal. Geen wonder dat het een ramp was geworden. Tegenwoordig, met een fatsoenlijke impresario, een toegewijde manager – of nog beter, met een verlicht weldoener die zulke inhalige tienprocenters overbodig maakte... Een figuur die zou staan op voldoende repetitietijd. Sir Jack had te doen met Ludwig de geweldenaar, werkelijk waar. Pa-pá-pa-pa-pa-pom-die-die-om.

En zelfs een schijnbaar eenvoudig genoegen als wandelen had zo zijn verwikkelingen: op logistiek, juridisch, filosofisch en kledinggebied. Niemand 'wandelde' nog zomaar, stapte omwille van het stappen, om de longen vol te zuigen, om het lichaam te laten bruisen. Misschien had niemand dat ooit echt gedaan, op enkele zeldzame zielen na. Net zo goed als hij betwijfelde of iemand in vroeger tijden ooit echt had 'gereisd'. Sir Jack had belangen in vele recreatieorganisaties en was doodziek van de verwaten bewering dat het deftige 'reizen' was verdrongen door ordinair 'toerisme'. Wat een snobistische en onwetende lieden waren die zeurkousen. Dachten ze nu heus dat al die reizigers oude stijl waar ze zo tegen opkeken zulke idealisten waren geweest? Dat die niet hadden 'gereisd' om ongeveer dezelfde redenen als de 'toeristen' van nu? Om weg te zijn uit Engeland, ergens anders te zijn, de zon te voelen, vreemde bezienswaardigheden en nog vreemdere mensen te bekijken, dingen te kopen, erotiek te zoeken en om naar huis terug te keren met souvenirs, herinneringen en sterke verhalen? Precies hetzelfde volgens sir Jack. Alleen was het reizen sinds de Grand Tour gedemocratiseerd, en dat was maar goed ook, zoals hij zijn aandeelhouders geregeld voorhield.

Sir Jack genoot ervan om over andermans terrein te stappen. Hij had de gewoonte zijn stok goedkeurend op te heffen naar de koeiensilhouetten op de heuvels, de logge trekpaarden met hun wijd uitlopende broekspijpen, de Shredded Wheat-achtige rollen hooi. Maar hij maakte nooit de fout te veronderstellen dat daar ook maar iets eenvoudigs of natuurlijks aan was.

Hij liep een bos in en knikte naar een stel jonge wandelaars die hem tegemoetkwamen. Hoorde hij hen samen gniffelen? Misschien keken ze op van zijn tweed jachtpet, jagersjasje, broek van dubbelgekeperde wol, overschoenen, handgemaakte hertenleren wandelschoenen en bergbeklimmersstok. Vanzelfsprekend allemaal Engels fabrikaat: ook privé was sir Jack een goed vaderlander. De verdwijnende wandelaars droegen trainingspakken in kunstmatige kleuren, met daaronder rubberen sportschoenen, daarboven honkbalpetjes en daarachter nylon rugzakjes; de een had oordopjes in en luisterde naar alle waarschijnlijkheid niet naar die schitterende Pastorale. Maar nogmaals, sir Jack was geen snob. Een paar jaar geleden was er bij de wandelbond een motie ingediend waarin werd voorgesteld wandelaars te verplichten tot het dragen van kleuren die niet vloekten met het landschap. Sir Jack had zich met hand en tand, wortel en tak, tegen die motie verzet. Hij had het voorstel afgeschilderd als bizar, elitair, onuitvoerbaar en ondemocratisch. Bovendien had hij zo zijn belangen in de markt voor vrijetijdskleding.

Het pad door het bos, verscheidene generaties veerkrachtig beukenblad, was gewatteerd ondertapijt. Gelaagde zwammen op een rottend houtblok maakten een Le Corbusier-maquette van arbeidershuisjes. Genialiteit was het vermogen tot transformeren: de nachtegaal, de kwartel en de koekoek werden aldus de fluit, de hobo en de klarinet. Maar was genialiteit niet tevens het vermogen de dingen te bezien als door de ogen van een argeloos kind?

Hij kwam het bos uit en liep een heuveltje op; onder hem

leidde een golvende akker langs een bosje omlaag naar een riviertje. Hij steunde op zijn stok en peinsde over zijn ontmoeting met Jerry Batson. Niet bepaald een goed vaderlander, in Jacks ogen. Hij had iets ontwijkends. Legde geen contact van man tot man, keek je niet recht aan, zat daar maar in trance als een haute couture hippie. Maar toch, als je hem geld toeschoof, kon Jerry je meestal precies vertellen waar het om ging. Tijd. Je bent zo oud, precies zo oud als je bent. Zo'n open deur dat het bijna mystiek werd. En hoe oud was sir Jack dan wel? Ouder dan er in zijn paspoort stond, zoveel is zeker. Hoeveel tijd had hij nog? Er waren momenten dat hij last had van vreemde voorgevoelens. In zijn privé-wc in Pitman House, op zijn porfieren closetpot gezeten, werd hij soms overvallen door een gevoel van broosheid. Een roemloos einde, om met je broek op je schoenen te worden gesnapt.

Nee, nee! Zo mocht hij niet denken. Dat mocht de kleine Jacky Pitman niet, noch Jolige Jack, noch sir Jack, noch de toekomstige lord Pitman-van-hij-moest-nog-kiezen-waar. Nee, hij moest doorgaan, hij moest actie ondernemen, hij mocht niet wachten op de tijd, hij moest de tijd bij de strot grijpen. Voort, voort! Hij mepte met zijn stok tegen een bosje kreupelhout en schrikte een fazant op die, in zijn flapperende Fair Isle-trui, moeizaam klapwiekend opvloog als een modelvliegtuigje met een wrakke propeller.

Terwijl hij langs een steile helling liep werd de zuivere oktoberwind snijdend. Een roestende windmolen deed zich voor als een brutaal haantje van Picasso. In de verte zag hij al een paar vroege lichtjes: een forenzendorp, een kroeg die door de brouwerij in oude glorie was hersteld. Zijn tocht was te snel ten einde. Nog niet, dacht sir Jack, nog niet! Op sommige momenten voelde hij een sterke verwantschap met de oude Ludwig, en inderdaad werd in tijdschriftartikelen over sir Jack geregeld het woord genie gebezigd. Niet altijd ingebed in een vleiende context, maar ja, hij zei dan ook altijd dat er maar twee soorten journalisten bestonden: degenen die bij hem in dienst waren en degenen die in dienst waren van naijverige rivalen. En ze hadden immers een ander woord kunnen kiezen. Maar waar bleef zíjn Negende Symfonie? Was dit hem, datgene wat zich op dit moment in zijn binnenste roerde? Als Beethoven was doodgegaan na er slechts acht te hebben voltooid, zou de wereld hem ongetwijfeld toch hebben erkend als een geweldenaar. Maar de Negende, de Negende!

Een langsvliegende gaai maakte reclame voor de autokleuren van het nieuwe seizoen. Een beukenhaag vlamde op als roestwerende verf. Konden we ons daar maar in onderdompelen... *Muss es sein?* Iedere Beethoven-adept – en tot hen rekende sir Jack zich – wist het antwoord daarop. *Es muss sein.* Maar pas na de Negende.

Hij knoopte de kraag van zijn jagersjasje dicht tegen de aanwakkerende wind en richtte zijn schreden naar een opening in een heg in de verte. Een dubbele cognac bij The Dog and Badger, waar de bebakkebaarde kastelein de rekening vaderlandslievend zou wegwuiven – 'Een genoegen en een eer, net als anders, sir Jack' – en daarna per limousine terug naar Londen. Normaal gesproken zou hij de auto vullen met de klanken van de Pastorale, maar vandaag misschien niet. De Derde? De Vijfde? Zou hij de Negende aandurven? Toen hij bij de heg was, vloog er een kraai met eerbiedwaardig zwartzijden vleugels op.

'Anderen omringen zich misschien graag met jaknikkers,' zei sir Jack tijdens het gesprek met Martha Cochrane, die solliciteerde naar de functie van special consultant. 'Maar ik sta erom bekend dat ik neemensen, zoals ik ze graag noem, naar waarde weet te schatten. De lastpakken, de neezeggers. Dat is toch zo, hè, Mark?' Hij gebaarde naar zijn projectmanager, een blonde schelmse jongeman wiens ogen zijn werkgever zo snel volgden dat ze hem soms voor leken te zijn.

'Nee,' zei Mark.

'Ho, ho, Marco. Touché. Of, als je het anders bekijkt: bedankt dat je mijn bewering staaft.' Hij leunde over zijn bureau-ministre om Martha op enig minzaam *Führerkontakt* te trakteren. Martha wachtte af. Ze was voorbereid op pogingen om haar op het verkeerde been te zetten, en dat was al gebeurd doordat sir Jacks knusse, dubbelgrote werkkamer wat stijl betrof zo pijnlijk verschilde van de rest van Pitman House. Toen ze de kamer door liep had ze bijna haar enkel verzwikt in het hobbelige hoogpolige tapijt.

'Het zal u opvallen, mevrouw Cochrane, dat ik de nadruk leg op het woord mensen. Ik heb meer vrouwen in dienst dan de meesten in mijn positie. Ik koester grote bewondering voor vrouwen. En het is mijn overtuiging dat vrouwen, als ze niet idealistischer zijn dan mannen, cynischer zijn. Ik zoek dan ook wat je een huiscynicus zou kunnen noemen. Geen hofnar, zoals onze jeugdige Mark, maar iemand die niet bang is om voor zijn mening uit te komen, die niet bang is om tegen mij in te gaan, ook al mag zo iemand niet verwachten dat er per se nota wordt genomen van zijn advies en wijze gedachten. Ik ben altijd en overal uit op winst, al duik ik in dit geval niet naar een parel maar naar dat onmisbare zandkorreltje. Zeg eens, bent u het met me eens dat vrouwen cynischer zijn dan mannen?'

Martha dacht een paar seconden na. 'Ach, vrouwen passen zich traditiegetrouw aan aan de behoeften van de man. De behoefte van mannen heeft natuurlijk twee kanten. Jullie plaatsen ons op een voetstuk om onder onze rokken te kunnen kijken. Toen jullie toonbeelden van zuiverheid en geestelijke waarde nodig hadden, iets om te idealiseren terwijl jullie elders de grond bewerkten of de vijand doodden, hebben wij ons aangepast. Als jullie nu van ons verlangen dat we cynisch en gedesillusioneerd zijn, kunnen wij ons daar ook wel aan aanpassen, veronderstel ik. Hoewel we het misschien net zomin menen als vroeger. Misschien doen we domweg cynisch over cynisch doen.'

Sir Jack, die het sollicitatiegesprek in democratische hemdsmouwen voerde, ontlokte zijn Garrick-bretels een elastisch pizzicato. 'Dat is wel heel erg cynisch.'

Hij keek nog eens in haar cv. Veertig, gescheiden, geen kinderen; geschiedenis gestudeerd, daarna gewerkt aan een onderzoek naar de erfenis van de sofisten; vijf jaar in de City, twee bij het ministerie van Nationaal Erfgoed en Kunst, acht als freelance consultant. Toen hij van haar cv naar haar gezicht overschakelde, bleek ze hem al onverstoorbaar aan te kijken. Donkerblond haar, strak kortgeknipt, een blauw mantelpak, een enkele groene steen aan haar linkerpink. Het bureau onttrok haar benen aan het zicht.

'Ik moet u enkele vragen stellen, in willekeurige volgorde. Eens even kijken...' Haar niet-aflatende aandacht bracht hem vreemd genoeg in verwarring. 'Eens even kijken. U bent veertig. Klopt dat?'

'Negenendertig.' Ze wachtte tot zijn lippen vaneen gingen voordat ze hem de pas afsneed. 'Maar als ik zeg dat ik negenendertig ben, denkt u waarschijnlijk dat ik twee- of drieënveertig ben, terwijl u me eerder gelooft als ik zeg dat ik veertig ben.'

Sir Jack deed een poging tot gnuiven. 'En benadert de rest van uw gegevens de waarheid net zo goed?'

'Die is net zo waar als u wilt. Als het goed uitkomt, is het waar. Zo niet, dan verander ik het.'

'Waarom is onze grootse natie zo dol op het koninklijk huis, denkt u?'

'Het pistool op de borst. Als we geen koninklijk huis hadden, zou u de vraag andersom stellen.'

'Uw huwelijk is in scheiding geëindigd?'

'Ik kon het tempo van het geluk niet verdragen.'

'Wij zijn een trots volk, sinds 1066 nooit meer een oorlog verloren?'

'Met opmerkelijke overwinningen in de Amerikaanse Onafhankelijkheidsoorlog en de oorlogen in Afghanistan.'

'Maar we hebben wel Napoleon verslagen, de Duitse keizer, Hitler.'

'Met een beetje hulp van onze vrienden.'

'Wat vindt u van het uitzicht vanuit mijn kantoor?' Hij maakte een armgebaar. Martha's blik werd geloodst naar een stel tot op de grond hangende gordijnen, die met een goudkleurig koord waren opgenomen; daartussen bevond zich een onmiskenbaar loos raam, op de ruit waarvan een panorama met gouden korenvelden was geschilderd.

'Mooi,' zei ze op neutrale toon.

'Ha!' antwoordde sir Jack. Hij beende naar het raam, pakte de trompe-l'oeilhandgrepen en trok het tot Martha's verbazing met een ruk omhoog. De korenvelden verdwenen en onthulden het atrium van Pitman House. 'Ha!'

Hij ging weer zitten, met de zelfgenoegzaamheid van iemand die de overhand heeft gekregen. 'Zou u met mij naar bed gaan om deze baan te krijgen?'

'Nee, ik denk van niet. Dat zou me te veel macht over u geven.'

Sir Jack snoof. Let op je woorden, zei Martha bij zichzelf. Ga niet op het publiek spelen, dat doet Pitman al voor twee. Dat publiek stelde trouwens niet veel voor: de blonde hofnar, een stoere 'conceptontwikkelaar', een over een laptop gebogen, bebrild mannetje met een onbestemde functie, en een nietszeggende secretaresse.

'En wat vindt u van mijn schitterende project, zoals het in hoofdlijnen is geschetst?'

Martha zweeg even. 'Ik denk wel dat het goed uitpakt,' antwoordde ze, en deed er het zwijgen toe. Sir Jack, die zijn voordeel rook, kwam achter zijn bureau vandaan en ging naar Martha's profiel staan kijken. Hij trok aan zijn linkeroorlelletje en monsterde haar benen. 'Waarom?'

Terwijl hij de vraag stelde, vroeg hij zich af of de kandidate het woord zou richten tot een van zijn ondergeschikten, of zelfs tot zijn lege stoel. Of zou ze zich half omdraaien en ongemakkelijk naar hem omhoogturen? Tot sir Jacks verrassing deed ze geen van beide. Ze stond op, wendde zich naar hem toe, sloeg ontspannen haar armen over elkaar en antwoordde: 'Omdat er nog nooit iemand armer is geworden van anderen aanzetten tot luieren. Of liever gezegd, er is nog nooit iemand armer geworden van anderen aanzetten tot flink veel geld uitgeven aan luieren.'

'Kwaliteitsrecreatie heeft veel activiteiten te bieden.'

'Precies.'

Tussen de daaropvolgende vragen schoof sir Jack steeds een stapje op, met de bedoeling Martha van haar stuk te brengen. Maar ze bleef staan en draaide eenvoudigweg met hem mee. De rest van het sollicitatieteam werd genegeerd. Af en toe kreeg sir Jack bijna het gevoel dat hij degene was die zich steeds verplaatste om haar bij te houden.

'Zeg eens, hebt u uw haar speciaal voor dit gesprek in dat model laten knippen?'

'Nee, voor het volgende.'

'Sir Francis Drake?'

'Een piraat.' (Dank je, Cristina.)

'Nee maar. En Sint-Joris, onze schutspatroon?'

'Ook schutspatroon van Aragon en Portugal, naar ik meen. En beschermheer van Genua en Venetië. Een man die wel vijf draken aankon, kennelijk.'

'Stel dat ik opperde dat Engeland op de wereld de taak heeft een symbool te zijn van de aftakeling, een morele en economische vogelverschrikker. Bijvoorbeeld, wij hebben de wereld het ingenieuze cricketspel geleerd, en nu is het onze plicht, een teken van ons hardnekkige koloniale schuldgevoel, te dulden dat iedereen ons verslaat, wat zou u daar dan op zeggen?'

'Dan zou ik zeggen dat me dat geen uitspraak van u lijkt. Vanzelfsprekend heb ik de meeste van uw toespraken gelezen.'

Sir Jack glimlachte bij zichzelf, al werden zulke privé-uitingen altijd royaal voor gebruik in brede kring beschikbaar gesteld. Inmiddels had hij zijn rondgang voltooid en zeeg weer in zijn directeursstoel. Ook Martha ging zitten.

'En waarom wilt u deze baan?'

'Omdat u me meer betaalt dan ik verdien.'

Sir Jack lachte openlijk. 'Verder nog vragen?' vroeg hij aan zijn team.

'Nee,' antwoordde Mark onhebbelijk, maar de verwijzing naar hun eerdere gesprek ontging zijn werkgever.

Martha werd uitgelaten. In de citaatkamer stond ze even stil en deed alsof ze haar blik over de aangelichte plaquette liet dwalen; wie weet was er een verborgen camera die tevredengesteld moest worden. In feite probeerde ze te bedenken waaraan het kantoor van sir Jack haar deed denken. Half herenclub, half veilinghuis, het product van een autoritaire maar onconventionele smaak. De kamer ademde de sfeer van de foyer van een chic landelijk hotel waar je elkaar ontmoette om halfhartig overspel te plegen, waar de zweem van nervositeit in het gedrag van alle anderen je eigen nervositeit maskeerde.

Intussen schoof sir Jack Pitman zijn stoel naar achteren, rekte zich luidruchtig uit en keek zijn collega's stralend aan. 'Een zandkorreltje én een parel. Heren – ik spreek overdrachtelijk uiteraard, want in mijn grammatica omarmt het mannelijk altijd het vrouwelijk – heren, ik geloof dat ik verliefd ben.'

Een beknopte geschiedenis van de seksualiteit in het geval van Martha Cochrane.

1. Onschuldige ontdekking. Een kussen tussen de dijen geklemd, heftige emoties, en onder haar slaapkamerdeur die spleet licht. Ze noemde het Dat Gevoel Krijgen.

2. Technische vooruitgang. Het aanwenden van één vinger, vervolgens twee; eerst droog, daarna bevochtigd.

3. Vermaatschappelijking van deze drift. De eerste jongen die zei dat hij haar aardig vond. Simon. De eerste kus, en de vraag: waar laat je die neuzen? De eerste keer dat ze, na een dansavond, tegen een muur, iets tegen de ronding van haar heup voelde porren; de vluchtige gedachte dat het misschien een misvorming was, in elk geval een reden om die jongen niet meer te willen zien. Later zag ze toch meer van de jongen: vertoning die enige paniek veroorzaakte. Dat kan er nooit in, dacht ze.

4. Paradox van de drift. Om met dat oude liedje te spreken: 'Never had the one that she wanted, Never wanted the one that she had.' Intens maar onuitgesproken verlangen naar Nick Dearden, langs wiens onderarm ze in het voorbijgaan nog niet eens

had geschampt. Gewillige overgave aan Gareth Dyce, die haar drie keer achter elkaar neukte op een ruw kleed terwijl ze hem glimlachend aanspoorde, zich afvragend of het ooit lekkerder werd dan dit, en ietwat gegeneerd door het eigenaardige van de mannelijke gewichtsverdeling: hoe kon hij daar van onderen licht en zweverig zijn, terwijl hij hier van boven met zijn zware knokigheid de lucht uit haar longen drukte? Bovendien had ze Gareth niet eens een mooie naam gevonden toen ze hem ervoor en tijdens had uitgesproken.

5. Kermispret. Zoveel attracties om uit te kiezen terwijl er lichtserpentines flitsten en wervelende muziek blèrde. Je zweefde hoog, je kleefde tegen de wand van een ronddraaiende trommel, je trotseerde de zwaartekracht, je beproefde de mogelijkheden en de beperkingen van het vlees. En er waren prijzen, zo leek het althans, ook al gleed de ring die je wierp vaker dan verwacht van de houten cilinder, sloeg de prullige hengel niets aan de haak en zat de kokosnoot in het bakje vastgelijmd.

6. Najagen van het ideaal. In diverse bedden, en soms door het bed af te wijzen of te mijden. De veronderstelling dat volkomenheid mogelijk, wenselijk en wezenlijk was, en slechts bereikbaar in aanwezigheid en met behulp van Een Ander. De hoop op dat 'mogelijk' bij a) Thomas, die haar meenam naar Venetië, waar ze ontdekte dat zijn ogen meer straalden als hij voor een Giorgione stond dan toen zij voor hem stond in haar speciaal gekochte nachtblauwe beha en slipje terwijl aan de achterkant buiten het kanaal kabbelde; b) Matthew, die echt van winkelen hield, die wist welke kleren haar goed zouden staan terwijl ze nog in het rek hingen, die zijn risotto tot een staat van perfecte kleffe vochtigheid wist op te voeren maar daar bij haar niet in slaagde; c) Ted, die haar wees op de voordelen van geld en de verwekende hypocrisie die het bevorderde, die zei dat hij van haar hield en met haar wilde trouwen en kinderen krijgen, maar haar niet vertelde dat hij elke morgen tussen vertrek uit haar flat en aankomst op zijn werk altijd een intiem uurtje bij zijn psychiater doorbracht; d) Russell, met wie ze lichtzinnig wegliep om te neuken

en te minnen, halverwege op een berg in Wales, met eigenhandig opgepompt koud water en uierwarme geitenmelk, die idealistisch, ordelijk en opofferingsgezind was en gemeenschapszin bezat, die ze waanzinnig bewonderde tot ze het vermoeden begon te krijgen dat ze het niet uithield zonder de genoeglijkheid, de verstrooiing, de luiheid en de verdorvenheid van het moderne stadsbestaan. Door haar ervaring met Russell ging ze ook betwijfelen of bewuste inspanning of actief ingrijpen wel ooit tot liefde leidde; of iemands goedheid er iets toe deed. En waar stond overigens geschreven dat er meer mogelijk was dan een prettige, gezellige knusheid? (In boeken, maar ze geloofde niet in boeken.) Na deze inzichten werd haar leven enkele jaren begeleid door een lichte, bijna duizelingwekkende wanhoop.

6a) Aanhangsel. Niet te vergeten: diverse getrouwde mannen. Jij mag kiezen, Martha, uit het volgende: mobiele telefoons, autotelefoons, antwoordapparaten; niet aan het papier toevertrouwde gevoelens, voorzichtigheid met creditcardafschriften; vluggertjes, en de deur van je flat die na vluggertjes te snel dichtvalt; intieme e-mail, lege paasdagen; de opgewektheid van luchthartige onbetrokkenheid, het verzoek om geen geurtjes op te doen; de vreugde van het ontvreemden, de naar beneden bijgestelde verwachtingen, de niet weg te branden jaloezie. Ook: vrienden met wie je meende te kunnen neuken. Ook: mannen die je neukte én meende te vriend te kunnen houden. Ook: (bijna) Jane (alleen was je te moe en viel in slaap).

7. Het najagen van onafhankelijkheid. De noodzaak van het dromen. De realiteit van die droom. Er was misschien iemand anders bij die eraan bijdroeg, doordat zijn eigen toevallige aanwezigheid iets toevoegde aan een vermeend gedeelde werkelijkheid. Maar je maakte je los van zijn werkelijkheid, evenals van zijn ego, en in die onafhankelijkheid lag je hoop. Is dat wat je bedoelt, Martha, vroeg ze zichzelf weleens, of is het een mooie manier om te zeggen dat je hebt besloten om voor jezelf te neuken?

7a) Niet te vergeten: tienenhalve maand celibaat. Beter, slechter, of alleen maar anders?

8. De huidige situatie. Het onderhavige exemplaar bijvoorbeeld. Hij kon er wat van, zoals men dat wel zei. Dat had hij bewezen. Leuke veerkrachtige probleemloze pik; fraai tors, met vrij vrouwelijke tepels als klitten; korte benen, maar hij stond nu niet. En hij was druk in de weer, o, wat was hij druk in de weer, ervan overtuigd dat hij precies wist wat hij deed, en hij stopte haar in een eeuwig vrouwelijke mal die hij eens had gevormd. Alsof je een geldautomaat was: toets de juiste code in en het geld stroomt eruit. Het blakende zelfvertrouwen, de zelfgenoegzame wetenschap dat wat eerder resultaat had opgeleverd opnieuw vruchten zou afwerpen.

Waar kwam een dergelijk zelfvertrouwen vandaan? Van niet te veel nadenken; ook van haar voorgangsters, die zijn gedrag hadden goedgekeurd. En ook zij keurde het op haar afwijkende manier goed: het betekende dat ze de bedrijvigheid met een gerust hart aan hem kon overlaten. En die zelfgenoegzaamheid hield in dat hij het niet zou merken als zij zich van zijn werkelijkheid losmaakte. Als hij al enige afwezigheid van haar kant opmerkte, zou hij hanig aannemen dat hij die teweeg had gebracht, dat hij haar overplaatste naar een hoger niveau van genot, naar de zevende, achtste, negende hemel.

Ze stopte een vinger eerst in haar mond, daarna boven in haar kut. Hij wachtte even, als terechtgewezen, zette zich weer in de juiste stand, gromde ten teken dat dit soort schaamteloosheid hem opwond en hervatte zijn drukdoenerij, zijn drukke bedoening. Ze liet hem beneden achter, in z'n eentje daar van onderen met zijn sappen en hydraulica, zijn stopwatch-timing en zijn overwinnaarsplaats op het podium. Als het moment was aangebroken, zou ze doen alsof ze klapte.

Tussen haakjes: (Het mysterie van het vrouwelijk orgasme, eens nagejaagd als een zeldzame diersoort, de narwal of zee-eenhoorn. Bevond het zich ergens in de ondoordringbare zeeën, op de ijzige toendra? Vrouwen maakten er jacht op, toen waren de mannen mee gaan jagen. Het geharrewar over van wie het was. Mannen schenen om de een of andere eigenaardige reden te geloven dat het hun toebehoorde en dat het zonder hun hulp nooit ontdekt had kunnen worden. Ze wilden dat het in triomf door de straten werd meegesleurd. Maar zíj hadden het nu eenmaal zoekgemaakt, dus werd het hun nu terecht afgepakt. Er bestond behoefte aan een nieuw mysterie, een nieuw protectionisme.)

Ze herkende de signalen. Ze voelde de groeiende spanning in zijn lichaam, hoorde de gesmoorde geluiden: diepe geluiden als bij ingespannen poepen; zachtere geluiden als bij een poging om in een vliegtuig je oren weer open te krijgen. Ze leverde haar eigen bijdrage: de zoetgevooisde protesten en de rauwe instemming van iemand die teder wordt doorboord; en daarna, in dezelfde tijdlokatie maar in verschillende delen van het universum, kwam hij klaar en kwam zij klaar.

Na een poosje vroeg hij zachtjes: 'Alles naar wens?'

Het was waarschijnlijk een grapje, maar niettemin kwam hij daardoor over als een ober. Veilig achter de dubbelzinnigheid van woorden antwoordde ze: 'Het was lekker.'

Hij lachte zachtjes. 'Zeg het voort.'

Waar waren de krachttermen als je ze echt nodig had? Het probleem was dat de meeste daarvan verwezen naar wat ze net had gedaan. Of ze waren niet krachtig genoeg. Zelfs zijn gevatte flauwiteit had ze vaker gehoord, ergens op de weg die ze had afgelegd. Waarschijnlijk zou ze het nog doen ook: ze zou het voortzeggen, zij het ongetwijfeld niet op de manier die hij zich voorstelde. Een beetje over deze avond en over deze partner, maar meer over de lichtvoetige, opwekkende, verheffende, zwevende, zoete verneukeratieve macht van de misleiding.

De knapste voor de belasting aftrekbare koppen werden erbij gehaald om de coördinatiecommissie van het Project toe te spreken. De Franse intellectueel was een tengere, elegante figuur in een Engels tweed jasje dat hem een halve maat te groot was; daarbij droeg hij een lichtblauw button-downhemd van Amerikaanse katoen, een Italiaanse, flamboyant gedekte das, een internationale antracietgrijze broek en een paar Franse instappers met kwastjes. Een rond, door diverse generaties bureaulampen licht getaand gezicht; een bril met randloos montuur; terugwijkend, gemillimeterd haar. Hij had geen diplomatenkoffertje bij zich en had geen aantekeningen in het kommetje van zijn hand verstopt. Maar met een paar vlotte gebaren toverde hij duiven uit zijn mouw en een streng vlaggetjes uit zijn mond. Pascal voerde naar Saussure via Laurence Sterne. Rousseau naar Baudrillard via Edgar Allan Poe, de markies de Sade, Jerry Lewis, Dexter Gordon, Bernard Hinault en het vroege werk van Anne Sylvestre; Lévi-Strauss voerde naar Lévi-Strauss.

'Van fundamenteel belang,' verkondigde hij toen de kleurige sjaaltjes op de grond waren gedwarreld en de duiven waren neergestreken, 'van fundamenteel belang is het besef dat uw grootse Project – en wij in Frankrijk juichen de *grands projets* van anderen van harte toe – uitermate modern is. Wij in ons land hebben een bepaalde opvatting over *le patrimoine*, en u in uw land hebt een bepaalde opvatting over Erfkoed. We hebben het hier niet over dergelijke concepten, dat wil zeggen, we verwijzen er niet rechtstreeks naar, hoewel zo'n verwijzing, hoe ironisch ook, in onze intertekstuele wereld uit de aard der zaak impliciet en onvermijdelijk is. Ik hoop dat we allen begrijpen dat iets als een verwijzingsvrije zone niet bestaat. Maar dat is bezijden het punt, zoals u dat hier zegt.

Nee, we hebben het over iets uitermate moderns. Het staat wel vast – en het is zelfs onomstotelijk bewezen door velen van hen die ik eerder heb geciteerd – dat wij tegenwoordig de voorkeur geven aan de replica boven het origineel. Wij geven de voorkeur aan de reproductie van het kunstwerk boven het kunstwerk zelf, aan het volmaakte geluid en de eenzaamheid van de compact disc boven het symfonieconcert in het gezelschap van honderden lijders aan keelklachten, aan het op de band ingesproken boek boven het boek op schoot. Mocht u in mijn land het wandkleed van Bayeux gaan bezichtigen, dan zult u merken dat u, teneinde het oorspronkelijke werk uit de elfde eeuw te bereiken, eerst langs een met hedendaagse technieken vervaardigde replica op ware lengte moet; daar is een documentaire tentoonstelling die de plaats van het kunstwerk voor de bezoeker, de pelgrim als het ware, verduidelijkt. Nu heb ik uit gezaghebbende bron vernomen dat het aantal minuten dat men voor de replica doorbrengt, hoe je het ook berekent, het aantal minuten voor het origineel overtreft.

Toen dergelijke ontdekkingen nog maar pas waren gedaan, waren er bepaalde ouderwetse lieden die daar hun teleurstelling over uitten, er zelfs schande van spraken. Het deed denken aan de ontdekking dat masturbatie aan de hand van pornografisch materiaal leuker is dan seks. *Quelle horreur!* De barbaren zijn weer in ons midden, riepen ze, de structuur van onze maatschappij wordt ondermijnd. Maar dat is niet het geval. Het is van belang te begrijpen dat wij in de moderne wereld de voorkeur geven aan de replica boven het origineel omdat die bij ons het meeste *frisson* teweegbrengt. Ik houd het Franse woord aan, want ik denk dat u het op die manier best begrijpt.

Welnu, de vraag die wij ons moeten stellen is: waarom geven wij de voorkeur aan de replica boven het origineel? Hoe komt het dat die het meeste *frisson* bij ons teweegbrengt? Om dat te kunnen begrijpen moeten wij onze onzekerheid begrijpen en onder ogen zien, onze existentiële besluiteloosheid, de diepe atavistische angst die we ervaren wanneer we oog in oog staan met het origineel. We kunnen ons nergens verstoppen wanneer we worden geconfronteerd met een andere realiteit dan de onze, een realiteit die machtiger schijnt en ons derhalve bedreigt. U bent ongetwijfeld bekend met het werk van Viollet-le-Duc, die in het begin van de negentiende eeuw opdracht kreeg een groot aantal bouwvallige *châteaux* en *forteresses* in mijn land te redden. Al heel lang bestaan er twee manieren om tegen zijn werk aan te kijken: ten eerste, hij probeerde de oude stenen zoveel mogelijk te redden van de totale vernietiging en verdwijning, hij conserveerde ze naar beste kunnen; ten tweede, hij probeerde iets nog veel moeilijkers, namelijk het gebouw in de oorspronkelijke staat te herscheppen, een staaltje verbeeldingskracht dat sommigen als geslaagd beoordelen, anderen als het tegendeel. Maar er is nog een derde manier om de kwestie te benaderen, en wel deze: Viollet-le-Duc heeft ernaar gestreefd de *realiteit* van die oude bouwwerken *teniet te doen*. Oog in oog met de *rivalisatie* van de realiteit, met een realiteit die sterker en intenser is dan die van zijn eigen tijd, had hij, uit existentiële doodsangst en de menselijke drang tot zelfbehoud, geen andere keus dan het origineel te vernietigen!

Sta me toe een van mijn landgenoten te citeren, een van die oude *soixante-huitards* uit de vorige eeuw, wier fouten velen van ons zo leerzaam vinden, zo vruchtbaar. "Alles wat eens direct werd beleefd," schreef hij, "is louter representatie geworden." Een diepzinnige waarheid, maar wel in diepe dwaling geconcipieerd. Want verbazingwekkend genoeg had hij het bedoeld als kritiek, niet als lof. Om het vervolg te citeren: "Behalve een erfenis van oude boeken en oude gebouwen, nog steeds van enige betekenis maar gedoemd tot voortdurende reductie, blijft er niets over, in de cultuur noch in de natuur, wat niet is getransformeerd en vervuild, conform de middelen en de belangen van de moderne industrie."

Ziet u dat de geest tot een bepaald punt vordert en dan de moed verliest? En dat we dat verlies aan moed kunnen lokaliseren in de overgang, de degeneratie, van een neutraal beschrijvend werkwoord als "transformeren" naar een ethisch afkeurend werkwoord als "vervuilen". Hij begreep, deze oude denker, dat we leven in de wereld van het aanschouwelijke, maar door sentimentalisme en een zeker politiek recidivisme vreesde hij zijn eigen visie. Ik zou zijn denkbeeld liever op de volgende manier naar voren willen brengen. Eens bestond er alleen de rechtstreeks beleefde wereld. Nu is er de representatie – laat me dat woord opdelen: de re-presentatie – van de wereld. Ze is geen substituut voor die eenvoudige, primitieve wereld, maar een versterking en verrijking, een ironisering en resumé van die wereld. Dáárin leven wij tegenwoordig. Een monochrome wereld is technicolor geworden, een enkele schorre spreker is allesomringend geluid geworden. Worden wij daar minder van? Nee, het is onze verovering, onze overwinning.

Laat me ter afsluiting stellen dat de wereld van het derde millennium onvermijdelijk, onherroepelijk modern is, en dat het onze intellectuele plicht is ons te onderwerpen aan die moderniteit en alle verlangens naar wat bedenkelijkerwijs het "origineel" wordt genoemd af te doen als sentimenteel en in wezen vals. Wij moeten de replica eisen, omdat wij de werkelijkheid, de waarheid, de authenticiteit van de replica kunnen bezitten, inlijven, herordenen, er *jouissance* in kunnen vinden, en uiteindelijk, als en wanneer wij dat bepalen, is het de realiteit die wij, daar zij onze bestemming is, wellicht kunnen leren kennen, aan de kaak stellen en vernietigen.

Heren en dames, ik wens u geluk, want uw onderneming is uitermate modern. Ik wens u de moed van die moderniteit toe. Onkundige critici zullen zonder twijfel beweren dat u alleen maar een poging doet het "Olde Englande" te herscheppen, een uitdrukking waarvan de vrouwelijke uitgangen mij bijzonder interesseren, maar dat is een andere kwestie. Het is zelfs, als u mij toestaat, een grapje. Ik zeg u, ter afsluiting, dat uw project zeer Olde dient te zijn, want dan zal het waarlijk oorspronkelijk zijn, en het zal modern zijn! Heren en dames, ik groet u!'

Een limousine van Pitco bracht de Franse intellectueel naar het centrum van Londen, waar hij een deel van zijn honorarium bij Farlow besteedde aan lieslaarzen, bij House of Hardy aan kunstvliegen en bij Paxton en Whitfield aan belegen Caerphilly. Toen vertrok hij, nog steeds zonder aantekeningen, via Frankfort naar zijn volgende congres.

Er heersten veel verschillende meningen omtrent sir Jack Pitman, en slechts weinige daarvan sloten op elkaar aan. Was hij een schurk en een potentaat, of een geboren leider en een natuurkracht? Onvermijdelijk en vervelend gevolg van het stelsel van de vrije markt, of een gedreven eenling die niettemin voeling hield met zijn fundamentele medemenselijkheid? Sommigen schreven hem een grote, instinctieve intelligentie toe, die hem evenveel feeling schonk voor de getijbewegingen van de markt als voor de gevoeligheden van degenen met wie hij zaken deed; anderen vonden hem een onbehouwen en onnadenkende combinatie van geld, ego en gewetenloosheid. Anderen hadden wel meegemaakt dat hij iemand aan de telefoon liet wachten terwijl hij trots pronkte met zijn collectie Pratt-keramiek; weer anderen waren door hem opgebeld terwijl hij zich in een van zijn favoriete onderhandelingsposities bevond, gezeten op zijn porfieren toiletpot, en hadden hem met boze rectale riposten op hun onbeschaamdheden horen reageren. Vanwaar zulke tegenstrijdige oordelen? Er waren natuurlijk uiteenlopende verklaringen voor. Sommigen vonden sir Jack domweg een te groot, te veelzijdig wezen om door gewonere stervelingen, niet zelden afgunstig van aard, geheel te worden doorgrond; anderen vermoedden dat er een tactische terughoudendheid, waardoor de aandachtige toeschouwer cruciaal of samenhangend bewijsmateriaal moest ontberen, achter zijn overheersingstechniek school.

Degenen die zijn zakelijke transacties onder de loep namen werden gehinderd door dezelfde dualiteit. Enerzijds: hij was een opportunist, een gokker, een financieel illusionist die jou er dat korte, noodzakelijke ogenblik lang van overtuigde dat je echt geld voor je neus had; hij benutte alle meerduidigheid in de regels; hij bestal de een om de ander te betalen; hij was een dolle hond die steeds een nieuw gat groef en de aarde gebruikte om het gat dat hij net had achtergelaten te dichten; hij was, in de nog nagalmende woorden van een inspecteur van het ministerie van Handel, nog niet in staat een viskraam te runnen. Anderzijds: hij was een dynamisch koopman-ondernemer wiens succes en energie uiteraard boosaardigheden en geruchten opriepen bij mensen die vonden dat er het best zaken kon worden gedaan tussen kleine dynastieke firma's die zich aan de eerbiedwaardige spelregels van het cricket hielden; hij was een archetypische transnationale ondernemer die de moderne mondiale markt bewerkte, die begrijpelijkerwijs probeerde zijn belastingverplichtingen tot het minimum te beperken – hoe kon je anders hopen concurrerend te blijven? Enerzijds: kijk eens naar de manier waarop hij sir Charles Enright had gebruikt om entree in de City te krijgen, hoe hij hem stroop om de mond smeerde, hem paaide, om als een blad aan een boom om te draaien en hem kapot te maken door hem uit de directie te gooien zodra Charles zijn eerste hartaanval kreeg. Anderzijds: Charlie was er een van de oude stempel, best fatsoenlijk maar eerlijk gezegd niet helemaal met zijn tijd meegegaan, het bedrijf moest hoognodig en verrekt drastisch op de helling, het aangeboden pensioen was meer dan royaal, en wist je dat sir Jack persoonlijk de studie van Charlies jongste bekostigde? Enerzijds: niemand die voor hem werkte had ooit iets onaardigs over hem te zeggen. Anderzijds: je moet toegeven dat Pitman altijd een meester is in knevelcontracten en geheimhoudingsclausules.

Zelfs zoiets ogenschijnlijk ondubbelzinnigs als de vierentwintig verdiepingen tellende, uit staal en glas, beuken- en essenhout opgetrokken architectonische realiteit van Pitman House gaf aanleiding tot afwijkende lezingen. Was de keuze van de lokatie – een bedrijvenpark op een bouwrijp gemaakte groengordel ten noordwesten van Londen – een gewiekst stukje kostenbesparing of een teken dat sir Jack te schijterig was om zich te mengen onder de bonzen in de City? Was het in de arm nemen van Slater, Grayson & White louter meewaaien met de architectonische wind of een slimme investering? Een fundamentelere vraag was: was Pitman House wel eigendom van Jack Pitman? Hij mocht het dan hebben laten bouwen, er gingen verhalen dat de laatste stuiptrekking van de recessie hem had getroffen op een moment dat hij danig boven zijn stand leefde en dat hij bij een Franse bank had moeten aankloppen om het pand te verkopen en terug te leasen. Maar zelfs als dat waar was, kon je dat op twee manieren opvatten: óf het probleem bij Pitco was onderinvestering, óf sir Jack was de rest zoals gebruikelijk een stapje voor en besefte dat alleen mafkezen hun kapitaal in geldontwaardend onroerend vermogen zoals een prestigieus kantoor vastzetten.

Zelfs degenen die een hekel hadden aan de eigenaar (of leasenemer) van Pitman House waren het erover eens dat hij er slag van had om dingen voor elkaar te krijgen. Of althans, hij had er slag van om anderen dingen voor elkaar te laten krijgen. Daar stond hij dan onder zijn kroonluchter; hij draaide steeds een stukje door naar weer een ander lid van zijn coördinatiecommissie en strooide bevelen rond. Profielschetsers, vooral die van zijn eigen kranten, schreven vaak hoe lichtvoetig hij was voor zo'n forse man, en sir Jack had weleens beweerd een onvervuld verlangen te koesteren de tango te leren dansen. Ook vergeleek hij zichzelf op zulke momenten met een revolverheld die zich omdraaide om de volgende verwaande snotaap kwast uit de straat te snel af te zijn. Of was hij eerder een leeuwentemmer die knallend de zweep haalde over een halve cirkel rumoerig ruziënde welpen?

Een sceptisch-geïmponeerde Martha sloeg hem gade terwijl hij zijn conceptontwikkelaar instructies gaf. 'Jeffrey, enquête alsjeblieft. De top-vijftig van kenmerken die men associeert met het woord Engeland, onder toekomstige afnemers van Kwaliteitsrecreatie. Doelgroep scherp afbakenen. Ik wil niks horen over kinderen en hun favoriete bandjes.'

'Landelijk? Europees? Wereldwijd, sir Jack?'

'Jeffrey, je kent me toch. Wereldwijd. *Top dollar, long yen.* Enquêteer de bewoners van Mars, zolang ze de entree maar kunnen betalen.' Hij wachtte tot het waarderende gelach verstomde. 'Dr. Max, ik wil dat u uitzoekt hoeveel de mensen weten.'

Hij draaide alweer een stukje verder, met zijn middelvinger voor de vorm op zijn holster tikkend, toen dr. Max zijn keel schraapte. De officiële geschiedkundige was nog maar pas benoemd, en Martha zag hem voor het eerst: verzorgd, met tweed jasje, strikje en tegelijk inert en alert. 'Zou u iets spe-cifieker kunnen zijn, sir Jack?'

Er viel een pijnlijke stilte voordat sir Jack zijn bevel opnieuw formuleerde. 'Wat ze weten – zoek dat uit.'

'En moet dat dan, eh, lan-delijk, Europees of wereldwijd?'

'Landelijk. Wat men hier te lande niet weet, kan de rest van de wereld ook niks bommen.'

'Neem me niet kwalijk dat ik het zeg, sir Jack,' – aan de melodramatische frons van hun werkgever zag Martha echter al dat deze het hem heel erg kwalijk nam – 'dat lijkt me een t-amelijk r-uime opdracht.'

'Daarom krijg je ook een tamelijk ruim salaris. Jeff, hou dr. Max bij 't handje, wil je? Zo, Marco, jij moet je naam gaan waarmaken.' De projectmanager wachtte wijselijk af wat sir Jack bedoelde. Sir Jack lachte zachtjes voordat hij scoorde: 'Marco Polo.'

Weer antwoordde de projectmanager, alsof hij dr. Max voordeed hoe het moest, slechts met een blauwogige, brutale maar toch onderdanige blik. Sir Jack verplaatste zich vervolgens naar wat hij zijn commandotafel noemde, waarmee hij een nieuwe fase van de bijeenkomst inluidde. Met niet meer dan een binnenwaarts gericht beweginkje van een vlezige hand verzamelde hij zijn troepen om zich heen. Martha stond het dichtst bij hem, en hij legde vingers op haar schouder.

'We hebben het niet over een themapark,' begon hij. 'We hebben het niet over een bezoekerscentrum. We hebben het niet over Disneyland, Wereldtentoonstelling, Festival of Britain, Legoland of Parc Astérix. Colonial Williamsburg? Neem me niet kwalijk – een stel ouderwets uitgedoste sukkels die op een hek zitten te suffen terwijl werkloze acteurs tinnen borden met watergruwel serveren en je met een creditcard laten betalen. Nee, heren – ik spreek in overdrachtelijke zin, begrijpen jullie wel, want in mijn grammatica omarmt het mannelijk het vrouwelijk, net zoals ik dat bij mevrouw Cochrane doe – heren, we hebben het over een spectaculaire doorbraak. Wij zijn niet op zoek naar toeristen die niks te makken hebben. Het is tijd om de wereld versteld te doen staan. Wij zullen veel meer bieden dan het woord "verstrooiing" ook maar kan inhouden; zelfs de kreet Kwaliteitsrecreatie, hoe trots ik er ook op ben, schiet op de lange duur misschien wel tekort. Wat wij bieden is écht. Je kijkt bedenkelijk, Mark?'

'Alleen in die zin, sir Jack, dat zoals ik laatst van onze Franse amigo had begrepen, is het dan niet... Ik bedoel, hij had het steeds over de voorkeur geven aan de replica boven het origineel. Is dat dan niet wat we van plan zijn?'

'God, Mark, er zijn momenten dat je me het gevoel geeft dat ik eigenlijk geen Engelsman ben, hoewel Engeland me in alle vezels zit.'

'U bedoelt...' Mark worstelde met schoolherinneringen, 'zoiets als: we kunnen het echte alleen door middel van de replica benaderen. Plato, zoiets?' voegde hij eraan toe, voor zichzelf, maar ook om een beroep op de anderen te doen.

'Warm, Marky-Mark, handjes worden al heter. Mag ik je misschien over de laatste paar meter van het spoor loodsen? Ik zal m'n best doen. Ga je graag de natuur in, Mark?'

'Zeker. Ja. Graag. Best graag. Dat wil zeggen, ik mag graag door mooi landschap rijden.'

'Ik was kortgeleden nog buiten. *Echt* buiten, zeg ik met nadruk. Ik wil niet op mijn strepen staan, maar de bedoeling van landschap is niet dat je *erdoorheen* rijdt, maar dat je er *deel van uitmaakt.* Ik stel dat elk jaar weer aan de orde als ik de wandelaarsbond toespreek. Maar goed, Mark, als je erdoorheen rijdt, vind je het er waarschijnlijk, op de jou eigen bescheiden, onoplettende manier, mooi?'

'Ja,' antwoordde de projectmanager, 'ik vind het er mooi.'

'En je vindt het mooi, neem ik aan, omdat je het beschouwt als een voorbeeld van de natuur.'

'Zo zou u het kunnen stellen.' Mark zou het zelf niet zo hebben gesteld, maar hij wist dat hij nu deelnam aan de autoritaire versie van de socratische dialoog, die van zijn werkgever.

'En de natuur heeft het landschap gemaakt zoals de mens de steden heeft gemaakt?'

'Min of meer, ja.'

'Min of meer nee, Mark. Laatst stond ik op een heuvel neer te kijken op een golvende akker die langs een bosje omlaagliep naar een riviertje, en terwijl ik daar stond vloog er aan mijn voeten een fazant op. Jij, als *passant*, zou ongetwijfeld hebben aangenomen dat vrouwe Natuur doende was met haar eeuwige werkzaamheden. Ik wist wel beter, Mark. Die heuvel was een grafheuvel uit de ijzertijd, die golvende akker een overblijfsel van de Saksische landbouw, dat bosje was alleen een bosje omdat talloze andere bomen waren gekapt, dat riviertje was een kanaal en die fazant was door een jachtopziener eigenhandig gefokt. Wij veranderen alles, Mark, de bomen, de gewassen, de dieren. En loop nog een eindje met me mee. Dat meer dat je aan de horizon waarneemt, is een spaarbekken, maar als het zich een paar jaar heeft kunnen ontwikkelen, als er vis in zwemt en trekvogels het onderweg aandoen, als het geboomte zich heeft aangepast en bootjes er pittoresk op heen en weer varen, als die dingen gebeuren wordt het, o triomf, een meer, snap je dat dan niet? Het wordt *echt*.'

'Is dat waar onze Franse amigo op aanstuurde?'

'Hij is me tegengevallen. Ik heb de loonadministratie opdracht gegeven hem in dollars in plaats van ponden uit te betalen en de cheque te blokkeren als hij klaagt.'

'Omdat ponden echt zijn en dollars de replica, maar na een poosje wordt het echte de replica?'

'Heel goed, Mark. Héél goed. Martha had het zelf kunnen zeggen, en dat is een compliment.' Hij gaf zijn special consultant een kneepje in haar schouder. 'Maar nu is het uit met deze vrolijke schermutselingen. De vraag die we aan de orde moeten stellen is: waar?'

Een kaart van de Britse eilanden was uitgevouwen op de commandotafel, en sir Jacks coördinatiecommissie staarde naar de legpuzzel van graafschappen, zich afvragend of het beter was volslagen fout of volslagen goed te zitten. Waarschijnlijk geen van beide. Sir Jack, die nu achter hen heen en weer wandelde, gaf hun een aanwijzing.

'Engeland, zoals de machtige Willem en vele anderen al hebben opgemerkt, is een eiland. Als we deze zaak serieus opvatten, als we willen proberen het *echte* aan te bieden, moeten wij derhalve op onze beurt op zoek gaan naar een kostbaar dinges gevat in een zilveren je-weet-wel.'

Ze tuurden naar de kaart alsof de cartografie een twijfelachtige nieuwe uitvinding was. Er scheen of te veel of te weinig keus te zijn. Misschien was een drieste conceptuele sprong geboden. 'U denkt niet toevallig aan... Schotland, of wel soms?' Een zwaar bronchiale zucht gaf aan: nee, stomkop, sir Jack dacht niet aan Schotland.

'De Scilly-eilanden?'

'Te ver.'

'De Kanaaleilanden?'

'Te Frans.'

'Lundy?'

'Fris mijn geheugen eens op.'

'Een eiland beroemd om zijn papegaaiduikers.'

'O, in godsnaam, die papegaaiduikers kunnen de pot op, Paul. En ook geen saaie modderbanken in de monding van de Theems.'

Waar dacht hij dan wel aan? Anglesey kwam niet in aanmerking. Het eiland Man? Misschien was sir Jack van plan om voor de kust een eigen eiland te laten bouwen dat geheel aan zijn eisen voldeed. Dat zou niet atypisch zijn. Maar het bijzondere aan sir Jack was nu eenmaal dat in zekere zin niets atypisch was, behalve datgene waar hij geen zin in had.

'Daar,' zei hij, en zijn gebalde vuist kwam als een paspoortstempel neer. 'Dáár.'

'Wight,' antwoordden ze in koor maar niet synchroon.

'Precíés. Moet je zien hoe ze zich tegen de zachte onderbuik van Engeland schurkt. De kleine schat. De kleine schoonheid. Moet je die vorm eens zien. Ruitvormig, dat viel me meteen op. Een zuivere edelsteen. Een juweeltje. Een beeldje.'

'Hoe ziet het eruit, sir Jack?' vroeg Mark.

'Hoe het eruitziet? Op de kaart ziet het er perfect uit. Ben je er weleens geweest?'

'Nee.'

'Iemand anders?'

Nee; nee; nee; nee en nee. Sir Jack liep om naar de andere kant van de kaart, parkeerde zijn vlakke handen op de Schotse Hooglanden en keek zijn kring ingewijden aan. 'En wat weten jullie ervan?' Ze keken elkaar aan. Sir Jack dramde door. 'In dat geval zal ik proberen die onwetendheid te verhelpen. Noem eens vijf beroemde historische gebeurtenissen die verband houden met Wight?' Stilte. 'Noem er één. Dr. Max?' Stilte. 'Zeker uw tijdperk niet, ha, ha. Mooi. Noem eens vijf beroemde gebouwen die op de monumentenlijst staan en waarvan de renovatie tot geduvel zou kunnen leiden bij het ministerie van Nationaal Erfgoed.' 'Osborne House,' antwoordde dr. Max alsof hij meedeed aan een quiz. 'Heel goed. Dr. Max wint de haardroger. Noem er nog eens vier.' Stilte. 'Mooi. Noem eens vijf beroemde, bedreigde soorten planten, vogels of dieren waarvan de biotoop door onze lieve bulldozers zouden kunnen worden verstoord?' Stilte. 'Mooi.'

'De regatta van Cowes,' opperde een stem opeens.

'Aha, de witte fagocyten roeren zich. Heel goed, Jeff. Maar dat is volgens mij geen vogel, plant, monument of historische gebeurtenis. Weet iemand nog wat anders?' Een langere stilte. 'Mooi. Perfect zelfs.'

'Maar sir Jack... Wonen er waarschijnlijk niet, eh, veel *inwoners*?'

'Nee, Mark, er wonen niet veel inwoners. Wel veel dankbare toekomstige werknemers. Maar bedankt dat je je nieuwsgierigheid op de proef hebt willen laten stellen. Marco Polo, zoals ik al zei. Te paard! Over twee weken kom je verslag uitbrengen. Ik heb begrepen dat het eiland befaamd is om zijn goedkope bed-and-breakfast-accommodatie.'

'En, wat vind jij ervan?' vroeg Paul terwijl ze in een bodega op een paar honderd meter van Pitman House zaten. Martha had een tumbler mineraalwater, Paul een glas op een voet met onnatuurlijk gele witte wijn. Achter hem, aan de lambrisering van eikenfineer, hing een afbeelding van twee honden die zich als mensen gedroegen; ze werden omringd door keffende en blaffende mannen in donkere pakken.

Tja, wat vond ze ervan? Om te beginnen vond ze het verbazingwekkend dat híj haar had gevraagd om iets te gaan drinken. Martha was er in een overwegend door mannen bevolkte werkomgeving bedreven in geworden te voorzien wie het initiatief zou nemen. En wie niet. De dikke kussentjes van sir Jacks vingers waren betekenisvol op haar schouder gelegd op momenten van beroepsmatige toelichting, maar de aanraking was op haar eerder autoritair dan begerig overgekomen, hoewel begeerte niet uitgesloten was. De jonge Mark, de projectmanager, wierp haar met zijn snelle blauwe ogen blikken toe op een manier die ze herkende als voornamelijk op zichzelf betrokken; je kon met hem flirten, maar daar zou het bij blijven. Dr. Max – tja, ze hadden meer dan eens samen hun boterhammen zitten eten op het plankier dat uitkeek op het aangelegde moeras, maar dr. Max was op verrukte en doorzichtige wijze geïnteresseerd in dr. Max, en als hij dat niet was, betwijfelde Martha Cochrane of zij de soort van zijn voorkeur zou zijn. Ze had derhalve avances verwacht van Jeff, stoere, degelijke, getrouwde Jeff, die kinderzitjes achter in zijn Jeep had; hij zou beslist de eerste zijn met het gladde, afgeraffelde gemompel van zin-om-na-het-werk-iets-te-gaan-drinken? In de dierentuinkooi vol ego's in Pitman House had ze Paul over het hoofd gezien, of ze had hem aangezien voor een stil water waar af en toe een rimpeling doorheen voer. Paul achter zijn laptop, de zwijgende scriba, de ideeënvanger, die sir Jacks vernikkelde banaliteiten opving en opsloeg voor het nageslacht, of minstens voor een toekomstige Pitman Herdenkingsstichting.

'Wat ik ervan vind?' Ze vond ook dat het geënsceneerd leek: Paul als loopjongen, die haar uithoorde namens sir Jack, of wie weet namens iemand anders. 'O, dat doet er eigenlijk niet toe. Ik ben de huiscynicus maar. Ik reageer alleen op andermans ideeën. Wat vind jíj ervan?'

‘Ik ben de ideeënvanger maar. Ik vang ideeën op. Zelf heb ik geen ideeën.’

‘Daar geloof ik niks van.’

‘Wat vind je van sir Jack?’

‘Wat vind jíj van sir Jack?’

E2 - e4, e7 - e5, zwart volgt wit tot zwart afwijkt. Pauls afwijking van de symmetrie kwam als een verrassing.

‘Ik zie hem als een goed huisvader.’

‘Grappig, ik heb dat woord altijd als een oxymoron beschouwd.’

‘In zijn hart is hij een goed huisvader,’ herhaalde Paul. ‘Weet je, ergens in de rimboe heeft hij een oude tante zitten. Hij gaat regelmatig bij haar op bezoek, je kunt er de klok op gelijk zetten.’

‘Trotse vader, toegewijd echtgenoot?’

Paul keek haar aan alsof ze haar zakelijke instelling buiten kantooruren op het ziekelijke af handhaafde. ‘Waarom niet?’

‘Waarom wel?’

‘Waarom niet?’

‘Waarom wel?’

Een patstelling; Martha wachtte dus af. De ideeënvanger was een centimeter of vijf kleiner dan haar één vijfenzeventig, en een paar jaar jonger; een bleek rond gezicht, ernstige blauwgrijze ogen achter een bril waar hij studiebol noch *nerd* van werd, domweg iemand met slechte ogen. Het verplichte nette pak zat hem niet echt lekker, alsof iemand anders het voor hem had uitgekozen, en hij liet zijn glas op een onderzetter met Dickens-figuren ronddraaien. Uit haar ooghoeken zag ze dat hij haar als zij wegkeek aandachtig opnam. Was dat schuchterheid of berekening – was het misschien de bedoeling dat ze het merkte? Martha zuchtte inwendig; tegenwoordig waren zelfs eenvoudige dingen zelden eenvoudig.

Hoe dan ook, ze bleef afwachten. Martha had geleerd goed te zwijgen. Lang geleden was haar bijgebracht – meer door sociale osmose dan door een bepaald iemand – dat een vrouw onder andere tot taak had om mannen uit hun tent te lokken, ze op hun gemak te stellen; dan zouden ze onderhoudend worden, je vertellen hoe de wereld in elkaar steekt, je deelgenoot maken van hun diepe gedachten en ten slotte met je trouwen. Toen ze de dertig was gepasseerd, wist Martha dat die raad van geen kant deugde. In de meeste gevallen hield het in dat je een man toestond je te vervelen, terwijl het idee dat ze je deelgenoot zouden maken van hun diepe gedachten naïef was. Velen hadden immers uitsluitend oppervlakkige gedachten.

In plaats van de conversatie van een man bij voorbaat te waarderen, stelde ze zich dan ook terughoudend op, genietend van de macht van het stilzwijgen. Sommige mannen werden daar zenuwachtig van. Ze beweerden dat een dergelijk stilzwijgen in wezen vijandig was. Ze zeiden tegen haar dat ze passief-agressief was. Ze informeerden of ze feministe was, een term die niet werd geuit als neutrale betiteling, nog minder als compliment. 'Maar ik heb niks gezegd,' antwoordde ze dan. 'Nee, maar ik vóél je afkeuring,' zei er een. Een ander, beschonken na het eten, richtte zich met zijn sigaar nog in zijn mond en woede in zijn ogen tot haar en zei: 'Jij denkt dat er maar twee soorten mannen bestaan, hè? Mannen die al iets lulligs hebben gezegd, en mannen die nog iets lulligs zullen gaan zeggen. Nou, je kunt de pot op.'

Martha liet zich derhalve wat zwijgen betreft niet de loef afsteken door een zijdelings blikkende jongen met een glas gele wijn voor zich.

'Mijn vader speelde hobo,' zei hij ten slotte. 'Hij was geen beroeps, hoor, maar hij was best goed, speelde in amateurorkestjes. Op zaterdagmiddag werd ik altijd meegesleept naar koude kerken en dorpshuizen. De Serenade voor blazers van Mozart, voor de zoveelste keer. Dat soort dingen.

Sorry, dat doet eigenlijk niet ter zake. Hij heeft me eens een verhaal verteld. Over een sovjetcomponist, ik weet niet meer welke. Het gebeurde tijdens de oorlog, wat zij de Grote Patriottische Oorlog noemden. Tegen de Duitsers. Iedereen moest de handen uit de mouwen steken, en dus zei het Kremlin tegen de sovjetcomponisten dat ze muziek moesten componeren die de mensen zou inspireren en aansporen de agressor eruit te gooien. Niks geen kunstzinnige muziek, zegt het Kremlin, we hebben muziek nodig voor het volk, van het volk.

Nou, de topcomponisten werden allemaal naar verschillende streken gestuurd met de mededeling dat ze moesten terugkomen met opgewekte suites volksmuziek. En de componist in kwestie werd naar de Kaukasus gezonden, tenminste, ik geloof dat het de Kaukasus was, hoe dan ook, het was een van die gebieden die Stalin een paar jaar daarvoor had geprobeerd weg te vagen, je weet wel, collectivisatie, razzia's, etnische zuiveringen, hongersnood, dat had ik er eerder bij moeten zeggen. Hoe dan ook, hij reist rond en gaat op zoek naar volksliedjes, de oude fiedelaar die op bruiloften speelt, dat soort dingen. En raad eens wat hij ontdekte? Er bestond helemaal geen authentieke volksmuziek meer! Stalin had de dorpen weggevaagd, moet je weten, en alle boeren verdreven, en daarmee had hij en passant de muziek weggevaagd.'

Paul nam een slokje wijn. Zweeg hij even of was hij uitgesproken? Dat was ook zo'n sociale vaardigheid die vrouwen geacht werden zich eigen te maken: wanneer is een man uitverteld. Meestal was dat geen probleem omdat het einde van een verhaal overduidelijk was; of anders begon de verteller bij voorbaat al te proesten van het lachen, wat altijd een redelijk goede aanwijzing was. Martha had lang geleden besloten alleen te lachen om dingen die ze grappig vond. Dat leek een normaal soort regel, maar sommige mannen vatten het op als terechtwijzing.

'Hij zat dus met een probleem, die componist. Hij kon het niet maken om naar Moskou terug te keren met de mededeling: ik vrees dat de Grote Leider helaas per abuis alle muziek in die contreien heeft weggevaagd. Dat zou niet verstandig zijn geweest. Hij deed dus het volgende. Hij bedacht een paar nieuwe volksliedjes. Daarna componeerde hij een daarop gebaseerde suite en ging daarmee terug naar Moskou. Orders uitgevoerd.'

Weer een slokje, gevolgd door een schuinse blik op Martha. Ze vatte dat op als sein dat het verhaal waarschijnlijk uit was. Dit werd bevestigd toen hij zei: 'Je maakt me een beetje verlegen, geloof ik.'

Ach, dat was beter, veronderstelde ze, dan dat er een beer van een kerel in krijtstreep, met een rood gezicht en een verdacht perfect gebit zwaar tegen je aan leunde en jolig, gekscherend zei: 'Natuurlijk zou ik je éigenlijk het liefst suf willen neuken.' Ja, dit was beter. Maar ook dit had ze vaker gehoord. Misschien was ze de leeftijd gepasseerd dat nieuwe openingszinnen tot de mogelijkheden behoorden en waren er alleen nog maar bekende.

Martha hield haar toon met opzet kordaat. 'Je bedoelt dus eigenlijk dat sir Jack op Stalin lijkt?'

Paul staarde haar verbijsterd aan, alsof ze hem een klap had gegeven. 'Hè?' Toen keek hij argwanend de bodega rond, alsof hij een slinkse sluiper van de KGB verwachtte.

'Ik dacht dat dat de clou van het verhaal was.'

'Jezus, nee, hoe kom je daar nou...'

'Geen idee,' zei Martha glimlachend.

'Het kwam domweg bij me op.'

'Laat maar.'

'Trouwens, elke vergelijking tussen...'

'Laat maar.'

'Ik bedoel, om een eenvoudig argument aan te voeren: het huidige Engeland is toch zeker niet het Sovjet-Rusland uit die tijd...'

'Ik heb niks gezegd.'

Haar steeds mildere toon schonk hem de moed om zijn ogen op te slaan, zij het niet om de hare te ontmoeten. Hij keek langs haar heen, met ontwijkende, schichtige blikken, eerst aan de ene, toen aan de andere kant. Langzaam, behoedzaam als een vlinder, bleven zijn ogen op haar rechteroor rusten. Martha wist niet hoe ze het had. Ze was zo gewend geraakt aan list en bedrog, aan samenzweerderige directheid en zelfverzekerde handen, dat eenvoudige verlegenheid haar diep trof.

'En, hoe werd erop gereageerd?' hoorde ze zichzelf met een bijna panische tederheid vragen.

'Waarop?'

'Toen hij met zijn suite volksliedjes naar Moskou kwam en ze liet uitvoeren. Daar ging het toch eigenlijk om, nietwaar? Ze hadden hem gevraagd om vaderlandslievende muziek ter inspiratie van de arbeiders en de paar boeren die nog over waren na alle zuiveringen, hongersnoden en zo, en die muziek, de muziek die hij volledig uit zijn duim had gezogen, was die even nuttig en verheffend als de muziek die hij zou hebben ontdekt als er nog wat over was geweest? Dat is de vraag waar het om draait, vermoed ik.'

Ze overdreef, ze wist het. Nee, ze draafde door. Normaal gesproken praatte ze niet zo. Maar ze had hem teruggehaald van zijn onduidelijke bestemming. Zijn blik maakte zich van haar oor los, en hij scheen zich terug te trekken achter zijn brilmontuur. Hij fronste, zij het meer om zichzelf dan om haar, vermoedde ze.

'Dat vermeldt de historie niet,' antwoordde hij ten slotte.

Pff. Goed gedaan, Martha. Je hebt het er nét levend afgebracht.

Dat vermeldt de historie niet.

Ze vond het vertederend dat hij zich niet meer kon herinneren hoe die componist heette. En of het nou de Kaukasus was geweest of niet.

Van alle verzamelde theoretici, consultants en praktijkmensen was dr. Max degene die de uitgangspunten en eisen van het Project het minst snel doorhad. Aanvankelijk werd dat toegeschreven aan wetenschappelijk isolationisme, terwijl dr. Max nu juist was aangesteld omdat de geur van de afzondering hem níét scheen aan te kleven. Hij verwisselde zijn hoogleraarszetel altijd met gemak voor de omroepstudio's; hij was bedreven in de intellectuelere spelletjesprogramma's en noemde vijf, zes nieuwspresentatoren bij de voornaam terwijl zij geduldig de uiteenzetting van zijn parmantige controversiële standpunt uitzaten. Hoewel hij overkwam als een echt stadsmens, schreef hij in *The Times* de column 'Natuurnotities', onder het wijd en zijd uitgelekte pseudoniem Veldmuis. Wat kleding betrof had hij een voorliefde voor tweed kostuums met een grote verscheidenheid aan harmoniërende suède vesten, strijk en zet bekroond met een strikje; hij was een voor de hand liggende keuze voor modecolumns zoals 'Bekende Britten in burger'. Hoe ver zijn broekspijp ook omhoogschoof terwijl hij zich demonstratief ontspande in het verraderlijke tv-studiomeubilair, nooit werd er een glimp blote kuit opgevangen. Hij was de aangewezen man.

De eerste uiting van dr. Max' naïeve aanpak was zijn vraag waar de bibliotheek van het Project te vinden was. De tweede was het rondsturen van overdrukken van zijn artikel in *Leather Trash*, getiteld 'Had prins Albert een Prince Albert? – Een hermeneutische studie naar de falloarcheologie'. Bedenkelijker was zijn neiging om sir Jack tijdens directiebijeenkomsten te bejegenen met een speelsheid waar zelfs een huiscynicus zich niet aan zou hebben gewaagd. Verder was er tijdens het brainstormen over grote Britse helden zijn – volgens sommigen – net iets te subjectieve homo-erotische interpretatie van Nelson en Hardy's kus. Sir Jack had luid en duidelijk de familiebladen opgesomd die onder zijn zielzorg vielen, waarna hij dr. Max had verzocht op te rotten en zijn strikje in zijn hol te stoppen, goede raad die niet in de notulen was opgenomen.

Jeff was niet blij met zijn nieuwe rol als oppas van de officiële geschiedkundige, voornamelijk omdat hij niet blij was met de officiële geschiedkundige. Waarom moest dr. Max zo nodig onder Conceptontwikkeling vallen, behalve dan omdat sir Jack dat leuk vond? Jeff geloofde niet dat zijn weerzin voortkwam uit homofobisch vooroordeel. Het was eerder vooroordeel tegenover modegekken, egotisten en horzels, tegenover mensen die hem beschouwden als een grote trage ploeteraar met een hersenbeschadiging, en die vroegen, op een manier die zij voor geestig hielden, hoeveel concepten hij het afgelopen weekend had ontwikkeld. Jeff beantwoordde zulke vragen altijd rechttoe, rechtaan en letterlijk, wat dr. Max' veronderstellingen versterkte. Maar als hij dat niet deed, zou hij de kerel kelen.

'Max, heb je even?' Ze bevonden zich in de Oase, een gedeelte van Pitman House vol varens, palmen en watervalletjes, waar waarschijnlijk een of andere architectuurtheorie achter zat. Jeff had ongetwijfeld geen verstand van metaforen, maar hij moest altijd plassen als hij stromend water hoorde. Nu stond hij neer te kijken op de officiële geschiedkundige, op zijn malle snorretje, zijn poenige horlogeketting, zijn stuitende tv-vestje, zijn burgerlijke manchetknopen. De officiële geschiedkundige keek op naar Jeff, naar zijn brede stierenschouders, zijn lange paardenhoofd, zijn ezelgrijze haar, zijn glinsterende schaapachtige ogen. Ze stonden schutterig tegenover elkaar, alsof een choreograaf tegen Jeff had gezegd dat hij zijn arm kameraadschappelijk om dr. Max' schouders moest slaan maar ze er geen van beiden toe konden komen het gebaar uit te voeren of te ondergaan.

'Max. Luister.' Jeff werd overvallen door vermoeidheid. Hij wist nooit goed waar hij moest beginnen. Liever gezegd, hij merkte dat hij elke keer moest beginnen op een nog lager niveau van wat bekend mocht worden verondersteld. 'Het tempo hier zal voor jou vast heel anders liggen.'

'O, zo zou ik het niet willen zeggen.' Dr. Max was in een welwillende stemming. 'Er zijn er hier een paar die ik m-isschien wel als v-olwassen studenten tot mijn colleges zou kunnen toelaten.'

'Nee, zo bedoelde ik het niet, Max. Een hoger tempo, niet een lager tempo.'

'Aha. Ja. Ik snap het, weer een flater geslagen. Leg het me dan maar eens uit.'

De conceptontwikkelaar zweeg even. Dr. Max, zoals hij zich op de televisie graag liet noemen omdat formaliteit en informaliteit op die manier samenvielen, stond in de startblokken om op een teken van de floormanager te gaan sprankelen. 'Laat ik het zo stellen. Jij bent onze officiële geschiedkundige. Jij bent verantwoordelijk, hoe zal ik het zeggen, voor onze geschiedenis. Kun je me volgen?'

'Tot nu toe is het g-lashelder, m'n beste Jeff.'

'Mooi zo. Welnu, ónze geschiedenis – en ik leg de nadruk op ónze – beoogt dat onze gasten, de mensen die afnemen wat voorlopig Kwaliteitsrecreatie heet, *zich beter gaan voelen*.'

'Beter. Aha, de aloude e-thische vraagstukken, wat een slangenkuil toch. Beter. Dat wil zeggen?'

'Minder onwetend.'

'Precies. En daarom ben ik zeker aangesteld?'

'Max, het werkwoord is je ontgaan.'

'Welk dan?'

'Voelen. Het is onze bedoeling dat ze zich minder onwetend vóélen. Of dat al dan niet zo ís, is een heel andere kwestie, die zelfs buiten onze bevoegdheid valt.' Dr. Max had inmiddels zijn duimen in de zakjes van zijn taupekleurige vest gestoken, een gebaar dat voor de kijkers op komieke scepsis duidde. Jeff kon hem wel villen, maar hij ging verder. 'De kwestie is dat de meeste mensen geen zin hebben in wat jij en je collega's beschouwen als geschiedenis – het soort dat je in boeken krijgt voorgeschoteld – omdat ze niet weten wat ze ermee aan moeten. Persoonlijk heb ik daar alle begrip voor. Voor die mensen dan. Zelf heb ik geprobeerd een paar geschiedenisboeken te lezen, en al ben ik misschien niet intelligent genoeg om me voor jouw colleges in te schrijven, het grootste probleem met die boeken lijkt me het volgende: ze gaan er allemaal van uit dat je de meeste andere geschiedenisboeken al kent. Het is een gesloten systeem. Er is geen beginnen aan. Het is alsof je het treklipje zoekt om een cassettebandje uit de verpakking te halen. Ken je dat gevoel? Rondom zit een gekleurd stripje, en je ziet wat erin zit en je wilt het pakken, maar het is alsof er geen begin aan dat stripje zit, hoe vaak je er met je nagel ook langs gaat.'

Dr. Max had een notitieboekje te voorschijn gehaald en hield zijn zilveren vulpotlood in de aanslag. 'Vind je het erg als ik me dat toe-toe-eigen? Ontzettend goed. Dat van die cassetteverpakking, bedoel ik.' Hij maakte een aantekening. 'Ja? En?'

'We bedreigen de mensen dus niet. We spotten niet met hun onwetendheid. We leveren wat ze al weten. Misschien voegen we er een kleinigheidje aan toe. Maar geen ongewenst moeilijke dingen.'

'En nu mijn strikje onlangs door onze i-llustere leider naar een andere lokatie is verwezen, wat is dan, als ik zo solipsistisch mag zijn te informeren, de functie van dat grotere lichaam, dat wil zeggen de officiële geschiedkundige, waarin dat strikje zich dient op te houden?'

Jeffs zucht was een geluid afkomstig van een rangeerterrein. Een onnozele hals die in ingewikkelde zinnen spreekt: het ergste van twee werelden. 'De geschiedkundige heeft tot taak ons te informeren omtrent hoeveel geschiedenis de mensen al bekend is.'

'Juist, ja,' zei dr. Max beroepsmatig vermoeid.

'O in godsnaam, Max, de mensen tasten niet in de buidel om iets te léren. Als ze dat willen, gaan ze maar naar een bibliotheek, verdomme, als ze er een kunnen vinden die open is. Ze komen bij ons om te genieten van wat ze al weten.'

'En het is mijn taak om jullie te vertellen wat dat is.'

'Je hebt het door, dr. Max. Je hebt het door.' Achter hen streek een onzichtbare luchtstroom door de palmbladeren. 'En mag ik nog één opmerkinkje maken?'

'Ik b-en een en al oor.' Dr. Max bauwde een eerstejaars na.

'Te veel parfum. Persoonlijk heb ik er niks tegen, begrijp me goed. Ik denk aan de directeur.'

'Blij dat het je is opgevallen. Eau de toilette uiteraard. Petersburg. Misschien had je dat al geraden? Nee? Dat leek me eigenlijk wel op z'n plaats.'

'Bedoel je dat je een vermomde Rus bent?'

'Haha, Jeff, ik mag dat wel, als je doet alsof je diep nadenkt. Kennelijk moet ik het je uitleggen.' Jeff sloeg zijn ogen te laat op naar het atrium van Pitman House: dr. Max had de rol van student al verwisseld voor die van professor. 'De geheimen van de grote *p-arfumiers* werden, zoals je misschien weet, altijd angstvallig bewaakt. Van meester op leerling overgeleverd tijdens geheime ceremoniën, in code genoteerd, áls ze al aan het papier werden toevertrouwd. En dan – stel je voor – verandert de mode, de keten wordt verbroken, een voortijdige dood, en weg zijn ze, vervlogen. Het is de ramp die onopgemerkt blijft. We bestuderen het verleden, we horen de muziek van vroeger, we zien prenten van vroeger, maar ons reukorgaan wordt nooit geactiveerd. Denk je eens in wat een mooie binnenkomer het zou zijn als je de kurk van een fles kon halen en tegen je studenten kon zeggen: zo rook Versailles, zo rook Vauxhall Gardens.

Kun je je de krantenartikelen nog herinneren over die vondst in Grasse, twee jaar geleden?' Dat kon Jeff kennelijk niet. 'Het ingrediëntenboek in de dichtgemetselde schoorsteen? Zo romantisch, bijna niet te geloven. De bestanddelen en de verhoudingen van talloze vergeten geuren op een ontcijferbare manier opgesomd. Elk aangegeven met een Griekse letter die verwees naar een orderboek dat al in het plaatselijke museum lag. Onweerlegbaar hetzelfde handschrift. Dit, dít,' dr. Max bracht zijn hals dichter bij Jeff, 'is Petersburg, twee eeuwen geleden voor het laatst gebruikt door een of andere aristocraat aan het hof van de tsaar. Opwindend, toch?' Dr. Max zag wel dat Jeff er duidelijk niet opgewonden van raakte en kwam hem dan ook te hulp met een vergelijking. 'Het is net als wetenschappers die dieren klonen die al duizenden jaren uitgestorven waren.'

'Dr. Max,' zei Jeff, 'je gaat ervan rúíken als een gekloond dier.'

'De hoofdzaken, meneer Polo, meer hebben we niet nodig. Je weet dat ik afzettingsgesteente en stenen speerpunten oersaai vind.'

'Maar al te goed, sir Jack.' Mark genoot van dergelijke situaties: het vertoon en het steekspel, de onderdanig dominante instelling die erbij kwam kijken. Geen aantekeningen, geen stukken, alleen een stel krullerige blonde feiten in een krullerig blond hoofd. Je uitsloven tegenover de anderen terwijl je sir Jacks wisselende reacties peilde. Hoewel, 'peilen' impliceerde precisie; in werkelijkheid ging je de duistere krochten van zijn stemming binnen als een speleoloog met een zaklamp voor dichtbij.

'Het eiland heeft,' begon hij, 'zoals sir Jack twee weken geleden al opmerkte, de vorm van een ruit. Ook wel wybertje genoemd. Sommigen hebben het vergeleken met een tarbot. In de lengterichting zesendertig kilometer, op z'n breedst ruim zesentwintig kilometer. Zo'n vierhonderd vierkante kilometer. Elke hoek ten naaste bij op een hoofdwindstreek van het kompas. Eens verbonden met het grote eiland, lang geleden ten tijde van afzettingsgesteente en stenen speerpunten. Zou ik kunnen uitzoeken, maar in elk geval van het pre-televisietijdperk. Topografie: mengeling van golvend, kalkachtig heuvelland van grote schoonheid en bungaloïde dystopie.'

'Mark, alweer dat foute onderscheid tussen de natuur en de mens. Ik heb je gewaarschuwd. En dan die lange woorden. Hoe was die laatste kreet ook alweer?'

'Bungaloïde dystopie.'

'Erg ondemocratisch. Erg elitair. Misschien zal ik hem moeten lenen.'

Mark wist dat hij dat zou doen. Het was een manier van sir Jack om je een complimentje te maken. En hij had ietwat sarcastisch naar het compliment gevist. Tot nu toe ging het naar wens. Hij pakte de draad van zijn verhaal weer op. 'Over het algemeen is het er vrij vlak. Fraaie kliffen. Ik dacht dat de commissie een souvenir wel aardig zou vinden.' Uit zijn zak haalde hij een glazen vuurtorentje gevuld met laagjes zand in allerlei kleuren. 'Plaatselijke specialiteit. Uit Alum Bay. Wel twaalf kleuren. Makkelijk na te maken, volgens mij. Het zand, bedoel ik.' Hij zette het vuurtorentje op sir Jacks bureau om eventueel commentaar uit te lokken. Dat bleef uit.

'Verder heb je er zogeheten *chines*, een soort ravijnen, in de kalkrotsen uitgesleten door riviertjes op weg naar zee. Zeer in trek bij smokkelaars, *vide infra*, of liever gezegd, *audi infra*. Flora en fauna: geen uitzonderlijk zeldzame of bedreigde soorten. Een bijzonderheid betreffende de eekhoorns: ze hebben er alleen de rode soort, want het is een eiland en die grijze rakkers hebben aldoor de boot gemist. Maar ik zou niet weten waarom iemand daar drukte over zou maken. O ja, en een béétje slecht nieuws, sir Jack.' Hij wachtte tot er een ruige, zwart met grijs doorschoten wenkbrauw werd opgetrokken. 'Er zitten wel degelijk papegaaiduikers.'

'Met z'n allen!' riep sir Jack jolig uit. *'De papegaaiduikers kunnen de pot op!'*

'Goed,' vervolgde Mark. 'Wat hebben ze er nog meer? O ja, de goorste cappuccino van het hele land. Heb ik in Shanklin ontdekt in een cafeetje aan zee. Als we een museum met martelwerktuigen willen opzetten, moeten we dat apparaat zeker bewaren.'

Mark zweeg even en werd zich toen bewust van de stilte. Stommeling. Doe je het weer. Nog terwijl hij bezig was, had hij het al beseft. Stommeling. Op een grapje van sir Jack liet je nooit een eigen grapje volgen. Je kon een voorzet geven, zodat hij kon scoren, maar daarna weer een grapje duidde eerder op wedijver dan op hielenlikkerij. Leerde hij het dan nooit?

'Wat kunnen we gebruiken van wat er al is? Van alles een beetje, zou ik zeggen, maar de mogelijkheden zijn ook weer niet legio. Allemaal dingen die we zo nodig kunnen weglaten. Komt-ie. Eén kasteel, best aardig: borstwering, poortgebouw, toren, kapel. Geen slotgracht, maar die kunnen we eventueel met gemak ergens tussen frommelen. Verder één koninklijk paleis: Osborne House, dr. Max heeft het al genoemd. Doet Italiaans aan. De meningen lopen uiteen. Er hebben twee koningen gewoond: Karel de Eerste, zat voorafgaande aan zijn terechtstelling gevangen in voornoemd paleis; koningin Victoria resideerde in voornoemd paleis, waar ze is overleden. Van allebei moet volgens mij een attractie te maken zijn. Er heeft één beroemde dichter gewoond: Tennyson. Een paar Romeinse villa's, beroemde mozaïeken, die mij en mensen die er meer verstand van hebben primitief leken in vergelijking met Europese equivalenten. Een groot aantal landhuizen uit verschillende periodes. Diverse parochiekerken; stukjes muurschildering, enkele magnifieke koperen gedenkplaten, een aantal fraaie graven. Heel veel cottages met rieten kap, perfect om tearooms van te maken. Herstel: de meeste zíjn al tearooms, maar zijn aan upgrading toe. Geen moderne gebouwen van betekenis, op Quarr Abbey na, van rond 1910, een meesterwerk van het vroeg-twintigste-eeuws expressionisme, Belgische steen uit Gaudi, Catalonië, Cordova, Cluny, ontworpen door een benedictijner monnik – dat soort weetjes haal ik uit Pevsner, dat snappen jullie. Maar ik zou aanraden er een nieuwe bijzondere bestemming aan te geven.

Wat nog meer? Inderdaad, de Regatta van Cowes, daar had Jeff al op gewezen. Het Koning Karel-bowlsveld, de Tennysontennisbaan. Een paar wijngaardjes. De Needles. Diverse obelisken en gedenktekens. Twee grote gevangenissen, compleet met gevangenen. Afgezien van scheepsbouw was smokkelen vroeger de belangrijkste industrie. En schipbreuken. Tegenwoordig het toerisme. Geen top-dollarreisbestemming, zoals jullie misschien al hebben geconcludeerd. Volgens een oud spreekwoord waren er geen monniken, rechtsgeleerden en vossen op het eiland. Tennyson zei dat de lucht boven de heuvels zes pence per pint waard was – ik wou dat ik zes pence, of een pint, had gekregen voor elke keer dat ik dat heb gelezen. De dichter Swinburne ligt er begraven. Keats is er geweest, Thomas Macaulay ook. George Morland, als het jullie interesseert. H. de Vere Stacpoole – wie? Enig idee? *The Blue Lagoon*? Nee, dat dacht ik al. Romanschrijver en inwoner van Bonchurch. Hoe dan ook, het zal jullie deugd doen dat H. de Vere Stacpoole de dorpsvijver aan Bonchurch heeft geschonken ter nagedachtenis aan wijlen zijn vrouw.' Mark meldde dit laatste feit op neutrale toon, in de hoop sir Jack een voorzetje te geven. Hij werd niet teleurgesteld.

'Dempen!' gnuifde sir Jack. 'Beton erover!'

Mark beleefde een moment van stille voldoening. Terzelfder tijd had hij het idee dat sir Jacks uitroep een ritualistische en onechte klank had. Het was sir Jack die 'sir Jack' speelde. Niet dat hij in een zekere zin niet altijd 'sir Jack' was.

'Maar wacht eens eventjes. Wie zijn wij, vraag ik me af, om luchthartig de spot te drijven met de verknochtheid van een man aan zijn vrouw? We leven in een cynisch tijdperk, en dat, heren, is mijn handel niet. Zeg eens, Mark, is de vrouw van Stacpoole tragisch aan haar eind gekomen? Op een spoorbaan aan flarden gereten? Verkracht en afgemaakt door een bende barbaren misschien?'

'Ik zal het natrekken, sir Jack.'

'Misschien is er een attractie van te maken. Goeie god, misschien zit er een film in!'

'Sir Jack, ik moet zeggen dat een deel van het onderzoeksmateriaal waarop ik me gebaseerd heb uit wel erg oude bronnen afkomstig is. Ik heb die vijver niet met eigen ogen gezien. Wie weet is hij eeuwen geleden al gedempt.'

'In dat geval graven we hem weer uit, Marco, en herscheppen we deze roerende legende. Misschien hebben die beroemde eekhoorns een telegraafpaal doorgeknaagd en is ze daardoor onthoofd?' Sir Jack was vanmorgen een wel erg Jolige Jack. 'Samenvatting, meneer Polo. Vat uw exotische reizen eens voor ons samen.'

'Samenvatting. Al het geschiedkundig materiaal heb ik in mijn rapport verwerkt. Ik hoop maar dat dr. Max vindt dat het ermee door kan. Maar om de schrijver Vesey-Fitzgerald te citeren' (hij laste een minieme pauze in voor het geval sir Jack wilde zwelgen in de gezwollenheid van namen oude stijl), '"Eens het tuineiland, nu nog slechts een toeristenoord."' Hij keek naar sir Jack, bedelend om het complimentje. Sir Jack liet hem niet in de steek.

'En tegenwoordig is het, als ik een uitdrukking mag annexeren, een bungaloïde dystopie waar nog geen fatsoenlijke cappuccino te krijgen is.'

'Dank u, sir Jack.' De projectmanager maakte een buiging waar de aanwezigen desgewenst ironie uit konden aflezen. 'Kortom, ideaal voor onze doeleinden. Een lokatie die roept om metamorfose en opwaardering.'

‘Schitterend.’ Sir Jack stampte op zijn voetbel, waarna er een barkeeper verscheen. ‘Potter! H. de Vere Potter, weet je nog dat ik je gevraagd heb die magnum Krug op ijs te leggen? Nou, breng die maar weer naar de kelder. Doe maar een rondje cappuccino, met het mooiste schuim dat dat apparaat van jou kan produceren.’

Nog een drankje, een uitnodiging voor een etentje gebaseerd op duidelijk valse premissen, een film, nog een drankje, en ze waren, veel later dan bij de meeste mannen, op een beslissend punt aangeland. Of in elk geval op het punt dat er een beslissing moest worden genomen of er al dan niet een verstrekkender beslissing moest worden genomen. Tot haar verrassing ervoer Martha geen ongeduld, geen zweem van die rusteloze kriebelige onbehaaglijkheid van enkele voorgaande bezoeken aan deze lokatie. Twee avonden terug had hij haar op haar wang gekust, al was het stukje wang dat hij uitkoos, of waar hij uitkwam, een mondhoek geweest; toch had ze niet het gevoel, zoals vroeger misschien wel het geval zou zijn geweest: neem nu eens een besluit, hink niet zo op twee gedachten, kus me of kus me niet. In plaats daarvan dacht ze alleen: dat was prettig, ook al had ik het idee dat je er bijna voor op je tenen moest gaan staan. Goed, volgende keer plattere hakken.

Ze zaten bij haar op de bank, hun vingers raakten elkaar half, er was nog ruimte voor ontsnapping, voor verstandige bezinning. ‘Hoor eens,’ zei ze, ‘ik kan het maar beter ronduit zeggen. Ik begin nooit iets met mannen van mijn werk, en ik ga niet met mannen die jonger zijn dan ik.’

‘Behalve als ze kleiner zijn dan jij en een bril dragen,’ antwoordde hij.

‘En ook niet met mannen die minder verdienen dan ik.’

‘Behalve als ze kleiner zijn dan jij.’

‘En ook niet met mannen die kleiner zijn dan ik.’

‘Behalve als ze een bril dragen.’

‘Ik heb heus niks tegen brillen,’ zei ze, maar voordat ze haar zin kon afmaken, kuste hij haar.

In bed, toen er weer woorden kwamen, merkte Paul dat zijn brein als een spons het geluk opzoog, dat zijn tong ongezeglijk was. 'Je hebt míj niet naar míjn principes gevraagd.'

'Welke dan?'

'O, ik heb ook mijn principes. Wat betreft vrouwen op mijn werk, vrouwen die ouder zijn dan ik, vrouwen die meer verdienen dan ik.'

'Ja, dat zal best.' Ze voelde zich terechtgewezen, alsof ze niet zozeer gehaaid als wel bot was geweest.

'Zeker weten. Ik ben in principe voor alle vrouwen.'

'Zolang ze maar niet langer zijn dan jij.'

'Dáár kan ik niet tegen.'

'En, eh, geen donkerblond haar hebben, vrij kort.'

'Nee, ze moeten lichtblond zijn.'

'En van seks houden.'

'Nee, geef mij maar een vrouw die doet alsof.'

Ze lagen zachtjes onzin uit te kramen, maar ze had het idee dat er hoe dan ook geen regels bestonden omtrent wat je niet kon zeggen. Ze had het idee dat hij niet gechoqueerd zou zijn, of jaloers, hij zou het eenvoudigweg begrijpen. Wat ze vervolgens zei was niet bedoeld om hem op de proef te stellen.

'Iemand anders heeft zijn hand ook eens gelegd waar de jouwe nu ligt.'

'De rotzak,' mompelde Paul. 'Nou ja, een rotzak met smaak.'

'En weet je wat hij zei?'

'Iemand die ook maar een béétje hart heeft zou sprakeloos zijn. Hij zou geen woord kunnen uitbrengen.'

'Terechte vleierij,' zei ze. 'Niet te geloven hoe lekker je je daarbij voelt. Dat zouden ze in alle landen moeten hebben. Dan zou er nooit meer oorlog zijn.'

'En, wat zei hij dan?' Het was bijna alsof zijn hand het vroeg.

'O, ik verwachtte dat hij iets aardigs ging zeggen.'

'Terechte vleierij.'

'Precies. En ik hóórde hem bijna denken. En toen zei hij: "Je hebt zeker 70C."'

'Idioot. Debiel. Ken ik hem toevallig?'

Ze schudde haar hoofd. Je kent hem niet.

'Wat een debiel,' herhaalde hij. 'Je hebt duidelijk 70B.'

Ze gaf hem een mep met een kussen.

Later, toen hij wakker werd uit een halfslaap, zei hij: 'Mag ik iets vragen?'

'Alle vragen worden beantwoord. Dat beloof ik.' Het was een belofte die ze ook zichzelf deed.

'Vertel eens van je huwelijk.'

'Mijn huwelijk?'

'Ja, je huwelijk. Ik zat erbij toen je kwam solliciteren. Mij heb je over het hoofd gezien. Terwijl je dat dansje met sir Jack deed.'

'Nou, als je het niet verder vertelt...'

'Beloofd.'

'Ik mag van mezelf per sollicitatiegesprek altijd één strategische leugen vertellen. Dat was 'm.'

'Je hoeft dus niet te scheiden voordat je met mij kunt trouwen.'

'Ik geloof dat er grotere beletselen zijn.'

'Zoals?'

'Ik hou niet zo van seks.'

Toen hij was wezen plassen, vroeg ze: 'Paul, hoe wist je dat ik 70B heb?'

'Gewoon, mijn ongelooflijk grote intuïtieve kennis van en begrip voor vrouwen.'

'Toe nou.'

'Toe nou?'

'Sorry, ik bedoel: en afgezien daarvan?'

'Nou, het is je misschien opgevallen dat ik je beha heel stuntelig losmaakte. Toen heb ik toevallig gezien wat er op het labeltje stond. Ik bedoel, ik was er niet op uit.'

Voordat ze gingen slapen zei hij: 'Dus, om de notulen van de vergadering samen te vatten: als ik een andere baan zoek, meer ga verdienen, mijn geboortebewijs vervals, aan een deur ga hangen om langer te worden en contactlenzen neem, ben je misschien bereid om mijn vaste vriendin te worden.'

'Ik zal erover nadenken.'

'Dan ga jij als wederdienst wat aan jouw beletselen doen.'

'Welke?'

'O, je gehuwde staat en je aversie tegen seks.'

'Ja,' zei ze, en werd overvallen door een niet te rechtvaardigen melancholie. Nee, een gerechtvaardigde melancholie, want die zei: wat dit ook moge zijn, je verdient het niet. Het komt alleen even sliepuit doen.

'Tenzij... Ik weet het niet, hoor, misschien heb je al iemand.'

'Ja, ik geloof van wel,' antwoordde ze, om er, toen ze zijn arm voelde verstrakken, gauw aan toe te voegen: 'Nu.'

De volgende ochtend, nadat ze hem vroeg had gewekt opdat hij dwars door Londen toch nog vanuit de normale richting en met zijn normale kleren aan bij Pitman House kon arriveren, dacht ze: ach, ja, wie weet.

De proefpersoon van dr. Max' test was een man van negenenveertig. Blank, uit de burgerklasse en van Engelse komaf, hoewel hij zijn voorouders niet verder dan drie generaties had kunnen natrekken. Moeder afkomstig uit de grensstreek van Wales, vader uit de noordelijke Midlands. Openbare lagere school, beurs voor een dure kostschool, beurs voor de universiteit. Was werkzaam geweest in de alfawetenschappen en de media. Sprak één vreemde taal. Gehuwd, geen kinderen. Vond van zichzelf dat hij ontwikkeld, politiek bewust, intelligent en goed geïnformeerd was. Geen connecties met geschiedkunde, via opleiding noch via beroep, zoals verzocht.

Het doel van het gesprek werd niet uiteengezet. Er werd in verhullende bewoordingen gesproken over marktonderzoek en een bekende frisdrankfabrikant. Over de aanwezigheid van dr. Max werd niet gerept. De vragen werden gesteld door een neutraal geklede onderzoekster.

Proefpersoon werd gevraagd wat er bij de slag bij Hastings was gebeurd.

Proefpersoon antwoordde: '1066.'

De vraag werd herhaald.

Proefpersoon begon te lachen. 'Slag bij Hastings. 1066.' Stilte. 'Koning Harold. Kreeg een pijl in zijn oog.'

Proefpersoon gedroeg zich alsof hij de vraag had beantwoord. Proefpersoon werd gevraagd of hij nog meer deelnemers aan de slag kende, iets kon zeggen over de militaire strategie, mogelijke oorzaken van het conflict of de gevolgen ervan kon aanvoeren.

Proefpersoon zweeg vijfentwintig seconden. 'Hertog – ik geloof dat het een hertog was – Willem van Normandië kwam met zijn leger hierheen, over zee vanuit Frankrijk, hoewel het toen misschien niet Frankrijk heette, het gedeelte waar hij vandaan kwam, won de slag en werd Willem de Veroveraar. Of hij was al Willem de Veroveraar en werd Willem de Eerste. Nee, ik had het eerst goed. De eerste echte koning van Engeland. Nou ja, Edward de Belijder en de koning die de broodjes liet verbranden, Alfred, maar die tellen niet echt mee, hè? Ik geloof dat hij ergens familie was van Harold. Een neef, dat zou kunnen. De meesten waren toentertijd immers familie van elkaar? Het waren allemaal zo'n beetje Normandiërs. Ik bedoel, tenzij Harold een Saks was.'

Proefpersoon werd gevraagd iets naders te zeggen over de vraag of hij Harold al dan niet als Saks beschouwde.

Proefpersoon zweeg twintig seconden. 'Hij zou een Saks geweest kunnen zijn. Ik denk van wel. Nee, bij nader inzien denk ik toch van niet. Volgens mij was hij een ander soort Normandiër. Vanwege het feit dat hij een neef van Willem was. Als hij dat was.'

Proefpersoon werd gevraagd waar de slag precies had plaatsgevonden.

Proefpersoon: 'Is dit een strikvraag?'

Proefpersoon werd gerustgesteld: er zaten geen strikvragen tussen.

Proefpersoon: 'Hastings. Nou ja, niet ín de stad, dat zal wel niet. Hoewel, in die tijd stelde de stad nog niet veel voor, vermoed ik. Op het strand?'

Proefpersoon werd gevraagd wat er tussen de slag bij Hastings en de kroning van Willem de Veroveraar was gebeurd.

Proefpersoon: 'Weet ik niet precies. Ik kan me voorstellen dat er een soort mars naar Londen is geweest, net als Mussolini's mars naar Rome, met wat schermutselingen en misschien nog een veldslag, en de mensen uit de omgeving zullen zich wel onder de vlag van de overwinnaar hebben geschaard, dat doen ze bij dat soort gelegenheden nu eenmaal.'

Proefpersoon werd gevraagd hoe het met Harold was afgelopen.

Proefpersoon: 'Is dat een... Nee, u zei dat die er niet tussen zaten. Hij heeft een pijl in zijn oog gekregen.' (*Op agressieve toon:*) 'Dat weet toch iedereen.'

Proefpersoon werd gevraagd wat er na dat voorval was gebeurd.

Proefpersoon: 'Hij is doodgegaan. Dat spreekt vanzelf.' (*Op meer verzoenende toon:*) 'Ik weet haast zeker dat hij aan die pijl moet zijn doodgegaan, maar hoelang nadat hij gewond was geraakt, dat weet ik niet. In die tijd zal er wel niet veel te doen zijn geweest aan een pijl in je oog. Domme pech, welbeschouwd. De Engelse geschiedenis had misschien wel een andere loop gehad als hij niet op dat moment had opgekeken. Net als de neus van Cleopatra.' Korte stilte. 'Ik weet eigenlijk niet wie er aan de winnende hand was op het moment dat Harold die pijl in zijn oog kreeg, hoor, dus misschien zou de Engelse geschiedenis wel precies zo zijn gelopen.'

Proefpersoon werd gevraagd of hij nog iets aan zijn uiteenzetting kon toevoegen.

Proefpersoon zweeg dertig seconden. 'Ze droegen maliënkolders en punthelmen met neusstuk en ze hadden slagzwaarden.' Gevraagd op welke partij hij doelde, antwoordde proefpersoon: 'Allebei de partijen. Denk ik. Ja, want dat klopt dan met het feit dat het allemaal Normandiërs waren, hè? Tenzij Harold een Saks was. Maar Harold z'n jongens liepen beslist niet rond in leren wambuizen of zo. Wacht 'ns eventjes. Misschien toch wel. De arme mannen, het kanonnenvlees.' (*Behoedzaam:*) 'Ik zeg niet dat ze kanonnen hádden. De mannen die geen ridder waren. Ik kan me niet voorstellen dat iedereen genoeg geld had voor een maliënkolder.'

Proefpersoon werd gevraagd of dat alles was.

Proefpersoon (*opgewonden*): 'Nee! Het wandkleed van Bayeux, schiet me net te binnen. Dat gaat helemaal over de slag bij Hastings. Tenminste, een gedeelte. Daarop staat ook de eerste waarneming, of de eerste registratie van de komeet van Halley. Geloof ik. Nee, de eerste afbeelding, dat bedoel ik. Hebt u daar wat aan?'

Proefpersoon moest toegeven dat zijn kennis nu uitgeput was.

Wij zijn van mening dat dit een eerlijk, waarheidsgetrouw verslag van het gesprek is, en dat de proefpersoon representatief is voor de doelgroep.

Dr. Max schroefde de dop van zijn vulpen en kladderde met tegenzin zijn paraaf op het rapport. Er waren al vele soortgelijke rapporten geweest, en hij begon er neerslachtig van te worden. De meeste mensen herinnerden zich de geschiedenis op dezelfde waanwijze maar toch vluchtige manier als ze zich hun eigen jeugd herinnerden. Het kwam dr. Max bepaald onvaderlandslievend voor om zo weinig te weten van het ontstaan en de wording van je land. En toch volgde daaruit rechtstreeks de paradox dat de vurigste bedgenoot van het patriottisme onwetendheid was, niet kennis.

Dr. Max zuchtte. Het was niet alleen beroepsmatig, het was ook persoonlijk. Deden ze alsof – hadden ze altijd gedaan alsof –, de mensen die in drommen op zijn colleges afkwamen, naar zijn radioprogramma belden, om zijn grapjes lachten en zijn boeken kochten? Als hij hun geest in dook, was dat dan even nutteloos als een flamingo die in een vogelbadje landde? Wisten ze allemaal geen sodemieter ergens van, net als deze onwetende negenenveertigjarige sodemieter tegenover hem, die van zichzelf vond dat hij ontwikkeld, politiek bewust, intelligent en goed geïnformeerd was?

'Opgesodemieterd!' zei dr. Max.

De uitdraai van Jeffs onderzoek werd voor sir Jack op zijn commandotafel gedeponeerd. Aan potentiële afnemers van Kwaliteitsrecreatie in vijfentwintig landen was gevraagd om zes karakteristieken, deugden of wezenskenmerken te noemen die het woord Engeland bij hen opriep. Hun was niet gevraagd om vrij te associëren; de respondenten waren niet onder tijdsdruk gezet en evenmin was er gewerkt met voorgekauwde multiple-choicevragen. 'Als wij van plan zijn de mensen te geven wat ze willen,' had sir Jack met klem gezegd, 'dan behoren we op z'n minst zo nederig te zijn om uit te zoeken wat dat is.' Wereldburgers lieten sir Jack dan ook op onbevooroordeelde wijze weten wat naar hun opvatting de vijftig wezenskenmerken waren van alles wat Engels is:

1. DE KONINKLIJKE FAMILIE
2. DE BIG BEN/HET LAGER- EN HET HOGERHUIS
3. MANCHESTER UNITED FOOTBALL CLUB
4. HET KLASSENSTELSEL
5. DE KROEGEN
6. EEN ROODBORSTJE IN DE SNEEUW
7. ROBIN HOOD EN ZIJN VROLIJKE VRIENDEN
8. CRICKET
9. DE KRIJTROTSEN VAN DOVER
10. HET IMPERIALISME
11. DE UNION JACK
12. SNOBISME
13. HET GOD SAVE THE KING/QUEEN
14. DE BBC
15. HET WEST END
16. THE TIMES
17. SHAKESPEARE
18. COTTAGES MET RIETEN KAP
19. KOPJE THEE/DEVONSHIRE CREAM TEA
20. STONEHENGE
21. FLEGMA/STIFF UPPER LIP

22. WINKELEN
23. MARMELADE
24. BEEFEATERS/DE TOWER
25. LONDENSE TAXI'S
26. DE BOLHOED
27. KOSTUUMDRAMA
28. OXFORD/CAMBRIDGE
29. HARRODS
30. DUBBELDEKKERS/RODE BUSSEN
31. HYPOCRISIE
32. TUINIEREN
33. PERFIDIE/ONBETROUWBAARHEID
34. VAKWERKGEVELS
35. HOMOSEKSUALITEIT
36. ALICE IN WONDERLAND
37. WINSTON CHURCHILL
38. MARKS & SPENCER
39. DE SLAG OM ENGELAND
40. FRANCIS DRAKE
41. VAANDELINSPECTIE
42. KLAGEN
43. KONINGIN VICTORIA
44. ONTBIJT
45. BIER/LAUW BIER
46. EMOTIONELE FRIGIDITEIT
47. HET WEMBLEYSTADION
48. KASTIJDEN/KOSTSCHOLEN
49. JE NIET WASSEN/LELIJK ONDERGOED
50. DE MAGNA CHARTA

Jeff zag de gezichtsuitdrukking van sir Jack tijdens het doornemen van de lijst variëren van wijze zelfingenomenheid tot wrang misnoegen. Vervolgens gebaarde een vlezige hand dat hij kon gaan, en Jeff smaakte de bitterheid van de boodschapper.

Toen sir Jack weer alleen was bekeek hij de uitdraai nog eens.

Tegen het einde liep het faliekant uit de hand. Hij streepte punten door die volgens hem het resultaat waren van een verkeerde enquêtetechniek en dacht na over de rest. Veel punten hadden ze goed zien aankomen: aan winkelen en aan cottages met rieten kap waar Devonshire cream tea werd geserveerd zou op het Eiland geen gebrek zijn. Tuinieren, ontbijten, taxi's en dubbeldekkers, dat waren allemaal nuttige bevestigingen. Een roodborstje in de sneeuw – waar kwam dat vandaan? Van al die kerstkaarten misschien. Aan een vertaling in fatsoenlijk Engels van de Magna Charta werd gewerkt. *The Times* was ongetwijfeld zó opgekocht; de beefeaters zouden worden vetgemest, en de krijtrotsen van Dover zouden zonder veel taalkundig gesleutel worden overgebracht naar wat voorheen Whitecliff Bay was. De Big Ben, de slag om Engeland, Robin Hood, Stonehenge – doodeenvoudig.

Boven aan de lijst deden zich echter problemen voor. Bij de nummers 1, 2 en 3 om precies te zijn. Sir Jack had al zijn voelhorens uitgestoken bij het parlement, maar zijn eerste bod aan de wetgevers van het land, uitgebracht tijdens een werkontbijt met de voorzitter van het Lagerhuis, was lauw ontvangen; misschien was zelfs het woord aanfluiting wel gebezigd. De voetbalclub zou gemakkelijker zijn; hij zou Mark met een team toponderhandelaars naar Manchester sturen. De kleine, blauwogige Mark, die eruitzag alsof hij over zich liet lopen maar je wel zo wist te paaien dat je je ziel verkocht. Ongetwijfeld zouden plaatselijke trots, burgerlijke tradities enzovoort een rol spelen – dat was altijd zo. Sir Jack wist dat het in zulke gevallen zelden alleen een kwestie van het bedrag was: het ging om het bedrag in combinatie met het onontbeerlijke zelfbedrog dat het bedrag uiteindelijk minder belangrijk was dan het principe. Welk principe zou hier van toepassing kunnen zijn? Ach, daar kwam Mark nog wel achter. En als ze hun noppenhakken in het zand zetten, kon je achter hun rug om altijd nog de naam van de club opkopen en zeggen dat ze moesten oprotten.

Buck House zou een andere aanpak vergen: niet zozeer vleien en dreigen, als wel vleien en nog eens vleien. De koning en koningin waren de laatste tijd danig onder vuur genomen door het bekende stelletje cynici, ontevredenen en negatievelingen. De kranten van sir Jack hadden opdracht al dat soort verraderlijke aantijgingen op vaderlandslievende wijze te ontzenuwen en ze tegelijkertijd met leedwezen maar in extenso af te drukken. Dat onfrisse akkevietje van prins Rick idem dito. Neef van koning betrokken bij narco-lesbo-triootjes – was dat de kop geweest? Hij had die journalist de laan uit gestuurd, dat sprak vanzelf, maar helaas had modder de neiging te blijven plakken. Vleien en nog eens vleien; zo nodig moesten ze in de watten worden gelegd. Hij zou hun meer geld en betere arbeidsvoorwaarden bieden, minder werk en meer privacy; hij zou de vitterige ondankbaarheid van hun huidige onderdanen afzetten tegen de gegarandeerde aanbidding van de toekomstige; hij zou de nadruk leggen op het verval van hun oude koninkrijk en op de goede vooruitzichten van een kostbaar kleinood gevat in een zilveren zee, Mark II.

En hoe zou dat kleinood schitteren? Sir Jack liet zijn wijsvinger nog eens langs Jeffs lijst gaan, en zijn loyale gebrom werd met elk punt dat hij doorstreepte krachtiger. Dit was geen enquête, dit was schaamteloze karaktermoord. Wel verdómme, wat verbeeldden ze zich wel dat ze zulke dingen over Engeland uitkraamden? Zijn Engeland. Wat wisten zíj ervan? Vervloekte toeristen, dacht sir Jack.

Omzichtig en onbeholpen schetste Paul Martha een beeld van zijn leven. Een kleinburgerlijke opvoeding in een woonwijk in pseudo-Tudorstijl; prunus en forsythia, gemaaid gras en buurtwacht. Autowassen op zondagmorgen; amateurconcerten in dorpskerken. Nee, heus niet elke zondag, dat leek alleen maar zo. Hij had een harmonieuze jeugd gehad, of saai, zo je wilde. De ene buur verklikte de andere omdat hij de tuinsproeier had gebruikt op een dag dat dat verboden was. Op een hoek van de wijk stond een politiebureau in pseudo-Tudorstijl; in de voortuin stond op een hoge paal een nestkastje in pseudo-Tudorstijl.

'Ik wou dat ik iets heel ergs had gedaan,' zei Paul.

'Waarom?'

'O, dan kon ik dat aan jou opbiechten, en jij zou begrip tonen, of me vergeven, of zoiets.'

'Dat hoeft toch niet. Trouwens, misschien zou ik je dan minder aardig gaan vinden.'

Paul zweeg enkele ogenblikken. 'Ik heb heel wat afgerukt,' zei hij met een zweem van hoop.

'Geen schande,' zei Martha. 'Ik ook.'

'Verdomme.'

Hij liet haar foto's zien: Paul in luier, in korte broek, met cricketbeenbeschermers, in avondkleding; zijn haar werd geleidelijk aan donkerder, van stro- naar turfkleurig, zijn brilmonturen volgden de omtrekken van de mode, zijn pubervet smolt weg naarmate hij in de greep raakte van de grotemensenzorgen. Hij was de middelste van drie kinderen, tussen een zusje dat hem uitlachte en een aanbeden jonger broertje. Hij had goed kunnen leren en goed aan de aandacht weten te ontsnappen. Na zijn studie was hij als management-trainee bij Pitco begonnen; daarna gestage promotie waar niemand zich aan stoorde, tot hij op een dag op het herentoilet besefte dat de figuur die naast hem stond, zo breed dat hij de schotjes aan weerszijden van het urinoir leek uit te buigen, sir Jack in eigen persoon was, die kennelijk had besloten af te zien van de pracht en privacy van zijn porfieren wc-pot om eens een keertje democratisch te wateren. Sir Jack neuriede het tweede deel van de Kreutzersonate, waar Paul zo zenuwachtig van werd dat zijn plas stokte. Om redenen die hij nooit zou begrijpen begon hij sir Jack een verhaal over Beethoven en de dorpsagent te vertellen. Hij durfde de directeur uiteraard niet aan te kijken, deed alleen zijn verhaal. Toen het uit was, hoorde hij sir Jack zijn rits dichttrekken en wegwandelen terwijl hij het derde deel, het presto, floot, heel onnauwkeurig, dat kon Paul niet ontgaan. De volgende dag was hij naar het privékantoor van sir Jack ontboden, en een jaar later was hij diens ideeënvanger geworden. Aan het eind van de maand overhandigde hij de directeur altijd zijn hoogstpersoonlijke parlementair verslag. Soms wist hij sir Jack zelfs te verrassen met brokjes vergeten wijsheid. Het knikje van het hoofd met de onderkin drukte voornamelijk zelfgenoegzaamheid uit, maar diende ook om de ideeënvanger te complimenteren met de behendigheid waarmee hij het kristallen aforisme had gered voordat het op de grond viel.

'Meisjes,' zei Martha. Ze was sir Jack Pitman zat.

'Ja,' was zijn enige antwoord. Waarmee hij bedoelde: zo nu en dan, voorzichtig, stuntelig. Maar nooit zoals nu.

Zij antwoordde met een voorlopige versie van haar eigen leven. Hij luisterde aandachtig terwijl ze vertelde over het verraad van haar vader en de Engelse graafschappen. Hij ontspande zich bij de Landbouwtentoonstelling en meneer A. Jones, lachte onzeker om het verhaal van Jessica James en werd ernstig toen ze zei dat je je ouders na je vijfentwintigste geen verwijten meer mocht maken. Toen vertelde Martha hem dat haar moeder de mening was toegedaan dat mannen óf slecht óf slap waren.

'Wat ben ik?'

'De jury beraadt zich nog.' Ze plaagde hem, maar hij keek terneergeslagen. 'Niks aan de hand, het is ook niet de bedoeling dat je het na je vijfentwintigste nog met je ouders eens bent.'

Paul knikte. 'Bestaat er een verband, volgens jou?'

'Waartussen?'

'Tussen het feit dat je vader de benen heeft genomen, zoals jij het zei, en dat je voor sir Jack werkt?'

'Paul, kijk me aan.' Dat deed hij, met tegenzin; hij was inmiddels gevorderd van haar oren tot haar ogen, maar er waren momenten dat hij de voorkeur gaf aan haar wangen en haar mond. 'Onze werkgever is geen substituut voor een weggelopen vader, okay?'

'Maar hij behandelt je soms wel als een dochter. Een recalcitrante dochter die aldoor met hem in de clinch gaat.'

'Dat is zíjn probleem. En dat is psychologie van de kouwe grond.'

‘Het was niet mijn bedoeling om...’

‘Nee...’ Maar hij moest toch íéts hebben bedoeld. Martha, die haar leven structuur had gegeven, die aan haar karakter had gebouwd, hield een tegendraadse interpretatie binnen.

Er viel een stilte. Ten slotte vroeg Paul: ‘Ken je dat verhaal van Beethoven en de dorpsagent?’

‘Je doet nu toch geen auditie voor een baan.’ O, let op je woorden, Martha; het was als grapje bedoeld, maar hij krijgt een kleur. Met die scherpe tong van je heb je al eerder relaties naar de knoppen geholpen. Ze gaf haar stem een mildere klank. ‘Vertel me dat een andere keer maar eens. Ik weet iets beters.’

Hij hield zijn blik afgewend.

‘Ik zal slap slecht zijn, dan mag jij slecht slap zijn. Of andersom, als je dat liever hebt.’

Het was de vierde keer dat ze met elkaar in bed lagen. De eerste omzichtige onbeholpenheden begonnen te slijten; hun knieën zaten niet meer in de weg. Maar ditmaal, toen ze voelde dat ze op het punt stonden ieder hun eigen trip te gaan maken, richtte hij zich half op en zei zachtjes: ‘Martha.’

Ze draaide haar hoofd naar hem toe. Zijn bril lag op het nachtkastje en zijn blik was onbedekt. Ze was benieuwd of hij haar onscherp zag en of het hem daardoor gemakkelijker viel haar aan te kijken.

‘Martha,’ herhaalde hij. In zekere zin hoefde hij verder niets te zeggen, maar hij deed het toch. ‘Ik ben er nog.’

‘Dat zie ik,’ zei ze. ‘Dat voel ik.’ Ze omspande zijn pik wat steviger, maar wist dat ze afwerend deed, luchthartig.

‘Ja. Maar je weet best wat ik bedoel.’

Ze knikte. Ze was het niet meer gewend om er te zijn. Ze glimlachte naar hem. Misschien kon alles weer eenvoudig worden. In elk geval was ze hem dankbaar dat hij het risico had genomen. Ze bleef bij hem, waakzaam, oplettend, volgzaam, sturend, goedkeurend. Ze was behoedzaam, ze was eerlijk; hij ook.

En toch was het niet de vrijage van haar leven. Maar ja, wie beweerde dat er verband bestond tussen menselijk fatsoen en lekker neuken? En wie hield er nou een ranglijst van minnaars bij? Alleen mensen die zich uit onzekerheid met anderen meten. De meesten konden zich de vrijage van hun leven niet herinneren. Degenen die dat wel konden vormden een uitzondering. Neem nou Emil. Goeie ouwe Emil, een homovriend van haar. Híj wist het nog wel. Ze had hem eens vanuit Carcassonne een prentbriefkaart gestuurd. Toen ze weer thuis was, lag zijn prompte, jubelende reactie al bij haar op de mat. Zijn brief begon met: 'In Carcassone heb ik de wip van mijn leven gemaakt. In een grijs verleden. Een hotelkamer in de oude binnenstad, vanaf het balkon keek je uit over doorstoofde daken. Dreigende wolken pakten zich samen, net als op een El Greco, en niet alleen de lucht was in beroering, wij ook, tot het tijdsverloop tussen bliksem en donder tot nul was gereduceerd en de bui pal boven ons hing, en het was net alsof wij ons door de hemel lieten leiden. Na afloop hebben we op bed liggen luisteren naar het onweer dat naar de bergen wegtrok, en terwijl we even op adem kwamen hoorden we een louterende regen neerdalen. Genoeg om je in God te doen geloven, nietwaar, Martha?'

Ach, genoeg om Martha te doen geloven dat God, als Hij bestond, geen last had van vooroordeel jegens homo's. Maar God – de mens trouwens ook – had voor haar nooit zo'n groots contrapunt gearrangeerd. De wip van haar leven? Pas. Ze duwde haar neus in Pauls oksel. Ze zou zich tevredenstellen met goed.

Oud-Engelse Roastbeef werd door de gastronomische subcommissie uiteraard zonder formele stemming goedgekeurd, evenals Yorkshire Pudding, Lancashire Stoofschotel, Sussex Viervierdenpudding, Coventry Jamflapjes, Aylesbury Eend, Brown Windsor Soep, Devonshire Tompoezen, Melton Mowbray Pastei, Bedfordshire Vlees-met-fruit-pasteitjes, Chelsea Broodjes, Cumberland Saucijsjes, Liverpools kerstbrood en Kentse kippenpastei. Een vinkje was snel gezet bij fish and chips, bacon and eggs, stake and kidney pudding, ploughman's lunch, shepherd's pie, cottage pie, plum duff, evenals bij muntsaus, custard-metvel, broodpudding, lever-met-spek, fazant, gebakken-aardappeltjes-met-wild en lamsribstuk. Vanwege hun schilderachtige benamingen (de ingrediënten konden zo nodig later worden aangepast) werden goedgekeurd: London Particular, Queen of puddings, Poor Knights of Windsor, Hindle Wakes, stargazey pie, wow-wow sauce, maids-of-honour, muffins, collops, crumpets, fat rascals, Bosworth jumbles, moggy en parkin. De subcommissie verbood havermoutpap vanwege de Schotse associaties, namen waar pot en poot in voorkwamen, om de roze dollar niet voor het hoofd te stoten, en gevulde pruimen zelfs nadat die pruimedanten waren gaan heten. Duivekaters mochten, blotekindertjes-in-het-gras en drie-in-de-pan niet. Over Welshe kaastoast, Schotse eieren en Ierse stoofpot werd niet eens gediscussieerd.

Er zou een mooi assortiment bier komen van het toekomstige brouwerijtje in Ventnor; eilandwijnen zouden per karafje worden geserveerd, mits de wijngaarden van Adgestone het definitieve Strategisch Plan overleefden. Maar top dollar en long yen zouden ook worden gelokt met de tinkelende *taste-vins* van volleerde sommeliers; oenofielen zouden worden gepaaid met rondleidingen door diep in de kalkrotsen gelegen kelders ('eens verstopten smokkelaars hier hun buit, nu liggen klassieke kwaliteitswijnen er op dronk te komen') voordat ze werden vernacheld met een viervoudige prijsverhoging. Wat after-dinnerdrankjes betrof: misschien zou de Originele Shropshire Pruimenbrandewijn van Oudtante Maud voorzichtig worden aanbevolen, maar er zou ook een assortiment single malts verkrijgbaar zijn, alle zonder opdringerig Ierse namen. Sir Jack zou persoonlijk toezien op de armagnackaart.

'Nu alleen de seks nog,' zei de projectmanager nadat de patriottische menu's door de coördinatiecommissie waren goedgekeurd.

'Wat zeg je, Marco?'

'Seks, sir Jack.'

'Ik geef sinds jaar en dag kranten voor het hele gezin uit.'

'Kranten voor het hele gezin,' zei Martha, 'zijn van oudsher geobsedeerd door buitenechtelijke en zondige relaties.'

'Daarom zijn het dus kranten voor het hele gezin,' antwoordde haar werkgever ongeduldig. Hij liet zijn Garrick Club-bretels knallen en zuchtte. 'Goed dan. Gezien de democratische regels van deze bijeenkomsten: ga door.'

'Ik neem aan dat we op de een of andere manier moeten voorzien in een seksuele insteek, nietwaar?' zei Mark. 'De mensen gaan op vakantie om seks te bedrijven, dat is alom bekend. Liever gezegd, als ze aan vakantie denken, denken ze onvermijdelijk ook aan seks. Als ze alleenstaand zijn hopen ze iemand te ontmoeten; als ze getrouwd zijn hopen ze op betere seks in het echtelijk bed. Of minstens op seks.'

'Als jij het zegt. O, de jeugd van tegenwoordig...'

'Vanuit mijn optiek zie ik het zo: als de gemiddelde krenterige toerist uit is op betere seks, dan zullen diegenen die Kwaliteitsrecreatie afnemen uit zijn op kwaliteitsseks.'

'Historisch bezien zit daar een zekere logica in,' zei Martha. 'De Britten gingen vroeger ook al naar het buitenland voor seks. Het grote Britse rijk is ontstaan door het onvermogen van de Britse man om seksuele bevrediging te vinden buiten het huwelijk. En binnen het huwelijk trouwens. Het Westen heeft het Oosten altijd als een bordeel behandeld, up-market of downmarket. Nu zijn de rollen omgedraaid. Wij maken jacht op Pacific Rim-dollars, dus moeten we een historisch quidproquo bieden.'

'En wat zegt de officiële geschiedkundige van deze aanstootgevende analyse van het glorieuze verleden van onze natie?' Sir Jack wees met zijn sigaar naar dr. Max.

'Ik k-en deze analyse,' antwoordde hij. 'Zij het niet altijd net zo kernachtig verwoord. Er valt over te twisten.' Dr Max' matheid duidde erop dat híj zich niet liet verleiden om er op enigerlei wijze over te twisten.

'Aha,' antwoordde zijn werkgever. 'Er valt over te twisten. Hier spreekt de historicus, als ik mij een kleine *lèse-majesté* mag veroorloven. Waar we over twisten is... ja, wat eigenlijk? Het aanbieden van Engelse maagden op de markt, naakt aan een mestkar geketend, verkocht als seksslavinnen, per uur te huur in peperdure bordeelhotels compleet met waterbedden, verstelbare spiegels en pornovideo's? Ik spreek, dat begrijpen jullie, figuurlijk als het ware.'

Er viel een pijnlijke stilte die Mark gauw verbrak. 'Ik geloof dat we een beetje afdwalen. Ik heb alleen gezegd dat ik me afvroeg óf er een seksuele insteek moest komen. Hoe die eruit moet zien, zou ik niet weten. Ik ben geen ideeënman, ik ben de projectmanager maar. Ik leg jullie alleen maar voor: Kwaliteitsrecreatie, top dollar, long yen, marktverwachting, Engeland en seks. Mag ik de vergadering die cocktail aanbieden?'

'Uitstekend, Marco. Dat leggen we op het vibrobed, om maar eens een uitdrukking te verzinnen. En laten we eenvoudig beginnen. Seks en Engeland – liefhebbers?'

'De Zwitserse marine,' zei Martha.

'Ik voel met u mee, mevrouw Cochrane.' Sir Jack stootte een diepe lach uit. 'Overigens heb ik iets anders horen verluiden.' Toen Martha een blik in zijn richting waagde, keek hij al neutraal een andere kant op. Ze durfde niet naar Paul te kijken. 'Iemand iets beters?'

'Okay, okay.' Martha nam de uitdaging geïrriteerd aan. 'Ik ga wel eerst. De Engelsen en seks. Waar denk je dan aan? Oscar Wilde. Elizabeth de Eerste. Lloyd George heeft mijn vader nog gekend. Lady Godiva.'

'Een Ier en een Welshman tot nu toe,' merkte dr. Max hoorbaar fluisterend op.

'Plus een maagd en een naaktloopster,' voegde Mark eraan toe.

'De Engelse ondeugden,' vervolgde Martha, dr. Max streng aankijkend. 'Sodomie of flagellatie, kiest u maar. Kinderprostitutie in het Victoriaanse tijdperk. Een paar meervoudige lustmoorden. Horen we de draaihekken al klikken? Een Engelse don juan misschien? Lord Byron, dunkt me. Een aristocraat met een horrelvoet en een voorliefde voor incest. Daarmee begeven we ons wel op glad ijs, hè? O ja, wij hebben het condoom uitgevonden, als jullie daar iets aan hebben. Zegt men.'

'Daar hebben we allemaal niets aan,' zei sir Jack. 'Nog dwarser dan anders, en dat zegt wel wat. Wat wij zoeken, als ik een open deur mag intrappen, is een vrouw die seks een goede naam heeft bezorgd, een lief meisje van wie iedereen weleens heeft gehoord, wel godverdomme, een leuk ding met grote tieten, figuurlijk als het ware.' De commissie toonde opeens een ongekende belangstelling voor de nerf van de tafel, de vleug van het behang, het geschitter van de kroonluchter. Plotseling sloeg sir Jack met zijn handpalmen tegen zijn voorhoofd. 'Ik heb d'r! De vrouw die we zoeken. Nell Gwynn. Natuurlijk. De kat ziet de koning wel aan, en hem niet alleen. Vast een charmant vrouwtje. Heeft het hart van het volk gestolen. En een heel democratisch verhaal bovendien, geschikt voor deze tijd. Misschien lícht creatief omgaan met de feiten om haar beter te laten passen bij de normen en waarden van het gezin in het derde millennium. Dan hebben we de sinaasappelconcessie natuurlijk ook nog. En? Hoor ik daar goed? Hoor ik daar prima?'

'Prima,' zei Mark.

'Goed,' zei Martha.

'Twijfelachtig,' zei dr. Max.

'Hoezo?' vroeg hun werkgever nurks. Moest hij dan alle creatieve lasten dragen, alleen om te worden bekritiseerd door een stelletje neezeggers?

'Het is eigenlijk mijn t-ijdperk niet,' begon de officiële geschiedkundige, een ontkenning die zelden tot een kort college leidde, 'maar als ik me goed herinner kende men in de omgeving van de kleine Nell niet bepaald veel normen en waarden betreffende het gezin. Ze noemde zichzelf openlijk een "protestante hoer" – de koning was toentertijd namelijk katholiek, snappen jullie wel. Ze had twee onechte kinderen van hem, deelde de geneugten van zijn matras met een andere gunstelinge van wie de naam me even ontschoten is...'

'Triootjes, bedoel je,' mompelde sir Jack misnoegd. Hij zag de koppen al voor zich.

'... en ik zou het uiteraard moeten natrekken, maar haar carrière als maîtresse van de koning is al op betrekkelijk prille leeftijd begonnen, dus misschien moeten we de kinderseksinsteek incalculeren.'

'Goed zo,' zei Martha. 'Héél goed. Westerse pedofielen zochten hun bevrediging vroeger in het Oosten. Tegenwoordig kunnen oosterse pedofielen in het Westen terecht.'

'Rampzalig,' zei sir Jack. 'Ik geef sinds jaar en dag kranten voor het hele gezin uit.'

'We zouden haar ouder kunnen maken,' opperde Martha blijmoedig, 'de kinderen verdonkeremanen, de andere maîtresses verdonkeremanen en de maatschappelijke en godsdienstige achtergrond verdonkeremanen. Dan zou ze een lief burgermeisje zijn dat met de koning trouwt.'

'Bigamie,' merkte dr. Max op.

'In mijn tijd was alles veel eenvoudiger,' verzuchtte sir Jack.

'Denk je dat sir Jack iets vermoedt, van ons?' Ze lagen in bed; het licht was uit; hun lichamen waren vermoeid, hun gedachten nog opgefokt van de cafeïne.

'Nee,' zei Paul. 'Hij viste alleen maar.'

'Ik had niet het gevoel dat hij zat te vissen. Eerder... dat hij ons ophitste. Ik zei je toch, de huisvaders zijn altijd het ergste.'

'Hij is erg op je gesteld, snap je dat dan niet?'

'Laat hij zijn genegenheid maar voor de onzichtbare lady Pitman bewaren. Waarom verdedig je hem toch altijd?'

'Waarom val jij hem toch altijd aan? Hoe dan ook, je hebt hem uitgedaagd.'

'Wát? Met mijn antracietgrijze mantelpak, bedoel je, met mijn blouse tot mijn kin dichtgeknoopt?'

'Met je onvaderlandslievende opvattingen over seks.'

'Uitdagend én onvaderlandslievend. Het wordt steeds mooier. Daar word ik voor betaald.'

'Je weet best wat ik bedoel.'

Het geagiteerde gesprek nam een agressieve wending. Waarom ging het zo? vroeg Martha zich af. Waarom kleefde er aan de liefde altijd een ondermijnend aspect van verveling, en aan tederheid iets van irritatie? Of lag het aan haar? 'Ik heb alleen gezegd dat de Engelsen niet befaamd zijn vanwege seks, meer niet. Net als bij een roeiwedstrijd, in uit, in uit, in uit, daarna zakt iedereen slap over de riemen.'

'Bedankt.'

'Ik had het niet over jóú.'

'Nee, ik herken terechte vleierij wel als zodanig. Iedereen zou op z'n tijd op die manier moeten worden gevleid, als ik me goed herinner. Voorkomt oorlogen, zeiden we indertijd.' Paul dacht: wat heb ik verkeerd gedaan? Waarom liggen we elkaar in het donker opeens af te bekken? Daarnet was er nog geen vuiltje aan de lucht. Daarnet vond ik je aardig en hield ik van je; nu hou ik alleen van je. Dat is griezelig.

'Hè, vertel nog eens een verhaal, Paul.' Ze had geen zin in ruzie.

Hij ook niet. 'Een verhaal.' In de stilte liet hij een lichte wrevel uitdoven. 'O ja, ik zou je nog vertellen over Beethoven en de dorpsagent. Het verhaal dat ik sir Jack heb verteld.'

Martha verstrakte. Ze liet sir Jack liever op kantoor. Paul nam hem aldoor mee naar huis. Nu lag hij bij hen in bed. Vooruit, voor deze ene keer dan maar.

'Okay. Ik zie het tafereel voor me. Naast elkaar op het herentoilet. Wat neuriede hij?'

'De Kreutzersonate. Tweede deel. Het adagio espressivo. Niet dat dat er veel toe doet. Maar goed, wat gebeurde er. Op een ochtend, wanneer ook alweer, achttienhonderdzoveel, naar ik aanneem, in elk geval was hij al beroemd als componist, stond Beethoven vroeg op en ging uit wandelen. Hij liep er altijd een tikje slonzig bij, dat wist je misschien al. Hij trok een voddige ouwe jas aan, en hij had geen hoed, iets wat alle keurige mensen die geen groot componist waren wel hadden, en hij ging op weg langs het jaagpad naast de vaart waar hij vlakbij woonde. Waarschijnlijk dacht hij aan zijn muziek, hoorde die in zijn hoofd en lette verder nergens op, want hij liep maar door en maar door en opeens was hij aan het einde van de vaart, bij het haventje. Hij had geen idee waar hij zich bevond en hij begon dan ook bij de mensen naar binnen te kijken, door het raam. Nu was dat een keurige streek van Duitsland, of hoe het toen ook mocht heten, en in plaats van hem te vragen wat er van zijn dienst was of hem een kop koffie aan te bieden, haalden ze er meteen de veldwachter bij en lieten hem oppakken wegens landloperij. Die wending verbaasde hem, op z'n zachtst gezegd, en hij protesteerde bij de agent. Hij zei: "Maar agent, ik ben Beethoven." En de agent antwoordde: "Ja hoor, dat zal best."'

Hij zweeg even, maar Martha's intuïtieve oor voor het ritme van de mannelijke verteltrant liet haar niet in de steek. Ze wachtte af.

'En toen – ja, zo ging het – en toen legde de agent uit waarom hij hem had gearresteerd. Hij zei: "U bent een landloper. *Beethoven ziet er niet zo uit.*"'

Martha glimlachte in het donker, besefte dat hij haar niet kon zien en stak haar arm naar hem uit. 'Dat is een mooi verhaal, Paul.'

Ze waren teruggekeerd van hun onbekende bestemming omdat ze dat allebei wilden. Stel dat een van hen dat niet had gewild? Of allebei? Terwijl ze indommelde verwonderde ze zich over twee dingen. Dat ze sir Jack, zelfs in bed, nog steeds 'sir' noemden. En hoe Beethoven erbij kwam dat hij was verdwaald. Hij had zich alleen maar hoeven omdraaien en de vaart volgen, terug naar zijn woonplaats. Of was dat de logica van gewone stervelingen?

Later die nacht werd ze wakker van gedachten aan seks. Ze luisterde naar een echo van haar eigen stem. Ik stel me tevreden met goed, had ze beweerd. Tevreden zijn, Martha, is het niet een beetje vroeg voor dat soort gezapigheid? Och, ik weet het niet, iedereen bindt zich toch uiteindelijk. Jij niet, Martha, jij leeft je leven zonder je te binden, daarom ben je... ongebonden.

– Hoor eens, ik heb alleen maar gezegd dat we heel plezierig hadden gevrijd, maar Carcassonne was het niet. Waarom lig je daar wakker van? Het is ook weer niet het tegenovergestelde van Carcassonne, wat dat ook wezen moge. Tsjernobyl. Alaska. De randweg om Guildford. Trouwens, een relatie draait niet om seks.

– Welwaar, Martha, daar draait een relatie nu juist wel om, in dit beginstadium. Je eerdere relaties zijn toch zeker niet begonnen tijdens een cursus pottenbakken of klokkenluiden? Dan zou het misschien niet belangrijk zijn.

– Hoor eens, hij begint net op gang te komen, deze relatie.

– Hij begint net op gang te komen, en in plaats van alle bekende verwachtingen en dat heerlijke zelfbedrog en... alle ambitie die je vroeger had, ben je zo verstandig je aan te passen en voer je redelijke excuses aan.

– Nietwaar.

– Wel waar. Je bezigt woorden als 'heel plezierig'.

– Nou ja, misschien is het m'n leeftijd.

– Je zegt het zelf.

– Dan neem ik het terug. Misschien begin ik volwassen te worden. En bedot ik mezelf niet meer zo. Het is nu anders. Het voelt anders. Ik heb respect voor Paul.

– O hemeltje. Is het niet beklemmend om 'het leven van de grote componisten' te moeten aanhoren?

– Nee, het is een ander gevoel: geen spelletjes, geen misleiding, geen gehuichel, geen verraad.

– Vier maal min is plus?

– Hou je mond, hou je mond. Ja, misschien is dat toevallig wel zo. Hou je mond nou maar.

– Ik heb niks gezegd, Martha. Slaap lekker. Niet om het een of ander: waar ben je eigenlijk wakker van geworden, denk je?

Een beknopte geschiedenis van de seksualiteit in het geval van Paul Harrison zou nog beknopter uitvallen dan in het geval van Martha Cochrane:

– ontluikend verlangen naar meisjes in het algemeen, en omdat meisjes in het algemeen, of althans in zíjn omgeving *en masse*, witte sokjes droegen, groengeruite rokken tot op de kuit omdat hun moeders ze op de groei kochten, en witte blouses met groene das, was dat zijn eerste referentiekader.

– in het bijzonder verlangen naar Kim, een vriendinnetje van zijn zus, die op altvioolles zat, die op een zondagochtend bij hen thuis kwam en hem deed beseffen (wat hij op grond van slechts het uiterlijk van zijn zus nog niet had beseft) dat meisjes die niet in schooluniform waren je droge lippen, een nevelig brein en een bobbel in je onderbroek konden bezorgen, wat meisjes op school niet voor elkaar kregen. Kim, die twee jaar ouder was dan hij, besteedde geen aandacht aan hem, of wekte die schijn, wat op hetzelfde neerkwam. Op een keer had hij langs zijn neus weg aan zijn zus gevraagd: 'Hoe is het met Kim?' Ze had hem onderzoekend aangekeken, waarna ze bijna tot kotsens toe moest giechelen.

– de ontdekking van meisjes in tijdschriften. Alleen waren dat duidelijk geen meisjes maar vrouwen. Vrouwen met volmaakte borsten, large, medium en small. Als hij naar hen keek, begonnen zijn hersens tegen zijn schedel te drukken. Ze bezaten allemaal een smetteloze schoonheid, zelfs de wilde, dellerige types; die misschien in het bijzonder. En de lichaamsdelen die geen borsten waren, en die hem aanvankelijk met stomme verbazing sloegen, waren ook al verrassend verscheiden van indeling en verschijningsvorm, maar nooit anders dan volkomen volmaakt. Die vrouwen leken voor hem even ontoegankelijk als klippen voor een mol. Zij vormden de gedeodoriseerde, onthaarde aristocratie; hij was een stinkende, sjofele boerenpummel.

– desondanks bleef hij van Kim houden.

– maar hij ontdekte dat hij tegelijkertijd ook van die tijdschriftenvrouwen kon houden. En onder hen had hij zijn favorieten en zijn getrouwen. Vrouwen die volgens hem aardig en begrijpend zouden zijn, en hem zouden voordoen hoe het moest; en dan de anderen die hem, als hij eenmaal wist hoe het moest, écht zouden voordoen hoe het moest; en dan een derde categorie, bestaande uit faunen, verschoppelingen en onschuldigen, die híj, als de tijd rijp was, zou voordoen hoe het moest. Hij scheurde foto's van de vrouwen die zijn hart doorboorden uit het midden van de tijdschriften en bewaarde ze onder zijn matras. Om te voorkomen dat er kreukels in kwamen (een praktisch bezwaar én heiligschennis) stopte hij ze in een met karton verstevigde bruine envelop. Na een poosje moest hij er eentje bij kopen.

– naarmate de meisjes op school ouder werden, steeg hun roklengte van kuit- naar knieniveau. Hij hing rond in groepjes jongens die naar groepjes meisjes keken. Hij dacht dat hij het nooit maar dan ook nooit zou aankunnen om met een meisje (dat niet zijn zus was) alleen te zijn. Het was veel gemakkelijker om met tijdschriftenvrouwen alleen te zijn. Zij begrepen hem altijd als hij seks met hen bedreef. En dan nog iets: na seks hoorde je bedroefd te zijn, maar dat was hij nooit. Alleen teleurgesteld omdat hij een paar minuten moest wachten voordat hij het vertrouwde geschut weer in stelling kon brengen. Hij kocht een derde bruine envelop.

– op een dag vertelde Geoff Glass hem op de speelplaats in vertrouwen een ingewikkeld verhaal over een handelsreiziger die geregeld lang van huis was en wat hij dan deed als hij geen vrouw kon vinden. Hij deed het zus en hij deed het zo, en soms deed hij het, omdat hij niet wilde dat de hospita hem begluurde, voor de verandering ook in het bad. Nou, en je weet hoe het eruitziet in het bad – waarop Paul, die niet wilde dat het verhaal werd onderbroken, ja had gezegd in plaats van nee, waarop Geoff Glass over de speelplaats was gaan roepen: 'Harrison weet hoe het eruitziet in het bad.' Hij besefte dat seks valkuilen met zich meebracht.

– dat besefte hij eens te meer toen hij uit school kwam en ontdekte dat zijn moeder tijdens de voorjaarsschoonmaak had besloten zijn matras te keren.

– een poosje hield hij achter in een wiskundeboek waar zijn moeder nooit zou kijken, in geheimschrift een grafiekje bij waarin het opkomen van pukkels werd afgezet tegen de seks die hij met de weggegooide tijdschriftvrouwen bedreef. De bevindingen waren niet overtuigend, of in elk geval niet afschrikwekkend. Hij bleek zich Cheryl en Wanda en Sam en Tiffany en April en Trish en Lindie en Jilly en Billie en Kelly en Kimberley nog onthutsend gedetailleerd te herinneren. Soms ging hij met hun herinneringen in het bad. In bed hoefde hij er niet meer over te tobben dat het licht aan moest blijven. In plaats daarvan tobde hij erover of hij ooit een echte vrouw, of een echt meisje, zou ontmoeten die dezelfde felle vleselijke lust in hem opriep. Hij begreep nu dat er mannen zijn die voor de liefde sterven.

– als je het met je linkerhand deed, vertelde iemand hem, voelde het aan alsof iemand anders het bij je deed. Misschien; alleen voelde het aan als de linkerhand van iemand anders en vroeg je je af waarom die iemand zijn rechter niet gebruikte.

– toen, zomaar ineens, verscheen Christine, die het niet erg vond dat hij een bril droeg en die met haar zeventien jaar en één maand drie maanden ouder was dan hij, wat zij een leuk soort verschil vond. Daar was hij het mee eens, net als met alles wat ze zei. In het parallelle universum van het echte leven bleek hij dingen te mogen doen waarvan hij tot dan toe alleen maar had gedroomd. Bij Christine belandde hij pardoes in een wereld van condooms afrollen en menstruatie, van toestemming om zijn handen overal te laten verdwalen (overal binnen redelijke grenzen, en niet op vieze plekjes) terwijl hij samen met haar op haar jongste broertje paste, van duizelingwekkende vreugde en maatschappelijke verantwoordelijkheid. Als zij in een verlichte etalage een of ander snuisterijtje aanwees en kirde van een vreemd verlangen dat hem bijzonder vrouwelijk voorkwam, voelde hij zich net Alexander de Grote.

– Christine wilde weten wat hun plannen waren. Hij zei: 'We gingen toch naar de bioscoop?' Ze barstte in snikken uit. Het drong tot hem door dat overeenstemming en misverstand gemakkelijk naast elkaar kunnen bestaan.

– toen hij het met Lynn over condooms had, zei ze 'Ik vind het rotdingen' en neukte hem zomaar zonder, tegen het eind van een feestje, toen ze allebei dronken waren. Hij ontdekte dat dronkenschap betekende dat hij een hele tijd kon doorgaan zonder klaar te komen. Bij een volgende gelegenheid ontdekte hij dat wederzijdse afhankelijkheid en genot niet exponentieel toenamen. Zijn ouders vonden dat Lynn een slechte invloed op hem had, wat beslist het geval was en de reden dat hij haar graag mocht. Hij was bereid alles voor haar te doen, en daardoor kreeg ze al gauw genoeg van hem.

– nadat hij het had uitgemaakt met Christine volgden er halve ontmoetingen, bijna-mislukkingen, hunkeringen die opgingen in zelfverachting, verbintenissen waaraan hij zich wilde onttrekken nog voordat hij ze was aangegaan. Vrouwen die naar hem keken alsof ze wilden zeggen: je kunt er voorlopig mee door. Anderen die hem vanaf het moment van de eerste kus gedecideerd bij de arm namen en hem het gevoel gaven, terwijl hun vingers in het holletje van zijn elleboog wriemelden, dat hij werd meegetroond, eerst naar het altaar en daarna naar het graf. Hij begon andere mannen met afgunst en onbegrip te bekijken. Slechts de dapperen verdienen de schonen, volgens een of andere stomme ouwe dichter. Zo ging het in het echte leven niet toe. Wie kreeg er nou wat hij verdiende? Hufters, versierders en weerzinwekkende brutale rotzakken pikten de schonen in terwijl de dapperen ten strijde waren getrokken. Als de dapperen terugkwamen was er alleen nog tweede keus over. Mensen zoals Paul moesten zich behelpen met wat er overbleef. Er werd van hen verwacht dat ze zich daarbij neerlegden, een gezin stichtten en voetvolk fokten voor de dapperen, of onschuldige dochters die door de hufters en de versierders konden worden geroofd.

– hij ging een paar uur terug naar Christine, wat duidelijk een vergissing was.

– maar Paul verzette zich tegen zijn impliciete lot, zowel in algemene zin als in de persoon van Christine. Hij geloofde niet in rechtvaardigheid als het om seks en hartsaangelegenheden ging: er bestond geen systeem aan de hand waarvan je verdiensten als mens, metgezel, minnaar, echtgenoot of wat dan ook op eerlijke wijze kon worden beoordeeld. De mensen – vrouwen in het bijzonder – schonken je een vluchtige blik en liepen door. Je kon met goed fatsoen niet protesteren, noch proberen een lijst met je onzichtbare pluspunten overhandigen. Maar als er geen systeem bestond, volgde daar logischerwijs uit dat het een kwestie van geluk was, en Paul bleef hardnekkig in geluk geloven. Het ene moment ben je iemand uit het middenkader bij Pitco, het volgende sta je naast sir Jack op het herentoilet en fluit hij toevallig het juiste deuntje.

– toen hij Martha voor het eerst zag, met haar streng in coupe geknipte haar, blauwe mantelpak en rustige maar verontrustende stiltes, toen hij zichzelf hoorde denken: je hebt een donkerbruine stem die bij je donkerbruine haar past en je kunt onmogelijk al veertig zijn, toen hij zag hoe elegant ze pal onder de neus van de handtastelijke, snorkende sir Jack meedraaide en met haar cape zwierde, dacht hij: ze lijkt me heel aardig. Hij besefte dat dat een nogal ontoereikende reactie was, en waarschijnlijk niet een die hij haar ooit zou toevertrouwen. Of als hij dat wel deed, dan zonder de volgende kanttekening: nadat hij het huis uit was gegaan en weer een poosje tijdschriften had gekocht, merkte hij steeds vaker dat, wanneer hij keek naar een vrouw die uitgeklapt voor hem lag als de verpersoonlijking van beschikbaarheid, de gedachte hem bekroop: zíj lijkt me heel aardig. Misschien was hij niet uit het goede hout gesneden voor tijdschriftenseks. Neuk me, moesten die vrouwen uitstralen, en hij antwoordde steeds weer: 'Tja, maar eigenlijk wil ik je graag eerst wat beter leren kennen.'

– in het verleden was het hem opgevallen dat je tijdsbesef veranderde als je in gezelschap was van een vrouw: hoe wankel het heden kon zijn, hoe log het verleden, hoe elastisch, hoe metamorf de toekomst. Hij wist nog beter dat je tijdsbesef veranderde als je níét in gezelschap was van een vrouw.

– toen Martha hem dan ook vroeg wat hij bij hun kennismaking van haar vond, wilde hij zeggen: ik had het idee dat je mijn tijdsbesef onherroepelijk zou veranderen, dat de toekomst en het verleden in het heden zouden worden samengebald, dat een nieuwe, ondeelbare heilige drie-eenheid van tijd op het punt stond zich te vormen, als nooit tevoren in de geschiedenis van de schepping. Maar dat was niet helemaal waar, en daarom herhaalde hij in plaats daarvan het onmiskenbare gevoel dat hij in sir Jacks dubbelgrote kantoor had gehad, evenals later, toen hij tegenover haar in de wijnbar zat en besefte dat zij het gesprek licht stuurde. 'Ik vond je heel aardig,' zei hij, maar al te goed beseffend dat het niet het soort overdrijving was waar hufters en versierders en allerlei weerzinwekkende brutale rotzakken zich van bedienden. Toch scheen het de juiste opmerking te zijn geweest, of de juiste gedachte, of allebei.

– Martha gaf hem het gevoel dat hij intelligenter was, volwassener, geestiger. Christine had toegeeflijk om zijn grapjes gelachen, waardoor hij uiteindelijk was gaan vermoeden dat ze geen gevoel voor humor bezat. Later leerde hij de vernedering kennen van de opgetrokken wenkbrauw en het onuitgesproken 'als je ze niet goed kunt vertellen, waag je er dan niet aan'. Een tijdlang had hij helemaal geen grapjes meer gedebiteerd, behalve bijna onhoorbaar. Bij Martha was hij opnieuw begonnen, en zij lachte als ze iets geestig vond, en niet als ze dat niet vond. Dat kwam Paul bijzonder en geweldig voor. Ook symbolisch: hij had tot dan toe een bijna onhoorbaar leven geleid, had er geen stem aan durven geven. Dankzij sir Jack had hij een echte baan; dankzij Martha had hij een echt leven, een klinkend leven.

– hij kon er maar niet bij dat verliefd worden op Martha het leven eenvoudiger had gemaakt. Nee, dat was niet het juiste woord, tenzij 'eenvoudiger' ook betekende: rijker, compacter, veelzijdiger, met een doel en weerklank. De ene helft van zijn brein bonkte van ongelovige verbijstering omdat hij zo fortuinlijk was geweest; de andere helft was vervuld van een besef van langgezochte, opvlammende echtheid. Dat was het goede woord: verliefd worden op Martha had alles echt gemaakt.

TWEE

Dat sir Jack zijn keuze op dit eiland had laten vallen, was geen kwestie van cartografische serendipiteit geweest. Zelfs achter zijn grillen ging berekening schuil. In het onderhavige geval waren omvang, lokatie en bereikbaarheid van het eiland relevante factoren geweest, evenals de buitengewoon grote onwaarschijnlijkheid dat de UNESCO het op de Werelderfgoedlijst zou zetten. Beschikbaarheid van arbeidskrachten, rek in de bestemmingsplannen, plooibaarheid van de bewoners. Sir Jack dacht dat het niet al te moeilijk zou zijn om de Wighters mee te krijgen; in de ontwikkelingswereld had hij geleerd hoe je historische rancune kon uitbuiten, zelfs hoe je die kon genereren. Bovendien at het parlementslid voor het eiland uit zijn hand. Een reeks investeringen binnen het kiesdistrict, waar uitgebreid ruchtbaarheid aan werd gegeven, zou er, samen met de onder ede afgelegde, ondertekende verklaringen van drie Londense schandknapen in de kluis van een notaris bij Lincoln's Inn Fields, voor zorgen dat sir Percy Nutting QC MP het correcte enthousiasme aan de dag zou blijven leggen. Vleien en dreigen had altijd succes, dreigen en vleien nog meer.

In het begin was hij van plan geweest het eiland eenvoudigweg op te kopen. Tientallen vierkante kilometers landbouwgrond waren overgenomen van pensioenfondsen en de kerkvoogden, in ruil voor obligaties in zijn nieuwe onderneming; de volgende stap was Westminster over te halen hem de soevereiniteit te verkopen. Dat leek niet zo'n onwaarschijnlijk idee. De laatste stukjes van het Britse rijk werden momenteel op deze, in de ogen van sir Jack, volkomen rationale manier afgestoten. Kolonies waren al eerder in een vlaag van morele overtuiging, bespoedigd door guerrillaoorlogen, opgestapt. Bij de laatste buitenposten golden redelijke economische criteria: Gibraltar werd aan Spanje verkocht, de Falklandeilanden aan Argentinië. Uit de aard der zaak werden de overdrachten niet op die manier gebracht, noch door de koper, noch door de verkoper; maar sir Jack had zo zijn bronnen.

Tot zijn teleurstelling meldden deze bronnen ook dat Westminster volhardde in het standpunt omtrent de verkoop van Wight aan een privépersoon. Het schijnbaar redelijke bezwaar als zou de nationale integriteit in het geding zijn was aangevoerd. Hoewel sir Jacks loyale groep backbenchers druk had uitgeoefend, weigerde de regering domweg de soevereiniteit in geld uit te drukken. Niet te koop, werd er gezegd. Sir Jack was eerst een tikje gepikeerd geweest, maar had weldra zijn goede humeur herkregen. Per slot van rekening had een rechttoe, rechtaan transactie iets onbevredigends. Jij wilde iets kopen, de eigenaar noemde een prijs, en uiteindelijk kreeg je het voor minder. Daar was toch geen lol aan?

Zat er eigenlijk niet iets ouderwets aan het hele concept eigendom, of liever gezegd het verwerven daarvan door middel van een formeel contract, waarbij het eigendomsrecht wordt verkregen in ruil voor een bepaald bedrag? Sir Jack gaf er de voorkeur aan het hele begrip te heroverwegen. Het was beslist waar dat het niet belangrijk was of je iets al dan niet in eigendom had, zolang je er maar zeggenschap over had; en ja, voorshands bezat hij alle grondopties en bouwvergunningen die hij nodig had. Hij had de banken, de pensioenfondsen en de verzekeringsmaatschappijen meegekregen; de verhouding tussen zijn lang vreemd vermogen en eigen vermogen was onomstreden. Natuurlijk had hij er, op wat stimuleringskapitaal na, zelf geen geld in gestoken; sir Jack voegde liever andermans daad bij zijn eigen woord. En toch, achter en onder al dit legitieme gescharrel ging een primitievere drang schuil, een atavistische hunkering om de bureaucratie van het hedendaagse leven te doorbreken. Het zou onbillijk zijn geweest om sir Jack Pitman een barbaar te noemen, al deden sommigen dat wel; maar in hem roerde zich een verlangen om terug te keren tot preklassieke, prebureaucratische methodes van het verwerven van eigendom. Methodes zoals diefstal, verovering en plundering bijvoorbeeld.

'Boeren,' zei Martha Cochrane. 'U hebt straks boeren nodig.'

'Goedkope arbeidskrachten heet dat tegenwoordig, Martha. Geen probleem.'

'Nee, ik bedoel boeren. Zoals pummels die op een strootje kauwen. Mannen met een kiel aan, dorpsgekken. Kerels met een zeis over de schouder die kaf wannen, als je kaf tenminste want. Die vlegelen en dorsen.'

'In de landbouw,' antwoordde sir Jack, 'wordt zeker voorzien, niet alleen als decor, maar ook als mogelijkheid voor een secundair bezoek. Buitenmeisjes zoals u worden niet vergeten.' Zijn glimlach was een mengeling van ongeduld en onoprechtheid.

'Ik heb het niet over de landbouw. Ik heb het over ménsen. We hebben het de hele tijd over producten lanceren, bezoekers profileren, programma's structureren, over verwerkingscapaciteit en recreatietheorieën, maar we schijnen te vergeten dat in deze branche het aanprijzen van ménsen een van de oudste lokmiddelen is. Warme, hartelijke, onbedorven mensen. Lachende Ierse ogen, het heuvelland verwelkomt u en al dat soort dingen.'

'Prima,' zei sir Jack een tikje argwanend. 'Daar kunnen we ons op richten. Een zeer positief voorstel. Maar je houding impliceert dat je een probleem voorziet.'

'Twee problemen zelfs. Ten eerste ontbreekt het u aan grondstoffen. Dat wil zeggen, niet een van uw goedkope arbeidskrachten op het eiland heeft ooit graan gezien, behalve in vlokvorm in een kommetje.'

'Dan zullen ze zich met het enthousiasme van een nieuwe generatie die een nieuwe start maakt moeten toeleggen op vlegelen, of waar je het ook over had.'

'En de traditionele hartelijke gastvrijheid?'

'Ook die kan worden aangeleerd,' antwoordde sir Jack. 'En doordat hij aangeleerd is, komt hij des te authentieker over. Of vind je dat een te cynische opvatting, Martha?'

'Ik kan ermee leven. Maar er is nog een probleem. Het komt erop neer: hoe prijzen we de Engelsen aan? Maak kennis met de vertegenwoordigers van een volk dat wijd en zijd bekendstaat, zelfs op grond van ons eigen onderzoek, als koele, snobistische en emotioneel geremde vreemdelingenhaters. En ook als perfide en hypocriet natuurlijk. Ik wil maar zeggen, ik weet dat jullie mannen graag de uitdaging zoeken...'

'Mooi zo, Martha,' zei sir Jack. 'Uitstekend. Ik was even bang dat je positief en opbouwend bezig was. En dus, "jullie mannen", zorg dat je je eigen graan en dus je eigen brood verdient, hetzij met de hand gewannen, hetzij fabrieksmatig bewerkt. Jeff?'

Martha, die zag dat de conceptontwikkelaar even moest nadenken, besefte dat Jeff het buitenbeentje in de coördinatiecommissie was. Hij scheen geen verborgen motieven te hebben; hij scheen volledig achter het Project te staan; hij scheen problemen aan te pakken alsof ze opgelost moesten worden; verder scheen hij een getrouwd man te zijn die niet had geprobeerd haar te versieren. Heel vreemd allemaal.

'Hmm,' zei Jeff, 'uit de losse pols zou ik zeggen dat de beste benadering is om de cliënt in het zonnetje te zetten, en niet het product. Bijvoorbeeld: pak een pint Jolly Jack-pils in The Old Bull and Bush, ontmoet de kleurrijke stamgasten, en kijk eens hoe snel die legendarisch terughoudende Engelsen ontdooien. Bijvoorbeeld: ze geven zich niet gemakkelijk, maar hébben ze zich eenmaal gegeven, dan is het een vriendschap voor het leven, die de aarde als een gordel omsnoert.'

'Komt dat niet een beetje bedreigend over?' vroeg Mark. 'De mensen gaan niet op vakantie om vrienden te maken.'

'Ik denk echt dat je dat verkeerd ziet. Uit al onze enquêtes blijkt dat andere mensen, dat wil zeggen de niet-Engelsen, vrienden maken tijdens de vakantie vaak als een welkom extraatje beschouwen, een verrijking van hun leven zelfs, als ik het zo mag zeggen.'

'Wat eigenaardig.' Mark lachte ongelovig en liet zijn ogen over sir Jacks onbeweeglijke, omvangrijke gestalte dansen, speurend naar aanknopingspunten. 'Komen ze daarvoor naar het Eiland? Gaan al die top dollars en long yens klef doen met onze goedkope arbeidskrachten, polaroidkiekjes en adressen uitwisselen, en dat soort dingen? "Dit is Worzel uit Freshwater. Hij demonstreert hoe je een pint Oudbruin Hoofdpijnbier achteroverslaat, met kaasstengels in zijn neus – een oud Engels gebruik..." Nee, sorry, daar kan ik niet mee omgaan.' Mark keek de commissie met troebele ogen aan en gnuifde verachtelijk bij zichzelf.

'Mark vertoont precies de Engelse kenmerken die ik zojuist heb beschreven, dat is handig,' was Martha's commentaar.

'Nou, en waarom niet,' zei Mark tussen twee gnuiven in. 'Per slot van rekening bén ik een Engelsman.'

'Ter zake,' zei sir Jack. 'Misschien hebben we een probleem, misschien ook niet. Laten we het in elk geval oplossen.'

Ze togen aan het werk. Het was voornamelijk een kwestie van concentratie en visie. Ze hadden al besloten dat de landbouw zou worden uitgebeeld door middel van levensechte diorama's, duidelijk zichtbaar voor het passerende verkeer, of dat nu een Londense taxi, een dubbeldekker of een ponywagen was. Schaapherders, luierend onder door de wind scheefgegroeide bomen, zouden met hun staf wijzen en falset fluiten naar ruwharige Engelse herdershonden die naarstig de kudde bijeendreven; in kiel gestoken, met houten hooivork gewapende boerenjongens zouden oppers opwerpen als kunstig in vorm geknipte struiken; de jachtopziener zou een stroper aanhouden bij een als door Morland geschilderde cottage en hem naast de wensput in het schandblok slaan. Wat ze alleen nog moesten hebben, was een conceptuele overgang van de ornamentele status naar de mogelijkheid tot het aangaan van emotionele banden. De luierende herder moest later in The Old Bull and Bush worden ontdekt, waar hij samen met de doedelzak spelende jachtopziener vrolijk een selectie authentieke landelijke deuntjes ten gehore zou brengen, sommige bijeengebracht door Cecil Sharp en Percy Grainger, andere een halve eeuw terug geschreven door Donovan. De hooiers zouden hun kegeltoernooi in de steek laten om menusuggesties te doen, de stroper zou zijn foefjes verklappen, waarop de Ouwe Meg, in haar hoekje bij de open haard, haar stenen pijp zou neerleggen om volkswijsheden ten beste te geven. Het ging erom, was hun conclusie, dat de achtergrond naar de voorgrond moest worden gehaald. Een technische kwestie eigenlijk.

'Aan de andere kant,' zei Mark.

'Ja, Marco. Staat ons weer een uitbarsting van onvaderlandslievendheid te wachten?'

'Nee. Of misschien toch wel. Het is net alsof ik het vandaag van Martha overneem. De kwestie is... Vinden jullie niet dat we moeten uitkijken voor het Californische-obersyndroom?'

'Leg dat eens uit aan een eenvoudige van geest.'

'Zo'n vent die niet met een notitieblokje in de hand staat op te schrijven wat je wilt eten en *zijn bek houdt*,' zei Mark heftig, 'maar op de stoel naast je gaat zitten bazelen over de vruchtvriendelijke manier waarop ze de hazelnoten hebben gekraakt en die alles wil weten van je allergieën.'

Sir Jack wendde verwondering voor. 'Marco, maak jij dat dan geregeld mee? Kies je dan wel de juiste restaurants? Ik moet bekennen dat mijn ervaring zo beperkt is dat ik de ober die naar mijn allergieën informeert nog moet tegenkomen.'

'Maar u snapt de strekking toch wel? Je gaat naar de kroeg om rustig een pilsje te drinken, en je treft een of andere onwelriekende ouwe kegelaar die bier over je heen morst en je vrouw probeert te versieren.'

'Nou, dat is uit het Engelse leven gegrepen,' merkte Martha op.

Jeff kuchte. 'Hoor eens, dit is allemaal uiterst onwaarschijnlijk. Een dergelijk scenario is uitgesloten gezien de voorschriften op het gebied van hygiëne en seksuele intimidatie. Trouwens, ze zijn toch uit eigen vrije wil naar de kroeg gegaan? Er zijn nog een heleboel andere soorten eetgelegenheden in ontwikkeling. Alles is te krijgen, van een banket in een landhuis tot roomservice.'

'Ja maar... Het is geen snobisme van me,' zei Mark. 'Of misschien toch wel. U vergt van een kerel die in een sokkenfabriek of zoiets heeft gewerkt dat hij de hele dag staat te dorsen en daarna de kroeg in duikt, en in plaats met zijn maats over seks en voetbal te kletsen, wat hij het liefste doet, moet hij van u nog harder werken als boerenpummel, tegenover bezoekers die, als ik het zachtjes mag zeggen, zeer waarschijnlijk net iets intelligenter zijn dan onze trouwe werknemer?'

'Dan gaan ze maar dineren bij dr. Johnson in The Cheshire Cheese,' zei Jeff.

'Nee, daar gaat het niet om. Het gaat er eerder om... Zijn jullie weleens naar zo'n toneelstuk geweest waarbij de spelers na afloop van het podium komen, zich onder het publiek mengen en je een hand geven – zoiets van: daar op het toneel waren we alleen maar jullie eigen hersenspinsels, hoor, maar nu laten we zien dat we mensen van vlees en bloed zijn, net als jullie. Ik kan daar niet goed tegen.'

'Dat komt omdat je een Engelsman bent,' zei Martha. 'Als iemand je aanraakt, vind je dat een inbreuk op je privacy.'

'Nee, het gaat erom dat werkelijkheid en illusie gescheiden dienen te blijven.'

'Ook dat is heel erg Engels.'

'Maar ik ben ook Engels, verdomme,' zei Mark.

'Onze bezoekers niet.'

'Kinderen,' zei sir Jack vermanend. 'Heren. Dame. Een bescheiden voorstel van de directeur. Wat dachten jullie van een espressobar, zoals die etablissementen volgens mij heten, die de naam In de Ondrinkbare Cappuccino krijgt. De eigenaar, signor Marco?'

Met het verplichte gezamenlijke geschater werd de vergadering gesloten.

'Zeg tegen Woodie dat het tijd is,' zei sir Jack. Hij droeg die middag zijn Académie Française-bretels, wat hij achteraf bezien heel toepasselijk vond: de vergadering was doorspekt geweest met Pitmaneske *bons mots* en *aperçus*. De commissie was vergast op een *tour d'horizon* van uitzonderlijke reikwijdte.

De huidige Susie was een nieuwe Susie, en er waren momenten dat hij niet meer wist waarom hij haar had aangesteld. Vanwege haar achternaam natuurlijk, en haar vader, en het geld van haar vader, enzovoort, en haar ietwat brutale glimlach en een soort kneedbare seksualiteit die hij onder die keurige pakjes vermoedde... Maar dat waren allemaal de gebruikelijke redenen voor dergelijke aanstellingen. Wat je van een Susie eveneens verlangde was een zweem van onderhuidse intuïtie, van buitenzintuiglijke waarneming, van *je ne sais quoi.* Men moest niet denken dat het baantje alleen bestond uit het beleefd doorgeven van correcte informatie.

'O,' zei Susic in de telefoon, en daarna, met een ongepaste glimlach: 'Ik ben bang dat Woodie al naar huis is, sir Jack. Ik geloof dat zijn rug weer opspeelde.'

Een andere keer zou hij haar wel op de vingers tikken vanwege dat 'Woodie'. Sir Jack noemde hem Woodie. Zij hoorde te weten dat ze Wood moest zeggen. 'Zorg dan voor een van de anderen.'

Nog meer gemompel op faliekant verkeerde toon, namelijk die van opgewekte nuchterheid in plaats van diepe ontsteltenis over het ongerief voor haar werkgever. 'Ze zijn er geen van allen, sir Jack. Het hulpverleningscongres. Ik kan wel een taxi voor u bellen.'

'Een taxi, kind? Een táxi?' Daarmee zat ze er zó ver naast dat sir Jack er bijna om kon lachen. 'Kun je je voorstellen hoe de markt reageert als ik word gefotografeerd terwijl ik in een taxi stap? Vijftig punten? *Tweehonderd* punten? Je lijkt wel niet goed bij je kleine hoofdje, mens. Een táxi! Zorg voor een wagen, een *limousine*' – hij gaf er een Franse draai aan, om aan te tonen dat ongelovig misprijzen en humor konden samengaan. 'Nee.' Hij dacht even na. 'Nee, Paul brengt me wel. Hè, Paul?'

'Eerlijk gezegd, sir Jack,' zei Paul, zonder Martha aan te kijken maar denkend aan het plekje vlak achter en boven haar linkerknie, aan het verschil tussen vinger en tong, tussen zijdezacht bedekte huid en pure huid, tussen een been en een opgeheven been. 'Eerlijk gezegd heb ik een afspraak.'

'Klopt. Je hebt een afspraak met mij. We spreken af dat je me naar m'n tante May brengt. Kom op, zorg verdomme voor een pet, haal verdomme je Jaguar van de zaak uit de garage en breng me naar Chorleywood.'

Pauls opkomende erectie kroop terug in zijn holletje. Hij durfde Martha niet aan te kijken. Hij vond het niet erg om voor schut te worden gezet in het bijzijn van de anderen – ze wisten allemaal hoe sir Jack kon zijn –, maar Martha... Martha. Drie minuten later boog hij zich ondanks zichzelf naar voren om de achterdeur van zijn eigen auto te openen. Sir Jack bleef veelbetekenend staan wachten tot Paul onhandig aan zijn pet tikte, een stramme herinnering uit een of andere soldatenfilm.

'Heel geschikt van je,' zei de stem achter zijn oor terwijl de portier met een routineuzere tik aan de pet de hefboom omhoogdeed. 'Een paar puntjes, je vindt het vast niet erg als ik die even aanstip. Je auto – als het erop aankomt is het míjn auto – ziet eruit alsof iemand er net mee in z'n achteruit door een omgeploegde akker is gereden, achter een vos aan. Het onwasbare op jacht naar het oneetbare, om het zo maar eens uit te drukken. Doe altijd een andere das om voordat je mij ergens heen brengt, iets gedekters, effen zwart dus. En de gang van zaken is als volgt: pet afzetten, onder de linkerarm nemen, portier openen, in de houding gaan staan en salueren. *Capito*?'

'Ja, sir Jack.' Behalve dan dat Paul liever een epileptische aanval zou voorwenden dan dit nog eens te moeten doormaken.

'Mooi. En ik weet zeker dat Martha wel opblijft en je een nog dikkere pakkerd zal geven.' Pauls ogen gingen intuïtief naar de achteruitkijkspiegel, maar die van sir Jack, minachtend triomfantelijk, waren hem voor. 'Hou je aandacht bij het verkeer, Paul, zo gedraagt een chauffeur zich niet. Natuurlijk weet ik het. Ik weet alles wat ik moet weten. Ik weet bijvoorbeeld, en dat is misschien een schrale troost voor je, dat er maar heel weinig dingen op de wereld zijn die van wachten achteruitgaan. Rijst natuurlijk, en een soufflé, en een mooie oude bourgogne. Maar vrouwen, Paul? Vrouwen? In mijn ervaring niet. Ik zou eerder zeggen, zonder al te onkies te zijn: integendeel.'

Sir Jack lachte bestudeerd liederlijk en klikte zijn diplomatenkoffertje open. Terwijl ze met horten en stoten vorderden te midden van nat opgloeiende remlichten, draaide de ideeënvanger de redelijke verklaringen af die hij zo goed kende. Sir Jacks ego had zoveel zuurstof nodig dat de man het zowel logisch als rechtvaardig vond dat hij die opnam uit de longen van de mensen in zijn omgeving. Sir Jack was een normaal gesproken veeleisende werkgever die goed betaalde en perfectie verwachtte; kreeg hij die niet, dan werd iemand daar de dupe van. Het was toevallig jouw beurt die week, die dag, die microseconde, het had niets te betekenen. Conclusie: de vernedering was volstrekt ongerechtvaardigd, maar juist het onrechtvaardige, het buitensporige van het misprijzen bewees dat sir Jack niet de pik had op jou. Anders bezien: het feit dat hij jou eruit pikte, dat hij jou had uitgekozen voor die bejegening, maakte je bijzonder, in zijn ogen en in die van jezelf. Als hij niets om je gaf, zou hij de moeite niet hebben genomen. Het was bijna zijn manier van genegenheid tonen.

Paul hield zich dit alles voor terwijl het verkeer weer op gang begon te komen. Want anders zou hij zich geroepen hebben gevoeld om een klein rukje aan het stuur te geven, een heel klein rukje maar, om de Jaguar tegen een tegemoetkomende vrachtwagen te zetten en hen allebei de dood in te jagen. Alleen zou elke medewerker van Pitco hem hebben kunnen vertellen wat er dan zou gebeuren: Paul zou tot biefstuk tartaar worden gereden, terwijl sir Jack kwiek uit het wrak zou stappen, popelend om tegen de eerste tv-ploeg op de plek des onheils te filosoferen over de grootmoedigheid van de voorzienigheid.

Na een rit van een uur, waarin geen woord was gewisseld en Paul zijn ik had voelen verschrompelen, reden ze een buitenwijk vol druipende beuken binnen, waar rijtuiglantaarns de alarminstallaties verlichtten.

'Stop hier maar. Twee uur. En mijn chauffeurs drinken geen druppel.'

'Het regent, sir Jack. Zal ik u niet even naar de deur brengen?'

'Paraplu. Pakje.'

Paul werkte het gênante gedoe met de pet, het portier en de tik aan de pet af, waarna hij sir Jack nakeek, die met een ingepakte fles sherry onder de arm wegliep. Hij stapte weer in de auto, mikte zijn pet op de stoel naast hem en pakte de telefoon. Sorry, Martha, dat ik je niet kon aankijken. Ik hoop maar dat je me niet haat en minacht. Ik hou van je, Martha. En je hebt gelijk wat sir Jack betreft, je had aldoor al gelijk, alleen wilde ik het niet toegeven. Misschien zeg ik morgen iets anders, maar vandaag heb jij gelijk. Is alles nog okay? Ben ik je nu kwijt? Nee toch, hè?

Toen Paul het nummer half had ingetoetst, terwijl bloed en ik terugkeerden, bedacht hij zich. Natuurlijk: zijn werkgever kreeg waarschijnlijk een uitdraai van de nummers die vanuit alle bedrijfswagens werden gebeld. Echt iets voor sir Jack om zo'n detail niet over het hoofd te zien. Daardoor was hij misschien iets gaan vermoeden omtrent Martha. En als Paul haar nu belde, zou sir Jack dat te weten komen, het in zijn wraakzuchtige olifantengeheugen opslaan en een bepaald moment afwachten, een onwelkom moment in het bijzijn van anderen.

Een telefooncel dan maar. Dun gezaaid tegenwoordig. Paul reed door de verlaten straten en sloeg nu eens links-, dan weer rechtsaf. Een enkele hond die werd uitgelaten, een achtenswaardige drankverslaafde die zich met nieuwe vooraad naar huis sleepte, nergens een telefooncel te bekennen, en opeens, twintig meter verderop, in de bocht van een laan met vrijstaande huizen, schaars verlicht door replica's van Victoriaanse gaslantaarns, beschenen zijn koplampen een gestreepte golfparaplu. Krijg nou wat. Wat nu: voorbijrijden of op de rem gaan staan? Wat hij ook deed, het was niet goed, en anders verzon sir Jack wel een reden waarom het niet goed was. Waarschijnlijk had hij de kilometerstand bij het uitstappen toch al genoteerd en zou hij Paul de extra benzine in rekening brengen.

Voorbijrijden zou wellicht het onbeschaamdst overkomen; stoppen was beter. Paul remde zo zachtjes mogelijk, maar de paraplu op pootjes vertraagde zijn pas niet. Die beende verder, liep een inrit op en verdween uit het zicht. Een paar minuten later zette Paul de handrem los en liet de wagen zachtjes de laan af sukkelen. Tante May woonde in een huis dat was gebouwd in de nieuwe-truttigheidstijl, met verticale pannetjes als gevelbekleding, keurige rijen struiken en een in hout uitgesneden naambordje aan een dennenboom geschroefd. 'Ardoch' heette het huis. Paul stelde zich een broos, ongetrouwd dametje voor, met iets van kant langs haar hals, dat kummelcake en een glaasje madera serveerde. Daarna werd ze omvangrijk, geparfumeerd, joods en Weens, en schepte ze extra slagroom op de sachertaart. Daarna – misschien waren sir Jacks bretels een aanwijzing – een ironische, tenger gebouwde parisiënne, die de mouw van haar tweed jasje elegant optrok terwijl ze verfijnde kruidenthee door een zilveren tuitje uitschonk. Sir Jack mocht dan bij tijd en wijle hufterig zijn, zijn trouw jegens zijn tante, de strenge regelmaat van zijn maandelijkse bezoekjes, pleitte voor hem.

Paul staarde mismoedig naar het huis en probeerde niet aan Martha te denken. Hij was benieuwd of 'Ardoch' officieel eigendom van Pitco was. Echt iets voor sir Jack om zijn tante op de loonlijst te zetten, met een groot huis op de koop toe. De tijd verstreek. De regen viel. Paul keek naar zijn chauffeurspet op de stoel naast hem. Was sir Jack jaloers op Martha? Op hem en Martha? Was dat het probleem? Toen, in een ogenblik van spontane opstandigheid, kwam hij in actie. Hij haalde het cassetterecordertje uit zijn zak, half en half alsof het een telefoon was waarmee hij Martha kon bellen en schakelde sir Jacks reversmicrofoontje in.

Het apparaat had een bereik van vijftien meter, wat nodig was op de dagen dat sir Jack peinzend wenste rond te lopen in ruimten even weids als zijn gedachten. De afstand tot de voordeur van 'Ardoch' was een meter of tien, en ongetwijfeld werd de kracht van het signaal door muren afgezwakt. Maar de drie woorden die Paul op de band had staan, en die hij later die avond voor Martha afspeelde, waardoor hun beider seksdrift even taande, kwamen net zo duidelijk door als wanneer sir Jack aan zijn bureau had gezeten.

De Jaguar stond weer op het afgesproken punt, de regen daalde nog steeds neer toen de gestreepte paraplu in zicht kwam. Paul tikte onberispelijk aan zijn pet. In de achteruitkijkspiegel was de uitdrukking op sir Jacks gezicht er een van welgedane rust. Ze waren om kwart voor elf bij zijn appartement, en Paul knikte dankbaar toen er een briefje van honderd euro ten naaste bij in het bovenste zakje van zijn jasje werd gestopt. Maar zijn dankbaarheid gold een ander geschenk.

'T... L... B!' fluisterde Paul toen hij na het vrijen even had liggen dommelen. Door de neerwaartse druk van Martha's lach schoot zijn pik eruit, en ze rolde hem van zich af om haar longen de ruimte te geven.

'Misschien zat hij gewoon een verhaal te vertellen.' Ze hield zich met opzet op de vlakte.

'Aan zijn tante? Met zo'n clou? Nee, het is vast echt.'

Martha wilde graag dat het echt was; belangrijker nog, ze wilde dat Paul bleef zoals hij was toen hij drie avonden geleden was teruggekomen: ingehouden boos, ingehouden triomfantelijk terwijl hij een briefje van honderd euro in stukjes scheurde. Ze wilde niet dat hij terugviel in eerbiedige redelijkheid, een stuk vee uit de Pitcostal, met het huismerk in zijn flank gebrand. Ze wilde dat hij voor de verandering de leiding nam.

'Hoor eens,' zei hij, 'het huis komt op de onroerendgoedlijst niet voor, en als zij inderdaad een tante van hem was, zou dat zeker het geval zijn. En dan zou ze ook op de loonlijst staan. En zoals ik al zei: hij slaat nooit een keer over. De eerste donderdag van de maand. Wood heeft hem er weleens rechtstreeks van Heathrow heen gereden. En verder neemt hij haar nooit mee uit.'

'Misschien zit ze wel in een rolstoel of zo.'

'Geen mens gaat zo regelmatig bij een tante op bezoek, zelfs niet als ze in een rolstoel zit.'

Martha knikte instemmend. 'Behalve als het een ander soort tante is.'

'T... L... B!'

'Hou op. Ik blijf erin.' Lachen als ze op haar rug lag had bijna iets ongezonds. Ze ging rechtop in bed zitten en keek neer op Pauls omgekeerde gezicht. Ze nam zijn oorlelletje tussen duim en wijsvinger. 'Wat moeten we volgens jou doen?'

'Op onderzoek uitgaan. Ik bedoel, iemand anders op onderzoek sturen.'

'Waarom?'

'Hoezo, waarom?' was Pauls wedervraag, alsof zijn strategisch inzicht in twijfel werd getrokken.

'Ik bedoel dat we dan wel moeten weten waar we op uit zijn.'

'Zekerheid.'

'Zekerheid?'

'Zelfs vurige bewonderaars van sir Jack' – hij keek naar Martha op alsof hij zich van hen distantieerde – 'geven grif toe dat zijn beleid van inhuren en wegsturen niet altijd is gebaseerd op verdienste.'

Martha knikte goedkeurend. 'Ben ik scherp als je je bril niet op hebt?'

'Jij bent altijd scherp,' zei hij.

Gary Desmond was hun uitverkoren speurneus. Gary Desmond, tot voor kort een belangrijk verslaggever bij sir Jacks eigen krantenketen. Gary Desmond, die drie ministers weg had gekregen, onder wie één vrouw; die de liefdesbaby van de captain van het nationale cricketteam met naam en toenaam had genoemd; die ach en wee had geroepen over het cocaïnegebruik van twee weervrouwen en die, tot slot, zijn werkgever na slechts een paar diefstalletjes met braak fotografische bewijzen had geleverd van prins Ricks triootjes met peperdure escortmeisjes.

Was hij overmoedig geweest, of domweg naïef? Hoe dan ook, hij was uitgegaan van een verkeerde veronderstelling, namelijk dat de zedelijke maatstaven die in zijn verhalen besloten lagen, en die door eigenaar en lezers enthousiast werden onderschreven, ook maar enigszins echt waren; of als ze niet echt waren, dan ten minste onveranderbaar. Maar Gary Desmond, die had verwacht dat hij dit verhaal de kroon op zijn werk zou kunnen noemen, om een woordgrapje te maken, kwam tot de ontdekking dat je ook té volledig kon triomferen, op een manier die vraagtekens plaatste bij de vermeende werkelijkheid van zijn vak. De algemene opwinding was onmiskenbaar geweest toen hij had onthuld dat een jongeman die 'zes hartslagen van de troon verwijderd was', door de schatkist werd onderhouden en ervoor werd betaald om het land op buitenlandse reizen te vertegenwoordigen, met Cindy en Petronella vadsig had liggen rollebollen in een van de 'luxepaleizen' waar de belastingbetaler voor opdraaide. Maar terwijl er dagen achtereen nieuwe onthullingen waren gevolgd, had voyeuristische veroordeling op de een of andere manier eerst plaatsgemaakt voor gêne, daarna voor een soort patriottisch zelfverwijt. In zijn directe omgeving had zich dat zodanig vertaald dat sir Jack Pitman zijn Hogerhuisbretels liet knallen en begon te vrezen dat het bijbehorende hermelijn hem zou ontgaan.

Het verhaal van Gary Desmond was even hecht doortimmerd als Pitman House; niemand trok de visuele bewijzen in twijfel, en de meisjes hadden zelfs nog nooit een parkeerbon gehad. Niettemin kreeg Gary Desmond een oprotpremie. Hij was, nota bene in de krant die eens zijn exclusieve reportages had geplaatst, verketterd als 'de modderwroeter die te ver ging'. Er werd gezinspeeld – en dat viel geheel buiten de orde – op een onderzoeksreisje naar West-Indië dat strikt genomen niets publicabels had opgeleverd. Hij had Caroline van de Boekhouding meegenomen, en die rotzakken hadden een kiekje van haar afgedrukt waar ze in kennelijke staat op stond, met haar bikini halfstok, een kiekje dat ze alleen door middel van diefstal of zeer veel smeergeld bemachtigd konden hebben. Alles bij elkaar zou Gary Desmond in de nabije toekomst vrij moeilijk aan de bak komen.

Martha en Paul hadden met hem afgesproken in de lounge van een toeristenhotel.

'De voorwaarden zijn als volgt,' zei Martha. 'Het is óns verhaal. Wij maken uit of het wereldkundig wordt gemaakt of niet. Het zou weleens nuttiger kunnen zijn om er geen ruchtbaarheid aan te geven. Wij betalen je honorarium, een bonus voor goed resultaat en nog een bonus hetzij voor publicatie, hetzij voor geheimhouding, afhankelijk van wat wij besluiten. Hoe dan ook, je wordt er niet slechter van. Afgesproken?'

'Afgesproken,' zei de verslaggever. 'Alleen, stel dat er veel kapers op de kust zijn?'

'Dat kan alleen gebeuren als jij de boel verprutst. Wij weten het, jij weet het, uit. Daar blijft het bij. Afgesproken?'

'Afgesproken,' herhaalde Gary Desmond.

Achteraf bezien had hij er best begrip voor hoe Pitman House zich in de zaak-prins Rick had opgesteld. Er was 'buitengewoon grote druk' uitgeoefend, was hem verzekerd, zowel door het paleis als door Binnenlandse Zaken. De oprotpremie was redelijk geweest, billijk zelfs; zijn pensioenaanspraken bleven intact; onder dergelijke omstandigheden was de geheimhoudingsclausule normaal. Het ontbrak Gary Desmond niet aan verbeeldingskracht: hij wist dat zulke dingen nu eenmaal gebeurden. Maar wat Gary Desmond niet kon vergeven, en wat hem ertoe bracht de huidige transactie te bekrachtigen, was het commentaar dat sir Jack had gedebiteerd toen hij in de schaduw van de saluerende Wood in zijn limousine stapte. 'Ik zeg altijd,' had zijn voormalige werkgever tegen de wachtende meute journalisten gezegd, 'ik zeg altijd: iemand met twee voornamen is nooit te vertrouwen.' Het citaat haalde de voorpagina van drie kranten, en het bleef Gary Desmond dwarszitten.

De Ontbijtbelevenis op het Eiland begon met het zoeken naar een logo. De ontwerpafdeling produceerde er vele tientallen, voornamelijk bestaand uit niet-erkende bewerkingen en steelse diefstal van bekende symbolen. Enigszins, half of helemaal staande leeuwen in diverse getalen; allerlei kronen en kroontjes; kasteeltorens en kantelen; een asymmetrische hamei van het Palace of Westminster; vuurtorens, brandende fakkels, silhouetten van markante gebouwen; profielen van vrouwe Brittannia, Boadicea, Victoria en Sint-Joris; allerlei soorten rozen: enkele en dubbele, floribunda, wilde, honderdbladige, en thee-, honds- en kerstrozen; eikenbladeren, appels en bomen; wicketpaaltjes en dubbeldekkers, krijtrotsen, beefeaters, eekhoorns en een roodborstje in de sneeuw; feniks en valk, zwaan en jachthond, arend en gaai, hippogrief en zeepaardje.

'Allemaal fout, allemaal fout.' Sir Jack tilde een bundel recente voorstellen van commandotafel naar hoogpolig tapijt. 'Het is allemaal te veel van toen. Kom eens met iets van nú.'

'We zouden kunnen volstaan met uw verstrengelde initialen.'

Kijk uit, Martha: je mag beroepsmatig cynisme niet verwarren met amateuristische minachting. Maar sinds de ontdekking van wat ze dacht dat ze ontdekt hadden, was haar houding tegenover sir Jack enigszins veranderd; die van Paul ook.

'Waar we op uit zijn,' zei sir Jack, die haar negeerde en een klap op de tafel gaf om zijn woorden kracht bij te zetten, 'is *magie.* We zijn uit op het *hier,* we zijn uit op het *nu,* we zijn uit op het *Eiland,* maar we zijn ook uit op *magie.* We willen onze bezoekers het idee geven dat ze door een spiegel zijn gegaan, dat ze hun eigen wereld achter zich hebben gelaten en een nieuwe hebben betreden, anders maar vreemd genoeg toch vertrouwd, waar alles niet gebeurt zoals in andere delen van de bewoonde planeet, maar als in een zeldzame droom.'

De commissie zweeg, in de verwachting dat sir Jacks gecompliceerde eisen slechts de inleiding waren tot een applauswaardige oplossing. Maar de gebruikelijke theatrale stilte groeide uit tot een gespannen stilte.

'Sir Jack.'

'Max, beste kerel. Niet de stem die ik als eerste had verwacht.'

Dr. Max glimlachte ongemakkelijk. Hij ging die dag gekleed in tinten boombastbruin. Hij voelde bijgelovig aan zijn strikje en vormde met zijn vingers een torenspitsje ten teken dat hij op de tv-anekdotetoer ging. 'Ergens tussen het begin en het midden van de negentiende eeuw,' begon hij, 'liep er een vrouw met een mandje eieren naar de markt van Ventnor. Ze kwam uit een van de kustdorpjes en volgde dan ook het pad langs het klif. Het begon te regenen, maar ze was zo verstandig geweest haar paraplu mee te nemen. Daar de paraplutechnologie nog in de kinderschoenen stond, was het een grote, degelijke contraptie. Ze was al een aardig eindje in de richting van Ventnor gevorderd toen ze werd verrast door een felle, aflandige windvlaag die haar over de rand van het klif blies. Ze dacht dat het haar dood zou worden – althans, dat neem ik aan op grond van het feit dat ieder op die manier meegesleurd, normaal mens zou hebben aangenomen dat het zijn dood zou worden, en er zijn geen aanwijzingen dat zij in dat opzicht een abnormaal mens was –, maar haar paraplu begon als parachute te fungeren, waardoor haar val werd vertraagd. Ook bolden haar kleren zodanig op dat haar snelheid afnam. We weten niet precies wat ze aanhad, maar we kunnen ons gevoeglijk een voorstelling maken van een met mousseline bespannen crinoline of iets soortgelijks, zodat ze feitelijk twee parachutes had: een boven en een onder. Maar al vertellend bekruipt mij de twijfel: de crinoline was toch zeker een kledingstuk van de beau monde en de burgerij, en het omsluitende ervan wijst maar al te duidelijk op het beschermde, het *noli me tangere* van zulke vrouwen. Behoorde de eierboerin misschien toch tot de burgerij, zo vraag ik me af? Of betekende het bestaan van een bloeiende visindustrie op het Eiland wellicht dat balein, de onontbeerlijke versteviger van de vrouwelijke onderkleding, dieper in de samenleving was doorgedrongen dan op het grote eiland? Dit is, zoals u merkt, niet bepaald mijn terrein, en ik zou nader onderzoek moeten doen naar de onderkleding die werd gedragen door de eierverkopende klasse in het decennium waarin voornoemd voorval waarschijnlijk heeft plaatsgevonden...'

'Verdomme man, vertel verder! Hou op met dat gewauwel!' riep sir Jack. 'We hangen nog steeds in de lucht.'

'Juist, ja.' Dr. Max nam net zomin notitie van sir Jack als van studiopubliek dat hem interrumpeerde. 'En zo zweefde ze dan omlaag, met haar mandje eieren aan de arm, terwijl haar paraplu en haar crinoline verdere hulp ondervonden van de opwaartse, aflandige luchtstroming. Je ziet haar naar de zee kijken, een gebed tot God prevelen en turen naar het zachte zand dat op haar af komt. Ze landde veilig op het strand en was volkomen ongedeerd, aldus mijn bron. De schade bleef beperkt, naar men zei, tot een paar gebroken eieren in haar mandje.'

Sir Jacks gezichtsuitdrukking was er een van ongeduldige vergenoegdheid. Hij sabbelde op zijn sigaar, en het ongeduld taande. 'Ik vind het prachtig. Ik geloof er geen woord van, maar ik vind het prachtig. Het is *hier* en het is *magisch* en we kunnen het vertalen in *nu*.'

Het logo werd getekend en nog eens getekend, in stijlen variërend van prerafaëlitisch hyperrealisme tot enkele expressionistische vegen uit de losse pols. Bepaalde kernelementen werden gehandhaafd: de drie repeterende gebogen lijnen van paraplu, bonnet en uitwaaierende rok; de ingesnoerde taille en de volle borsten die een vrouw uit een vroegere periode aanduidden; en het halfronde rustieke mandje waarvan de cirkel werd voltooid door het bolle bergje eieren. Buiten gehoorsafstand van sir Jack noemde men het vignet 'koningin Victoria die haar onderbroek laat zien'; binnen gehoorsafstand van sir Jack werd er een reeks namen op haar uitgeprobeerd – Beth, Maud, Delilah, Faith, Florence, Madge – voordat ze het eens werden over Betsy. Iemand herinnerde zich, of ontdekte, dat men vroeger wel de uitroep 'Betsy ten hemel!' had gebezigd, ook al wist niemand wat die uitdrukking betekende.

Ze hadden hun logo, waarin zowel het *hier* als de *magie* vervat was; de afdeling Techno-ontwikkeling leverde het *nu* aan. Hun eerste, logische voorstel was om Betsy's sprong te laten overdoen, als de wind uit de juiste hoek waaide, door een stuntman in Victoriaanse kledij. Ten westen van Ventnor werd een droppinggebied aangewezen; als de proeven slaagden, zou het strand worden aangepast en verbreed om te voorzien in een veilig landingsterrein, terwijl bezoekers zouden kunnen toekijken hetzij vanaf tribunes, hetzij vanuit bootjes die voor de kust voor anker lagen. Er werd een reeks experimenten uitgevoerd om de optimale valhoogte, windkracht, parapludiameter en crinolinecapaciteit vast te stellen. Na twintig droppings met dummy's brak de dag aan waarop sir Jack – zijn wenkbrauwen geplet door een verrekijker en zijn benen in spreidstand tegen de lichte deining – getuige was van de eerste echte test. Op driekwart van de val leek de zwaargebouwde 'Betsy' de macht over de crinoline te verliezen: eieren duikelden uit zijn mandje, en hij landde naast een onvoorziene omelet op het strand en brak zijn enkel op drie plaatsen.

'Kluns,' was het commentaar van sir Jack.

Enkele dagen later zag een tweede springer – de lichtste stuntman die ze konden vinden, in een poging de vrouwelijke staat na te bootsen – kans zijn eieren heel te houden maar zijn bekken te breken. Men trok de conclusie dat Betsy's oorspronkelijke val waarschijnlijk mogelijk was gemaakt door uitzonderlijke weersomstandigheden. Haar huzarenstukje was óf wonderbaarlijk óf apocrief geweest.

Het volgende idee was de Betsy-ten-hemel-bungeebelevenis, waarvan het voordeel was dat bezoekers eraan konden deelnemen. Vanaf het aangepaste klif volgde een reeks onveranderlijk geslaagde oefensprongen door springers van beiderlei kunne en alle lengtes, mét eieren. Maar de aanblik van een springer of springster die in een tuigje op en neer veerde alvorens langzaam op het strand te worden gepoot, was niet erg overtuigend, en bepaald niet magisch, en om de een of andere reden niet helemaal van *nu*.

Nadat sir Jack zich er verscheidene malen persoonlijk mee had bemoeid bedacht Techno-ontwikkeling een oplossing. De rekwisieten en het tuigje van de springers zouden hetzelfde blijven, maar in plaats van een bungeekoord zou er met beleid een gecamoufleerde kabel worden afgerold, terwijl verborgen windmachines de opwaartse luchtstroom zouden simuleren. Het resultaat zou gastveilig en weersonafhankelijk zijn. Marketing leverde de doorslaggevende verfijning: de Betsy-ten-hemel-bungeebelevenis zou de Ontbijtbelevenis worden. Boven aan het klif zou een scharrelkippenren komen waar het wemelde van bekuifde en bepluimde hoenderen; verse eieren zouden dagelijks per vliegtuig worden aangevoerd, en de bezoeker zou met een aanklembaar Betsymandje naar het strand afdalen. Daarna zou een serveerster met mopmuts op hem of haar meeloodsen naar Betsy's de gehele dag geopende ontbijtcafé, waar de eieren uit het mandje zouden worden gehaald en naar keuze gebakken, gekookt, geroerd of gepocheerd, waar de springer of springster met zijn of haar neus bij stond. Bij de rekening zou een gekalligrafeerd afdalingsbewijs worden verstrekt, voorzien van een datumstempel met de handtekening van sir Jack.

Terwijl bulldozers rondjoegen en hijskranen wankelden, terwijl het saaie landschap een pop-upboek werd met hotels en havens, vliegvelden en golfbanen, terwijl er douceurtjes werden uitgedeeld aan mensen die in de weg woonden en vriendelijke beloftes omtrent de krijtheuvels, de eekhoorns en allerlei stomme vlinders werden gedaan aan onverzettelijke milieubeschermers, concentreerde sir Jack Pitman zich op de leden van de eilandsraad. Westminster en Brussel konden wachten; eerst moest hij de plaatselijke bewoners zien mee te krijgen en in te palmen.

Mark kreeg de leiding. Als ze sir Jack zagen, zouden ze hem misschien stug en stroef bejegenen, alsof hij een commercieel agressor was in plaats van een groot weldoener. Veel verstandiger om het over te laten aan de blauwe ogen en blonde krullen van Marco Polo.

'Wat heb ik nodig?' had de projectmanager meteen gevraagd.

'Kennis van de omgeving en een zak worsten om de mensen voor te houden,' had sir Jack geantwoord.

Er werd op twee niveaus onderhandeld. De officiële overlegvergaderingen tussen Pitco en de eilandsraad werden gehouden in de Guildhall te Newport. Het publiek mocht erbij aanwezig zijn en alle democratische procedures werden keurig gevolgd;

wat betekende, zoals sir Jack binnenskamers opmerkte, dat loze toezeggingen, bijzondere belangen en minderheidsgroeperingen de dienst uitmaakten, dat de juristen grof geld verdienden en dat je de hele tijd op je hurken zat terwijl je billen in de zon verbrandden. Terzelfder tijd echter vond er geheim overleg plaats, waar belangrijke leden van de eilandsraad en het kleine, door Mark aangevoerde team van Pitco aan deelnamen. Laatstgenoemde besprekingen waren verkennend van aard en vrijblijvend; ook werden er geen notulen gemaakt, opdat creatieve ideeën zo nodig frank en vrij konden worden geventileerd, opdat men, zoals een mak raadslid het desgevraagd onder woorden bracht, de droom de vrije loop kon laten. Sir Jack had Mark geïnstrueerd dat de droom moest lopen als een kanaal: regelrecht naar een met name genoemde bestemming. Toen hij die uiteenzette, stond zelfs Mark met zijn ogen te knipperen.

'Maar hoe doe je dat? Ik bedoel, we schrijven het derde millennium – je hebt Westminster, je hebt Brussel, je hebt ik weet niet wat, Washington, de Verenigde Naties?'

'Hoe doe je dat?' Sir Jack straalde. De banale vraag was voortreffelijk verwoord. 'Mark, ik zal je het grootste geheim dat ik ken toevertrouwen. Ben je er klaar voor?' Mark hoefde geen belangstelling te veinzen. Sir Jack van zijn kant wilde het moment graag nog even rekken maar kon de verleiding niet weerstaan. 'Vele, vele jaren geleden, toen ik zo jong was als jij nu, heb ik diezelfde vraag gesteld aan een groot man voor wie ik werkte. Die grootse figuur – sir Matthew Smeaton – inmiddels totaal vergeten, helaas – sic transit – bereidde een spectaculair stoutmoedige slag voor. Ik vroeg hem hoe hij dat deed, en weet je wat hij antwoordde? Hij zei: "Jacky" – in die tijd werd ik Jacky genoemd – "Jacky, je vraagt me hoe je dat doet. Mijn antwoord luidt als volgt: *je doet het door het te doen.*" Die goede raad is me altijd bijgebleven. Tot op de dag van vandaag laat ik me erdoor inspireren.' Sir Jacks stem was bijna schor van eerbied geworden. 'Laat jij je er nu door inspireren.'

Marks verkennende dialoog begon met een poging om de

huidige ontwikkeling van het Eiland in historisch perspectief te plaatsen en enkele inleidende vragen aan de orde te stellen. Niet dat hij zo vrijpostig zou zijn om antwoorden aan te dragen. Bijvoorbeeld, zou dit misschien niet een geschikt moment zijn, in het licht van de ontzaglijk grote investeringen die Pitco voorstelde, de banen die al waren gecreëerd en de banen die nog kwamen, en in het licht van de zekerheid van welvaart op de lange termijn, om de precieze aard van de banden tussen het kleine eiland en het grote eiland te heroverwegen? Het was toch onweerlegbaar dat Westminster de verzoeken van het Eiland om hulp in de loop van de decennia en eeuwen altijd ongaarne had aangehoord, dat de werkloosheid van oudsher hoog was. Waarom zouden Westminster en de belasting dan profiteren van de huidige en toekomstige opleving?

De historische evaluatie van dr. Max – door Marks afdeling stilistisch opgefrist en voorzien van opsommingstekens – was al rondgestuurd. Voorts had het routineonderzoek dat bedrijfsjuristen bij zulke grote commerciële projecten vanzelfsprekend uitvoerden, al verscheidene documenten en meningen aan het licht gebracht waarvan Mark het zijn plicht achtte de aanwezigen deelgenoot te maken. Strikt vertrouwelijk uiteraard. En zonder vooroordelen. Maar niettemin moest hij melden dat de oorspronkelijke verwerving van het Eiland, in 1293 door Eduard I voor de somma van zesduizend mark overgenomen van Isabella van Fortuibus, volgens in contracten gespecialiseerde juristen en grondwetdeskundigen aantoonbaar twijfelachtig en hoogstwaarschijnlijk onwettig was. Zesduizend mark was een schijntje. De onderhandelingspositie van de partijen was kennelijk niet gelijkwaardig geweest. Dwang bleef dwang, ook al dateerde die uit het eind van de dertiende eeuw.

Tijdens de volgende bijeenkomst stelde Mark voor, daar ze niet vastzaten aan conventionele procedures, zo driest te zijn een paar agendapunten over te slaan. Als het inderdaad zo was – wat klaarblijkelijk door niemand werd tegengesproken – dat de Britse Kroon het Eiland op onwettige wijze had verkregen, wat zouden daarvan in de huidige situatie dan de gevolgen zijn? Want of men dat nu leuk vond of niet, de eilandsraad stond voor een historisch, constitutioneel en economisch dilemma. Moesten ze het in de doofpot stoppen of bij de strot pakken? Als de aanwezige raadsleden het hem wilden vergeven dat hij de droom de vrije loop liet, zou Mark willen stellen dat een logische, objectieve analyse van de onderhavige crisis aanleiding zou kunnen zijn tot een aanval op drie punten, die hij als volgt zou willen samenvatten.

Ten eerste, formeel beroep aantekenen bij de Europese gerechtshoven tegen het contract met Fortuibus uit 1293; een dergelijk beroep zou uiteraard door Pitco worden gefinancierd. Ten tweede, het verheffen van de eilandsraad tot volwaardig parlement, met passende behuizing, financiering, salarissen, onkostenvergoeding en macht. Ten derde, een gelijktijdig verzoek tot toetreding tot de Europese Unie, als volwaardige lidstaat.

Mark wachtte af. Wat hem in het bijzonder beviel was dat hij de crisisgedachte had geïntroduceerd. Er was natuurlijk geen crisis, althans, nóg niet. Maar geen enkele wetgever, van armzalig eilandsraadslid tot de president van de Verenigde Staten, kon het zich permitteren het bestaan van een crisis te ontkennen als iemand zei dat er wel een crisis was. Dat riekte naar laksheid of incompetentie. Nu heerste er dus officieel een crisis op het Eiland.

'Stuurt u serieus aan op een breuk met de Kroon?' De vraag werd uiteraard gesteld door een infiltrant. Sentimentele en conservatieve figuren droegen natuurlijk bezwaren aan; in dit stadium was het beter dat ze zich in de meerderheid waanden.

'Integendeel,' antwoordde Mark. 'De band met het koningshuis is naar mijn mening voor het Eiland van het allergrootste belang. Mocht de huidige crisis ons tot een breuk dwingen, dan zou dat een breuk zijn met Westminster, niet met de Kroon. Nee, we zouden er juist naar moeten streven de band met het vorstenhuis nauwer aan te halen.'

'Hoe bedoelt u dat?' vroeg de infiltrant.

Mark scheen niet voorbereid op die vraag. Hij maakte een

onzekere indruk. Hij keek naar andere leden van zijn team, die hem niet te hulp schoten. Hij opperde, niet overtuigend, het idee dat de koning Officieel Bezoeker van het Eiland zou kunnen worden. Vervolgens zag hij zich genoopt te melden, gezien de oprechtheid en de openhartigheid van dit overleg en de toegezegde geheimhouding, dat Buckingham Palace al ernstig nadacht over een voorstel tot vestiging elders. *Nee!* Waarom níet? Er lag nog niets vast; zo was de geschiedenis nu eenmaal. Op het ogenblik werden er renovatiewerkzaamheden uitgevoerd aan een fraai koninklijk paleis op het Eiland. Uiteraard mocht dit niet aan de grote klok gehangen worden. Met het gevolg dat alles prompt aan de neus werd gehangen van iedereen die het weten moest.

Tijdens de volgende bijeenkomst gaven sentimentele conservatievelingen en ondankbare vlegels blijk van hun angst voor inmenging van het grote eiland. Hoe zat het met sancties, blokkades, een invasie zelfs? Pitco en zijn adviseurs waren van mening, ten eerste dat zulke reacties niet voor de hand lagen, ten tweede dat ze tot ongekende, wereldwijde publiciteit zouden leiden, en ten derde, dat het Eiland in alle opzichten de correcte juridische en constitutionele wegen zou bewandelen en dat Westminster dan ook veel te bang zou zijn voor represailles van Europa en zelfs de VN. In plaats daarvan zou Westminster waarschijnlijk weer naar de onderhandelingstafel komen en een redelijke prijs bedingen. Raadsleden wilden misschien wel deelgenoot worden gemaakt van nog een geheimpje: sir Jacks eerste bod, een half miljard pond voor de soevereiniteit, was inmiddels naar beneden bijgesteld tot zesduizend mark plus één euro. Waardoor er heel wat meer in kas overbleef voor de upgrading van de faciliteiten op het Eiland.

Waarom zou Pitman House een beter heer zijn dan Westminster? Een redelijke vraag, erkende Mark, dankbaar voor de agressie. En toch, antwoordde hij met een glimlach, tevens een onredelijke vraag. Wat ons bindt is wederzijds eigenbelang, op een wijze die tussen een centrale overheid en een uithoek niet opgaat. In de moderne wereld worden stabiliteit en duurzame economische voorspoed efficiënter verschaft door het transnationale concern dan door de nationale staat oude stijl. Je hoefde maar te kijken naar het verschil tussen Pitco en het grote eiland: welk van de twee werd groter, en welk van de twee werd kleiner?

Wat worden jullie er wijzer van? Blijvend wederzijds voordeel, zoals eerder genoemd. Om onze kaarten op tafel te leggen: we zullen waarschijnlijk een verzoek indienen om intrekking van bepaalde onbeduidende clausules in verouderde ruimtelijke-ordeningwetten, grotendeels afkomstig uit het minne Westminster. En welke officiële of officieuze band verwacht u met ons nieuwe eilandsparlement te onderhouden? Geen enkele. Naar de mening van Pitman House is de scheiding van bevoegdheden tussen economische stuwkracht en gekozen orgaan wezenlijk voor het welzijn van elke moderne democratie. Natuurlijk, misschien vindt u het op z'n plaats om sir Jack Pitman een nominale post aan te bieden, een of andere papieren titel.

'President voor het leven bijvoorbeeld?' opperde een vlegel.

Mark had nog nooit zoiets vermakelijks gehoord. De hoestbui en de tranen waren misschien wel echt. Nee, dat had hij slechts in een opwelling gezegd, gezien het verkennende en vrijblijvende karakter van deze gesprekken. Weest gerust, de kwestie was niet met sir Jack besproken, noch door hem aan de orde gesteld. Nee, de enige manier om hem ertoe te bewegen een dergelijke rol op zich te nemen, was waarschijnlijk hem geen kans geven om te weigeren. Stelt u maar gewoon een raadsbesluit op, of hoe u het ook noemen wilt.

'Een raadsbesluit waarin hij tot president voor het leven wordt benoemd?'

O hemel, hij had wel slapende honden wakker gemaakt. Maar – hij fantaseerde maar wat, hoor – misschien was er een ceremoniële titel die niet strijdig was met de grondwet, in welke vorm ook, die ze besloten op te stellen. Wat hadden die oude graafschappen van Engeland ook alweer? Zo'n kerel met een zwaard en met een pluim op z'n helm? Commissaris. Nee, dat riekte waarschijnlijk te veel naar het grote eiland. Mark deed alsof hij de historische samenvatting van dr. Max doorbladerde. O ja, je had kapiteins en gouverneurs, nietwaar? Zoiets was prima, hoewel kapitein tegenwoordig een ietwat ondergeschikte klank had. En zolang het iedereen maar duidelijk was dat sir Jack zich nooit daadwerkelijk zou beroepen op zijn bevoegdheden, hoe theoretisch ook geformuleerd in schuinschrift op ivoorkleurig perkament. Uiteraard zou hij zelf voor een rijtuig zorgen. En voor een uniform. Niet dat er met hem over dat soort zaken was gesproken.

Intussen surfte de toekomstige gouverneur langs het visioen op zijn netvlies. Je moest de mensen altijd iets toeschuiven. Handelen op de korte termijn, denken op de lange. Laat gewone stervelingen maar dromen in kleingeld, sir Jack droomde in harde dollars. Lef en nog eens lef; de ware creatieve geest had zijn eigen spelregels; succes brengt zijn eigen legitimiteit voort. Op grond van Pitco's transnationale reputatie hadden de banken en de financiële instellingen besloten veel kapitaal te fourneren, maar het was een lumineus idee geweest – wat vertoonde de financiële verbeelding soms toch grote gelijkenis met die van de kunstenaar! – om zulke gelden (in het meervoud vond sir Jack dat woord altijd verrukkelijk klinken) heimelijk te lenen aan een van zijn eigen dochterondernemingen op de Bahama's. Dat betekende natuurlijk wel dat de eerste aanslag op eventuele opbrengsten bestond uit Pitco's organisatiekosten in het moederland. Sir Jack schudde quasi meewarig zijn hoofd. En organisatiekosten waren akelig hoog tegenwoordig, akelig hoog.

Verder speelde de vraag wat er onmiddellijk na de onafhankelijkheid diende te gebeuren. Stel dat de nieuwe eilandsparlementsleden – zonder zich iets aan te trekken van sir Jacks richtlijnen, wat hun goed recht was – besloten een nationalisatiebeleid te gaan voeren. Zeer slecht nieuws voor de banken en de aandeelhouders, maar wat konden die ertegen doen? Het Eiland zou, jammer genoeg, nog geen enkel internationaal verdrag hebben ondertekend. En vervolgens – nadat zij een poosje aan de bal hadden mogen zijn – zou sir Jack zich als gouverneur wellicht genoopt zien het noodbewind te gaan uitoefenen. Op dat moment zou alles in formele zin – en ook in juridische zin – van hem zijn. Natuurlijk zou hij beloven zijn crediteuren schadeloos te stellen. Te zijner tijd. Tegen een bepaald percentage. Na een grondige schuldsanering. O, bij de gedachte alleen al kwam hij in een goede stemming. Bedenk eens hoe erg ze het in hun broek zouden doen. De juristen zouden op rozen zonder doornen zitten. In de grote financiële centra zouden misschien stappen tegen hem worden ondernomen. Ach, het Eiland had immers geen enkel uitleveringsverdrag getekend? Hij kon het wel uitzingen en wachten tot er een akkoord was uitonderhandeld. Of hij kon zeggen dat ze moesten oprotten en zich eenvoudigweg verschansen in Pitman House (II). Per slot van rekening had hij zijn wanderjahre achter de rug.

En toch... Was dat té gecompliceerd, té confronterend? Liet hij zijn wijze oude hoofd overheersen door zijn strijdlustige inborst? Misschien was het nationalisatieplan een vergissing. Het woord op zich deed het tegenwoordig al niet goed bij de welgestelde toerist, en helemaal terecht. Hij mocht de bal niet uit het oog verliezen, hij moest het grote geheel in de gaten houden. Wat was zijn spelstrategie, zijn einddoel? Het Eiland op poten zetten. Precies. En als de huidige prognoses er niet te ver naast zaten, was er alle kans dat het Project een daverend succes werd. Gezien zijn aard liet sir Jack altijd de mogelijkheid open dat hij beleggers moest teleurstellen. Maar stel dat zijn laatste grootse idee heel goed uitpakte? Stel dat ze de rentebetalingen konden opbrengen, dividend konden uitkeren zelfs? Stel dat – om het gezegde eens om te draaien – legitimiteit zijn eigen succes voortbracht? Dát zou pas ironisch zijn.

‘Hebt u dat verhaal verzonnen, dr. Max?’ vroeg Martha. Ze zaten aan het moeras gevulde pitabroodjes te eten, op het plankier van hardhout afkomstig uit herbebossingsprojecten. Dr. Max zag er weekendachtig uit: Fair Isle-slipover met V-hals en een geel paisley strikje.

'Welk verhaal?'

'Dat van die vrouw met de eieren.'

'V-erzonnen? Ik ben historicus. De officiële geschiedkundige, vergeet dat niet.' Dr. Max mokte even, maar het was geen echt gemok maar tv-studiowrevel. Hij nam een hap van zijn gevulde pitabroodje en keek uit over de weidse waterpartij. 'Het steekt me eigenlijk nogal dat niemand naar de bron heeft geïnformeerd. Die is door en door betrouwbaar, om niet te zeggen eerbiedwaardig.'

'Het was niet mijn bedoeling... Ik bedoel, ik dacht dat u het had verzonnen omdat het zo slim geweest zou zijn.'

Weer mokte dr. Max, alsof wat hij had gedaan níet slim was geweest, alsof je normaal géén slimme dingen van hem hoorde, alsof...

'Ziet u, ik ben ervan uitgegaan dat u het had verzonnen omdat u vond dat bij een nepproject een neplogo hoort.'

'V-eel te scherpzinnig voor mij, mevrouw Cochrane. Uiteraard heeft Kilvert het ondergoed van de vliegende vrouw niet met eigen ogen gezien, hij heeft er alleen melding van gemaakt, maar er bestaat een kleine kans dat iets dergelijks is *gebeurd*, om het onwetenschappelijke woord te gebruiken.'

Martha zoog op haar voortanden, waar een rucolablaadje was geslonken tot een draadje flosszijde. 'Maar toch, vindt u het Project inderdaad nep?'

'N-ep?' Dr. Max legde zijn wrevel af. Van elke rechtstreekse vraag die niet onmiskenbaar krenkend was, waar de mogelijkheid van een lang antwoord in school, kwam hij in een goede stemming. 'N-ep? Nee, dat zou ik niet willen zeggen. Dat wil ik helemaal niet zeggen. Laag-bij-de-gronds, ja, dat zeker, in die zin dat het is gebaseerd op een vergrovende vereenvoudiging van vrijwel alles. Ontstellend commercieel, op een manier waar een arm veldmuisje als ik zich nauwelijks een voorstelling van kan maken. Afgrijselijk in zijn vele secundaire verschijningsvormen. Manipulatief in de filosofie die eraan ten grondslag ligt. Dat is het allemaal, maar nep, nee, dat geloof ik niet.

N-ep impliceert, volgens mij, een authenticiteit die verraden wordt. Maar, vraag ik me af, is dat in het onderhavige voorbeeld het geval? Is het begrip authentiek om de een of andere reden, op zijn eigen wijze, niet juist nep? Ik zie dat mijn paradox wellicht een tikje te hoog gegrepen en te krachtig voor u is, mevrouw Cochrane.'

Ze glimlachte naar hem; dr. Max' eigenliefde had iets aandoenlijk zuivers.

'Als u me toestaat d-aarover uit te weiden,' vervolgde hij. 'Neem nu eens wat we voor ons zien, dit stukje onverwacht moeras dat verdacht dicht bij de grote stad ligt. Misschien was hier, een onbekend aantal eeuwen geleden, net zo'n aanlegplaats voor rondtrekkende kooplieden, misschien ook niet. Al met al ligt het niet voor de hand. Dus is het bedacht. Is het daarom nep? Nee toch zeker. Alleen worden intentie en doel ervan verschaft door de mens in plaats van door de natuur. Men zou zelfs kunnen stellen dat deze intentionaliteit, eerder dan de afhankelijkheid van de wrede gevaren van de natuur, deze waterpartij superieur maakt.'

Dr. Max stak twee vingervorken richting vestzakjes, die er vandaag niet waren, en zijn handen gleden door naar zijn bovenbenen. 'T-oevallig is dit water wel degelijk superieur, en wel vanwege de ornithologie. Ik ben namelijk van vele markten thuis. Wat een vreemde uitdrukking eigenlijk. Zou het óp vele markten moeten zijn of zoiets? Hoe dan ook, dit stuk moeras, moet u weten, is onder een bepaalde hoek aangelegd en op een bepaalde manier aangeplant, omdat men de aanwezigheid van bepaalde wenselijke soorten wilde áánmoedigen door één groot hinderlijk exemplaar van een andere soort te óntmoedigen, id est de Canadese gans. Die strook riet daarginds heeft daar iets mee te maken, maar ik zal niet te veel in details treden.

We zouden dan ook kunnen concluderen dat dit vergeleken met de oude toestand een v-erbetering ten g-oede is. En is het niet zo – om de discussie te verruimen – dat als wij nadenken over veelgeprezen en eigenlijk tot fetisj verworden ideeën zoals, och, ik noem er willekeurig een paar, de Atheense democratie, de palladiaanse architectuur, wereldvreemde aanbidding van het soort dat nog steeds velen boeit, dat een authentiek moment waarop het is begonnen, een moment van zuiverheid, helemaal niet bestaat, hoezeer de aanhangers ervan dat ook pretenderen? We besluiten misschien om één ogenblik aan te wijzen en te zeggen dat het toen allemaal "is begonnen", maar als historicus moet ik u zeggen dat het opplakken van dergelijke etiketten intellectueel onverdedigbaar is. Datgene waar wij naar kijken is bijna altijd een replica, als dat de plaatselijk gangbare term is, van iets wat ouder is. Er bestaat geen beginmoment. Het is alsof je beweert dat er op een bepaalde dag een orang-oetan is opgestaan die een celluloid frontje voordeed en verkondigde dat vismessen ordinair zijn. Of,' hij giechelde voor twee, 'dat een gibbon opeens Gibbons wereldgeschiedenis schreef. Niet bepaald plausibel, hè?'

'Hoe kom ik er dan bij dat u het Project maar niks vindt?'

'O, mevrouw C-ochrane, *entre n-ous*, dat is ook zo, dat is ook zo. Maar dat is slechts een sociaal en esthetisch oordeel. Voor ieder wezen met smaak en onderscheidingsvermogen is het een gedrocht dat is bedacht en geconcipieerd door een ander gedrocht, als ik onze geliefde duce zo mag kenschetsen. Maar ik moet zeggen dat ik er als historicus eigenlijk geen bezwaar tegen heb.'

'Ondanks het feit dat het allemaal... maakwerk is?'

De pseudonieme schrijver van Natuurnotities glimlachte welwillend. 'De w-erkelijkheid is in w-ezen een w-ild konijn, als u me het aforisme wilt vergeven. Het grote publiek – onze verre, gelukkig verre betaalmeesters – wil dat de werkelijkheid is als een tam konijn. De mensen willen dat hij voorthuppelt, pittoresk met zijn poot roffelt in zijn zelfgemaakte hok en sla uit hun hand eet. Als je hun een echte zou geven, iets wilds dat bijt en, vergeef me, kakt, dan zouden ze niet weten wat ze ermee moesten beginnen. Behalve het kelen en braden.

En wat dat maakwerk betreft... Tja, dat bent u ook, mevrouw

Cochrane, en ik ben evengoed gemaakt. Ik, als ik het zeggen mag, een beetje kunstiger dan u.'

Martha nam een hap van haar boterham en keek naar een langzaam overkomend vliegtuig. 'Toen u laatst de commissie toesprak, viel het me op dat uw nerveuze gehakkel helemaal verdwenen was.'

'Verb-azingwekkend wat a-drenaline v-ermag.'

Martha schoot spontaan in een hartelijke lach en legde haar hand op dr. Max' arm. Hij huiverde licht toen ze dat deed. Weer lachte ze.

'Die lichte huivering, was die gekunsteld?'

'W-at bent u toch c-ynisch, mevrouw Cochrane. Ik zou net zo goed kunnen vragen of uw vraag gekunsteld was. Maar wat mijn huivering betreft, ja, die was gekunsteld in die zin dat het een aangeleerde, weloverwogen reactie was op een bepaald gebaar – niet, begrijp me goed, dat ik er aanstoot aan nam. Het is niet een beweging die ik in de kinderwagen al maakte. Het kan zijn dat ik er in een of andere Juraperiode van mijn psychologische ontwikkeling voor heb gekozen, hem uit de grote postordercatalogus van bewegingen heb gepikt. Misschien is het een confectiebeweging. Misschien heb ik hem eigenhandig aangepast. Onrechtmatige toe-eigening is niet uitgesloten. De meeste mensen stelen volgens mij veel van wat ze zijn. Als ze dat niet deden, wat zouden het dan armzalige figuren zijn. U bent evenzeer gemaakt, op uw eigen, iets minder... pikante manier, en dat bedoel ik niet onbeleefd.'

'Bijvoorbeeld?'

'Die vraag b-ijvoorbeeld. U zegt niet: nee, stomkop, of: ja, wijze man, u zegt alleen: bijvoorbeeld? U houdt uzelf buiten schot. Volgens mijn waarneming – en dit valt binnen de context, mevrouw Cochrane, van mijn genegenheid voor u – neemt u óf actief ergens aan deel, maar op een gestileerde manier, door u voor te doen als een vrouw zonder illusies, wat een manier is om ergens niet aan deel te nemen, óf u doet er uitdagend het zwijgen toe, waarmee u anderen aanspoort zichzelf voor gek te zetten.

Niet dat ik ertegen ben dat gekken hun gekte tentoonspreiden. Maar in beide gevallen zorgt u ervoor dat u niet beschikbaar bent voor kritiek en, vermoed ik zo, contact.'

'Dr. Max, probeert u me te versieren?'

'Dat is nou pre-ciés wat ik bedoel. Een ander onderwerp aansnijden, een vraag stellen, c-ontact uit de weg gaan.'

Martha zweeg. Op deze manier praatte ze nooit met Paul. Hun intimiteit was normaal, alledaags. Dit was ook intimiteit, maar volwassen, abstract. Kon ze daar iets mee? Ze zon op een vraag die geen middel was om contact uit de weg te gaan. Ze had altijd gedacht dat vragen stellen wél een vorm van contact leggen was. Afhankelijk van de antwoorden uiteraard. Ten slotte vroeg ze, meisjeachtig hoopvol: 'Is dat een Canadese gans?'

'De onw-etendheid van de jeugd, mevrouw Cochrane. Kom nou, nogmaals, kom nou. Dát is een doodgewone en eerlijk gezegd vrij onooglijke wilde eend.'

Martha wist wat ze wilde: waarachtigheid, eenvoud, liefde, aanhankelijkheid, kameraadschap, pret en lekker vrijen, zo zou de lijst kunnen beginnen. Ze wist ook dat het opstellen van dat soort lijstjes onzinnig was; normaal menselijk, maar toch onzinnig. Hoewel haar hart zich openstelde, was ze in haar hoofd dan ook onzeker gebleven. Paul gedroeg zich alsof hun relatie al een gegeven was: de grenzen afgebakend, het doel bepaald, alle problemen rigoureus naar de toekomst verwezen. Ze herkende dat trekje maar al te goed: de blijmoedige drang om zich al als stel te gedragen nog voordat de onderdelen en de mechanismen van het partnerschap goed op elkaar waren afgestemd. Ze had dit allemaal al eens meegemaakt. Ergens wenste ze dat dat niet zo was; er waren momenten dat ze gebukt ging onder haar eigen geschiedenis.

'Vind jij dat ik contact uit de weg ga?'

'Hè?'

'Vind jij dat ik contact uit de weg ga?'

Ze zaten bij haar thuis op de bank, met een drankje in de

hand. Paul streelde de binnenkant van Martha's onderarm. Op een bepaald punt, vlak boven de pols, slaakte ze bij de derde of vierde strijkbeweging altijd een kreetje van genot en trok haar arm abrupt terug. Hij wist dat, wachtte tot het gebeurde en antwoordde toen: 'Ja, q.e.d.'

'Maar vind je dat ik, nou ja, irritant zwijgzaam ben, of soms toneelspeel?'

'Nee.'

'Zeker weten?'

Pauls gezichtsuitdrukking was er een van geamuseerde zelfgenoegzaamheid. 'Laat ik het zo zeggen: het is mij nooit opgevallen.'

'Nou, als het jou nooit is opgevallen, kan het antwoord ja zijn, maar ook net zo goed nee.'

'Hoor eens, ik zei toch: nee. Wat heb je toch?' Hij zag dat ze nog steeds niet overtuigd was. 'Ik vind je gewoon... echt. En je geeft mij het gevoel dat ik echt ben. Neem je daar genoegen mee?'

'Ik weet dat ik er genoegen mee hoor te nemen.' Toen, alsof ze een ander onderwerp aansneed, zei ze: 'Ik heb tussen de middag met dr. Max zitten praten.' Paul bromde onverschillig. 'Ken je dat stuk moeras achter Pitman House?'

'De vijver, bedoel je?'

'Het is een stuk moeras, Paul. Ik had het er met dr. Max over. Hij is amateurornitholoog. Wist je dat hij elke zaterdag onder de naam Veldmuis in *The Times* heeft geschreven?'

Paul zuchtte glimlachend. 'Dat is waarschijnlijk het minst interessante nieuwtje dat je me in al de tijd dat we bij elkaar zijn hebt verteld. Veldmuis, wat een foute naam voor een... verwijfde zak die tegen je praat alsof hij nog op de televisie is. Het zou me niks verbazen als Jeff hem een dezer dagen een oplawaai verkoopt. O, en dat l-ichte ge-hakkel van hem als hij p-raat, ik word er écht niet goed van.'

'Het is een interessante man. Als iemand interessant is, hoef je hem nog niet aardig te vinden. Trouwens, ik vind hem wél aardig. Eerlijk gezegd mag ik hem erg graag.'

'Ik vind hem weer-zin-wekkend.'

'Nietes.'

'Welles.' Paul pakte haar arm weer.

'Nee. Hij heeft me iets heel boeiends verteld. Kennelijk is dat moeras op een specifieke manier aangelegd. Dat heeft te maken met de landschapsarchitectuur, de aanplant van het riet, de hoogte van de oevers, de stroming van het water. De bedoeling is te voorkomen dat er Canadese ganzen neerstrijken. Ik geloof dat ze overlast veroorzaken of andere vogels afschrikken. Er zwom tussen de middag een heel mooie wilde eend op het water.'

'Martha,' zei Paul met grote nadruk, 'ik weet dat je een buitenmens bent, maar waarom vertel je me dat? Heeft dr. Max plannen voor een vogelpark als onderdeel van het Project? Weet hij dan niet meer dat sir Jack heeft gezegd: de papegaaiduikers kunnen de pot op!'

'Ik dacht dat je geen Pitmanismes meer zou citeren. Ik dacht dat je genezen was. Nee, maar het heeft me aan het denken gezet. Ik bedoel, denk je dat wij ook zo zijn?'

'Wij?'

'Niet jij en ik. De mensen in het algemeen. Dat hele gedoe van tussen wie het... klikt, en tussen wie niet. Het is en blijft een mysterie, hè? Waarom val ik op jou, en niet op iemand anders?'

'Daar hebben we het al eens over gehad. Omdat ik jonger ben, kleiner, een bril draag, minder verdien en...'

'Hè toe, Paul. Ik probeer een stapje verder te komen. Ik zeg niet dat het... gek is dat ik me tot je aangetrokken voel.'

'Bedankt. Een hele opluchting. Kom, als je nu eens met me naar bed ging? Gewoon om te laten zien wie je werkelijk bent.'

'Weet je, als iemand het objectief probeerde te bekijken, zou hij misschien op de gedachte komen dat het iets met mijn vader te maken heeft.'

'Wacht eens eventjes.' Paul wist niet of hij geamuseerd of geïrriteerd was. 'We waren het er toch over eens dat ik jónger ben dan jij?'

'Precies. Nou, bijvoorbeeld, ik vertrouw oudere mannen niet. Iets in die trant.'

'Dat is psychologie van de kouwe grond, heb je nog niet zo lang geleden tegen me gezegd.'

'Sorry,' zei Martha. 'Je zou ook kunnen zeggen dat jij heel anders bent dan de mannen met wie ik in het verleden omging. Of je zou kunnen zeggen dat er domweg geen patroon in zit.'

'Omdat we allebei hetero zijn en toevallig op hetzelfde kantoor werken heeft het lot ons samengebracht, zoiets?'

'Je zou ook kunnen zeggen dat er wel een patroon in zit, maar een patroon dat we niet herkennen, of niet kunnen begrijpen. Dat we door iets worden geleid zonder dat we het beseffen.'

'Wacht even. Wacht even. Ho.' Paul stond op en ging voor haar staan. Hij hief zijn wijsvinger op om haar het spreken te beletten. 'Ik snap het, eindelijk snap ik het. Ik denk dat ik op het verkeerde been ben gezet door het idee dat dr. Ma-Ma-Max misschien ook maar íéts relevants te zeggen had over menselijke betrekkingen. Nu ben ik er. Jíj bent een moerasgebied, en jij begrijpt maar niet waarom al die mooie grote Canadese ganzen niet neerstrijken en waarom je genoegen moet nemen met een saaie stomme wilde eend als ik.'

'Nee. Niet helemaal. Helemaal niet. Trouwens, wilde eenden zijn heel mooi.'

'Als dat terechte vleierij is, weet ik niet of ik daar wel mee om kan gaan.'

'Wat denk je dan wel?'

'Ik denk niet, ik gak.'

'Nee, even serieus.'

'Gak gak.'

'Paul, hou op.'

'Gal. Gak. Gak.' Hij zag dat Martha op het punt stond in lachen uit te barsten. 'Gak.'

Gary Desmond haastte zich langzaam. Dat zeiden zijn collega's altijd vol bewondering over hem. Hij beschikte over goede contacten, schermde zijn bronnen af, verrichtte het routinewerk, trok alles wat hij niet vertrouwde wel drie keer na en leverde zijn verhaal pas bij de hoofdredacteur in als het uit zijn beha dreigde te puilen. Verder had hij als acquisiteur en leverancier van seksverhalen mee dat hij er niet als zodanig uitzag. De meeste mensen stelden zich een onbehouwen, stiekeme, chanterende humanoïde figuur voor die tussen twee aantekeningen geil glurend aan een potlood likte en vlekken op zijn regenjas had, misschien bier maar waarschijnlijk wat anders.

Gary Desmond droeg een donker pak met gedekte das, en bij bepaalde gelegenheden een trouwring; hij was intelligent, voorkomend en zette zijn informanten zelden waarneembaar onder druk. Zijn benadering was – of leek – sympathiek en toch zakelijk. Er was de krant een bepaald verhaal ter ore gekomen, ze hadden het grondig nagetrokken en zouden het binnenkort brengen; maar eerst wilden ze het beleefdheidshalve, én omdat het hun morele plicht was, bij de hoofdrolspeler checken. Er waren feiten die zij of hij misschien wilde ophelderen, en uiteraard was de krant bereid op alle mogelijke manieren te helpen als de concurrentie het verhaal ook bracht en – laten we realistisch blijven – andere partijen zover wisten te krijgen dat ze de zaak vanuit een nieuwe optiek bekeken. Kortom, er lag een probleem, en wel een probleem dat niet vanzelf wegging, maar Gary Desmond zou je helpen. In plaats van suggestieve potloodlikkerij maakte hij rustig aantekeningen met een gouden vulpen, zo'n semi-antiek exemplaar dat weleens gespreksstof opleverde, en zijn houding was er een van onuitputtelijk geduld en vage onderdanigheid, zodat jíj uiteindelijk meestal degene was die over geld begon. Er was slechts een vriendelijk 'Mijn onkosten worden vergoed, neem ik aan?' voor nodig, of een schaamtelozer 'Wat schuift het?' – en voor je het wist zat je 'onder een valse naam op een geheim adres', wat interessanter klonk dan een congrescentrum aan de snelweg in de buurt van Londen, maar toch... En intussen draaide de bandrecorder maar door – die leuke vulpen was allang opgeborgen – terwijl Gary Desmond steeds weer dingen doornam die hij al wist, of scheen te weten, maar nogmaals wilde controleren. Inmiddels had je het contract al getekend en de vliegtickets gezien. Sterker nog, je had zo'n band gekregen met Gary – zoals je hem als vanzelf was gaan noemen – dat je je zelfs afvroeg, terwijl je met een koket gebaar je geblondeerde haar naar achter gooide, of hij samen met jou die vijf dagen in de zon kon gaan liggen wachten tot de bui was overgewaaid. En soms deed hij dat en soms was dat spijtig genoeg tegen de regels.

Je werd op die manier weliswaar professioneel ingepakt maar niet voorbereid op een voorpagina met MIJN NARCO-LESBO-TRIOOTJES MET PRINS RICK. Binnenin zag je jezelf over twee pagina's, losjes in een keurslijfje, languit op een snookertafel met ondeugend een paar ballen in je hand. Dan kwam het telefoontje van je ouders, die altijd zo trots op je waren geweest maar nu niet meer met opgeheven hoofd over straat konden, laat staan naar de pub; maar alleen mams was aan de telefoon, want paps bracht het niet op om met je te praten. En daarna plaatste de krant reacties van trouwe ex-vriendjes van een paar jaar terug ('Ze lag als een hondsvot in bed en liet ondergetekende het zware werk doen... De ring was al gekocht toen zij er met een rijke stinkerd vandoor ging... Ze was er niet vies van, maar wie had kunnen denken dat het zou uitlopen op harddrugs en triotjes...') Het was allemaal heel onbillijk, en de kranten waren gemeen, en het was maar coke, en het was trouwens bijna helemaal Petronella's idee geweest. Je zocht dan ook steun bij Gary Desmond, en ja, hij was er nog, zij het dat hij je telefoontjes wat minder vlot beantwoordde dan eerst; maar nee, helaas, hij had van de week geen tijd om met je te gaan eten, hij was buiten de stad bezig met een belangrijk verhaal, misschien een ander keertje een borrel, hoe dan ook, kop op, meid, naar Gary's mening kwam je er heel goed uit naar voren, heel waardig, en hoe zeiden ze dat ook weer: de boodschapper had het altijd gedaan, toch? Pas als je bleef zeuren werd zijn toon ietsje stugger en hielp hij je herinneren dat het leven nu eenmaal hard was, als je je billen brandde moest je op de blaren zitten, en als hij je een goede raad mocht geven: je had die cheque toch gekregen, dus waarom ging je daar niet eens iets leuks van doen, hij kende geen enkel vrouwtje dat niet opfleurde van een nieuw jurkje, sorry, schat, ik moet ervandoor. En je kreeg geen tijd om te opperen dat hij, als hij mee ging winkelen, kon zeggen dat je er nog goed uitzag en dat je niet die walgelijke slet was waar ze je gisteren nog zonder enige aanleiding voor hadden uitgemaakt. Wat had de dokter ook alweer gezegd, hoeveel mocht je er innemen als je niet kon slapen?

Gary Desmonds donkerblauwe busje, dat eruitzag alsof het van een niet nader gespecificeerde onderhoudsdienst was, stond al een tijdje geparkeerd tegenover het huis van tante May in Chorleywood. Er zat nooit iemand in de cabine, en geen enkele passerende hondenuitlater of buurtwachtgluurder vermoedde dat de ventielatieopeningen kijkgaatjes waren en dat Gary binnenin in de weer was met notitieblok, bandrecorder en snelle film. Een klein deel van de identificatie van bezoekers aan 'Ardoch' moest hij uitbesteden; hij trakteerde een ouwe makker op een stevige borrel in ruil voor de beschikking over een creditcard; maar hij zorgde dat er niets kon uitlekken en de naam van de hoofdhommel, de grote dikke zoemer, viel geen enkele keer.

Het leggen van het eerste contact was altijd het riskantste gedeelte, want dan was Gary Desmonds onwetendheid op haar hoogtepunt, en de kans bestond altijd dat het eerste het beste fruitvliegje 'Rot op, vuile viezerik' zou roepen en naar de telefoon zou rennen om tante May te waarschuwen, waarmee de hele operatie op losse schroeven kwam te staan. Maar de verlegen, kalende verkeersvlieger, een gescheiden schlemiel van in de vijftig, op wie Gary Desmond zijn oog had laten vallen – in 's mans stamkroeg, waar de kans op onvoorspelbaar gedrag niet zo groot was – liet zich aanvankelijk geruststellen door Gary's optreden en door zijn leugens. Natuurlijk was hij niet zoiets stuitends als een journalist; uit zijn papieren bleek dat hij bijzonder opsporingsambtenaar bij 's rijks douane- en accijnsdienst was. Het ging om drugshandel, wereldwijd, waar enkele moorden aan vastzaten, en een van de sleutelfiguren bezocht geregeld een bepaald adres. Gary Desmond verzekerde zijn inmiddels verontruste slachtoffer dat dit geen politiezaak was, het had niets met de pers te maken, en het etablissement van tante May interesseerde hen geen zier. Wat de accijnsdienst betrof mochten oppassende burgers zonder belastingschuld binnenskamers doen waar ze zin in hadden, zolang er maar geen minderjarigen, beschermde diersoorten en bepaalde verboden stoffen bij betrokken waren. Konden ze misschien ergens praten waar hij minder bekend was?

Aan het eind van de avond betaalde Gary de rekening en legde hij met een spijtig gebaar een envelop op tafel. Dit was niet zijn stijl, maar zijn meerderen stonden erop dat degenen die de accijnzen van dienst waren hun onkosten vergoed kregen. De vlieger wilde er niet van horen. Dat begreep Gary volkomen, waar hij nog aan toevoegde dat zulke bedragen absoluut ontraceerbaar waren – geen namen, geen bonnetjes. Hij vroeg zich af waarom er over dit soort posten altijd zo kleinzielig werd gedaan. Beschouw het maar als belastingvermindering van de minister van Financiën. Na enkele ogenblikken pakte de vlieger de envelop, zonder te kijken wat erin zat. Gary Desmond was er vrijwel van overtuigd dat ze verder geen hulp meer nodig hadden, maar zo nodig wisten ze hem (en zijn werkgever) natuurlijk wel te vinden. Strikt onder ons, het onderzoek zou nog weleens maanden kunnen gaan duren, en daarna zou tante May één klant minder hebben maar ging in andere opzichten alles weer als vanouds.

Het volgende stadium was gemakkelijker: de gebruikelijke vaststelling van namen, tijdstippen, contacten, prijzen, voorkeuren, methodes. Daarna kwam de laatste, moeilijke beslissing: hadden ze tante May zelf nodig of niet? Als ze in paniek raakte, of ervandoor ging, of zich eenvoudigweg loyaal opstelde, liep de zaak gevaar. Maar als ze haar medewerking verleende aan een uurtje of twee bandopnames maken... Gary Desmond dacht nog eens na over zijn dekmantel. Ditmaal iemand van de veiligheidsdienst misschien, contact met een bepaalde Arabische dictator, denk eens aan die kindertjes wie de keel is afgesneden, hartverscheurende beelden, nietwaar, gewoonweg een kwestie van het afvoeren van één cliënt, ja een bekend gezicht, een heel bekend gezicht zelfs, maar zij had in sommige opzichten immers liever anomieme gezichten. Tussen twee haakjes, het zou haar helemaal niets kosten, helemaal niets. Wat ze in plaats daarvan voorstelden, nee, waar ze op stonden, was een royaal honorarium. Een riant honorarium zelfs. Drie uurtjes maar, meer niet. Er moest een openingetje in het pleisterwerk worden gemaakt, maar zo zijn we er, zo zijn we weer weg, voorgoed.

Gary Desmond achtte het risico aanvaardbaar.

'Buck House,' zei sir Jack. 'Zonder Buck House zijn we financieel nergens.'

De hotels waren voorzien van vaste vloerbedekking en boompjes in kuipjes, de twee eendere torens van het Wembley-stadion stonden klaar om te worden afgetopt, in Pitman House (11) werd een replica van de dubbelgrote werkkamer ingebouwd, en Tennyson Down was al verfraaid met drie golfbanen. De winkelgalerijen en de wedstrijden voor schaapherdershonden konden zó van start. De doolhof van Hampton Court was aangelegd, een Wit Paard was in een krijtheuvel uitgekerfd, en op een naar het westen gerichte klif waren bomen gesnoeid in de vorm van 'belangrijke taferelen uit de Engelse geschiedenis', die als een donker glanzend fries tegen de ondergaande zon afstaken. Ze hadden de Big Ben op halve grootte; ze hadden het graf van Shakespeare en dat van prinses Di; ze hadden Robin Hood (en zijn Vrolijke Vrienden), de krijtrotsen van Dover en keverzwarte taxi's die door de Londense mist pendelden naar Cotswoldachtige dorpjes vol cottages met rieten kap waar Devonshire cream tea werd geserveerd; ze hadden de slag om Engeland, cricket, kegelen in de kroeg, Alice in Wonderland, *The Times* en Honderd-en-een dalmatiërs. De vijver ter nagedachtenis aan het huwelijk van de Stacpooles was uitgegraven en omzoomd met treurwilgen. Er waren beefeaters opgeleid om 'het uitgebreide Engelse ontbijt' te serveren; dr. Johnson was zijn teksten aan het uitzoeken voor de Dinerbelevenis in The Cheshire Cheese, terwijl er in eeuwige sneeuw wel duizend roodborstjes aan het acclimatiseren waren. Manchester United zou al zijn thuiswedstrijden spelen in het Wembley op het Eiland, waarna de ontmoetingen onmiddellijk in Old Trafford zouden worden overgespeeld door vervangende elftallen, die voor dezelfde uitslag zouden zorgen. Parlementsleden hadden ze niet kunnen krijgen, maar een stelletje acteurs in ruste, hoewel pas gedeeltelijk opgeleid, bleek niet van echt te onderscheiden. De National Gallery was volgehangen en met een vernissage geopend. Ze hadden Brontëland en het huis van Jane Austen, oerbos en inheemse dieren; ze hadden variété, marmelade, klompen- en morrisdansers, de Royal Shakespeare Company, Stonehenge, stiff upper lips, bolhoeden, kostuumdrama's op een eigen tv-kanaal, vakwerkgevels, vrolijke rode bussen, tachtig merken lauw bier, Sherlock Holmes en een Nell Gwynn met een uiterlijk dat elk mogelijk gefluister over pedofilie de kop indrukte. Maar Buck House hadden ze niet.

Natuurlijk hadden ze het in één opzicht wel. De voorgevel van het paleis en het hek waren compleet; bewakers met superlichte berenmutsen waren erop getraind om schattige peuters die ijs op de neus van hun schoenen morsten niet aan hun bajonet te rijgen; vaandels – in alle kleuren van de regenboog – wachtten op inspectie. Dit alles speelde zich af tijdens een opzettelijk slecht nageleefde mediastilte, waardoor de mensen natuurlijk gingen denken dat de koninklijke familie had ingestemd met overplaatsing. Geregelde ontkenningen van Buckingham Palace dienden slechts om het gerucht te bevestigen. Maar het feit bleef dat Buck House niet meedeed.

Het had gemakkelijk moeten zijn. In Engeland zelf was het al een tijdje slecht gesteld met de reputatie van de koninklijke familie. De dood van Elizabeth II en het daaropvolgende doorbreken van het erfelijkheidsbeginsel werden in brede kring beschouwd als het einde van de traditionele monarchie. Door het volk te raadplegen omtrent de troonopvolging was de geheimzinnigheid rond het koningshuis nog verder verwaterd. De jonge koning en koningin hadden hun best gedaan: ze hadden meegewerkt aan praatprogramma's, de beste scenarioschrijvers in de arm genomen en hun slippertjes min of meer binnenskamers gehouden. Een fotoreportage van twintig pagina's in het tijdschrift *Terrific* had een roerend ogenblik opgeleverd toen de lezers aan de weet waren gekomen, door een kussenovertrek dat koningin Denise zelf had ontworpen, wat haar koosnaam voor haar man was: Kingeding. Maar over het algemeen was het volk gaan morren; óf het was misnoegd over de alledaagsheid van de familie, wrokkig over de hoge kosten, óf duizenden jaren liefde schenken domweg beu.

Dat zou een steuntje in de rug hebben moeten zijn voor sir Jack, maar het hof bleek wonderlijk standvastig. De adviseurs van de koning waren bedreven in traineren en zinspeelden er openlijk op dat de Windsors het dankzij hun buitenlandse banktegoeden nog tientallen jaren konden uitzingen. Aan het eind van de Mall begon men zich in te graven, een mentaliteit die af en toe werd verlevendigd door een uitbarsting van iets wat op satire leek. Toen de premier de uitdrukking 'de fietsmonarchie' net een keer te vaak had gebezigd, antwoordde een zegsman van het hof dat de fiets weliswaar geen koninklijk vervoermiddel was, en dat ook nooit kon worden, maar dat de koning, die begrip had voor de economische situatie en de slinkende voorraad fossiele brandstoffen, bereid was een motorfietsmonarchie van het Huis van Windsor te maken. En inderdaad raasde er van tijd tot tijd een gehelmde figuur met het koninklijk wapen achter op het leren pak over de Mall, zonder knalpot als op grond van een privilege; maar of dat de koning was, zijn neef Rick die niet wilde deugen, een plaatsvervanger of een lolbroek, daar kwam niemand achter.

Hoe ontgoocheld de burgerij ook was, het hof, het ministerie van Toerisme en sir Jack wisten dat de koninklijke familie het meeste geld in de schatkist brachten. Het onderhandelingsteam van sir Jack deed zijn uiterste best om te benadrukken dat een verhuizing naar het Eiland niet alleen financieel voordeel maar ook uitstekende recreatiemogelijkheden voor de familie zou opleveren. Er zou een geheel gemoderniseerd Buckingham Palace zijn, plus Osborne House voor retroweekendjes; kritiek of inmenging zou er niet zijn, uitsluitend georganiseerde verering ad libitum; de familie zou geen belasting hoeven te betalen, en de civiele lijst zou worden vervangen door een winstdelingstelsel; journalistieke schending van hun privacy was onmogelijk, want het Eiland telde slechts één krant, *The Times of London*, en de hoofdredacteur daarvan was een rechtgeaarde patriot; saaie verplichtingen zouden tot een minimum worden beperkt; buitenlandse reizen zouden een strikt recreatief karakter hebben, en vervelende staatshoofden zou een visum worden geweigerd; het hof kreeg zeggenschap over alle op het Eiland uitgebrachte munten, medailles en postzegels, desgewenst zelfs over prentbriefkaarten; ten slotte zou er nooit maar dan ook nooit sprake zijn van fietsen – nee, de hele gedachte achter de herhuisvesting was het herstellen van de glamour en de franje die de koninklijke familie de afgelopen decennia zo schaamteloos waren ontnomen. Transfersommen waar voetballers van zouden bezwijmen waren genoemd, maar nog steeds was het hof niet te vermurwen. Er was overeengekomen – na heel veel gepaai, voornamelijk van financiële aard – dat de koning en de koningin per vliegtuig naar de openingsplechtigheid zouden komen. Maar dat was volstrekt vrijblijvend, was vele malen gesteld.

De huiscynicus probeerde het van de zonnige kant te bekijken. 'Kijk eens,' zei ze, 'we hebben Elizabeth de Eerste, Karel de Eerste en koningin Victoria al op het Eiland. Wie zit er nou te wachten op een stelletje kostbare maar talentloze klaplopers?'

'Wij, helaas,' antwoordde sir Jack.

'Nou, als alle aanwezigen – tot mijn verbazing zelfs dr. Max – de voorkeur geven aan de replica boven het origineel, zorg dan voor een stel replica's.'

'Ik denk,' zei sir Jack, 'dat ik een ongeluk bega als iemand nog één keer met dat idee komt aanzetten. Natúúrlijk beschikken we al over stand-ins. De "koninklijke familie" is al maanden in opleiding. Ze zullen het uitstekend doen, ik heb alle vertrouwen in ze. Maar het is *nu eenmaal niet hetzelfde*.'

'Wat logischerwijs betekent dat het beter zou kunnen.'

'Helaas, Martha, er zijn momenten dat we met logica niets opschieten, net zomin als met cynisme. We hebben het over Kwaliteitsrecreatie. We hebben het over top dollar en long yen. Zonder Buck House zijn we financieel nérgens, en dat weten zij donders goed.'

Een zeldzame stem liet zich horen. 'Als we de ouwe George nou eens vroegen om zijn klooster weer uit te komen?'

Sir Jack gunde zijn ideeënvanger niet eens een blik waardig. De jongeman was de afgelopen weken onmiskenbaar brutaal geworden. Snapte hij dan niet dat het zijn taak was om ideeën op te vangen en niet om zijn eigen onbenullige, halfbakken gedachten te spuien? Sir Jack schreef deze onverwachte momenten van assertiviteit toe aan Pauls ongelooflijke bof dat hij bij Martha Cochrane in bed was beland. Was Pitco verworden tot een contactbureau voor de werknemers? Te zijner tijd zou er worden afgerekend, maar vandaag nog niet.

Sir Jack liet de jongen een poosje sudderen in de voortdurende stilte, waarna hij zachtjes tegen Mark zei: 'Dát zou pas echt krankzinnig zijn.' Marks superieure lach sloot de vergadering af.

'Momentje nog, Paul, als je tenminste tijd hebt.'

Paul keek de anderen die wegstapten na; of liever gezegd, hij keek Martha's wegstappende benen na.

'Ja, het is een prachtvrouw.' Er klonk goedkeuring door in sir Jacks stem. 'Ik spreek als connaisseur van prachtvrouwen. En als goed huisvader, uiteraard. Een prachtvrouw. Kan d'r vast wel wat van, zou me niks verbazen.'

Paul reageerde niet.

'Ik weet nog dat ik haar voor het eerst zag. Net zo goed als ik nog weet dat ik jou voor het eerst zag, Paul. Onder minder formele omstandigheden.'

'Ja, sir Jack.'

'Je doet het goed, Paul. Onder mijn hoede. Zij doet het ook goed. Onder mijn hoede.'

Daar liet sir Jack het bij. Kom op, jongen, stel me niet teleur. Laat zien dat je íéts in je broek hebt.

'Wilt u daarmee zeggen,' – de agressie in Pauls stem was nieuw, de afgemetenheid bekend – 'dat mijn... relatie met... mevrouw Cochrane voor u onaanvaardbaar is?'

'Waarom zou ik er zo over denken?'

'Of dat mijn werk eronder lijdt?'

'Volstrekt niet, Paul.'

'Of dat haar werk eronder lijdt?'

'Volstrekt niet.'

Sir Jack was tevreden. Hij sloeg zijn arm om Paul heen en terwijl hij zijn protegé naar de deur loodste, voelde hij een tot dankbaarheid stemmende stramheid in diens schouders. 'Jij boft maar, Paul. Ik benijd je. Jong. De liefde van een goeie vrouw. Je hebt nog een heel leven voor je.' Hij reikte naar de deurkruk. 'Mijn zegen heb je. Hebben jullie.'

Paul wist één ding zeker: sir Jack meende er niets van. Maar wat bedoelde hij dan wel?

'Robin Hood and his Merrie Men. Riding through the Glen. Stole from the rich, gave to the poor. Robin Hood, Robin Hood.' Een oeroude mythe; nog beter, een oeroude Engelse mythe. Over vrijheid en opstandigheid – gerechtvaardigde opstandigheid uiteraard. Slimme, zij het ad hoc toegepaste principes van belastingheffing en herverdeling van inkomen. Individualisme aangewend om de uitwassen van de vrije markt in te tomen. De broederschap van mannen. Ook een christelijke mythe, ondanks bepaalde anti-klerikale trekjes. De pastorale kloostergemeenschap in Sherwood Forest. De overwinning van deugdzaam maar schijnbaar aangeschoten wild op de belichaming van de roofridder. Waar nog bij kwam dat Robin nummer zeven stond op Jeffs onvolprezen lijst met de vijftig wezenskenmerken van alles wat Engels is, zoals bijgesteld door sir Jack Pitman.

Aan de Hood-mythe was van meet af aan hoge prioriteit toegekend. Parkhurst Forest veranderde moeiteloos in Sherwood Forest, en de omgeving van de grot was boommatig opgewaardeerd door de repatriëring van een paar honderd volwassen eiken afkomstig uit de oprijlaan van een Saoedische vorst. De rotsachtige afwerking van de grot kreeg met behulp van een drilboor een authentiek antiek aanzien, en het slaapgedeelte was voor de tweede keer in de grondverf gezet. De gasleiding naar de roosterplaats, groot genoeg voor een hele os, was aangelegd, en het inhuren van Robins bende Vrolijke Vrienden was in het stadium van de laatste auditie. Martha Cochrane bedoelde het eigenlijk niet cynisch – het was meer een achteloze geestelijke droedel – toen ze tijdens een donderdagvergadering vroeg: 'Tussen twee haakjes, waarom zijn die "Vrienden" allemaal mannen?'

'Is de paus katholiek?' was Marks wedervraag.

'Hou toch op met dat feministische gedoe, Martha,' zei Jeff. 'Top dollar en long yen hebben daar echt niks mee.'

'Ik wou alleen...'

Maar dr. Max schoot haar met zijn gebazel te hulp, ridderlijk, zij het ongericht. 'Natuurlijk, of de paus al dan niet katholiek is, al dan niet katholiek wás, blijft, hoewel die kwinkslag in de gelagkamer als een schijnbare dooddoener wordt gebruikt' – en hierbij wierp dr. Max Mark een felle blik toe – 'voor historici een zaak van groot gewicht. Aan de ene kant de algemene zij het verwarde opvatting dat alles wat de heilige vader doet ipso facto een katholieke daad is, dat pausdom of pausschap per definitie gelijkstaat aan katholiciteit. Aan de andere kant het iets rijpere oordeel van mijn collega's dat één belangrijk, eeuwenoud probleem van de katholieke Kerk, waardoor deze maar al te vaak in de ecclesiastische en historische puree is beland, juist is dat de pausen niet katholiek genoeg waren, en dat als ze dat wél waren geweest...'

'Kappen, dr. Max,' zei sir Jack, hoewel zijn toon toegeeflijk was. 'Maak ons deelgenoot van je gedachtegang, Martha.'

'Misschien is gedachtegang wel een te groot woord,' begon Martha. 'Maar ik...'

'Precies,' zei Jeff. 'Het is te laat voor dit soort voorspelbaar gedoe. Daar valt geen droog brood mee te verdienen. Iedereen wéét toch wie Robin Hood is. Met Robin Hood kun je niet gaan *sollen*. Ik bedoel...' Hij sloeg wanhopig zijn ogen ten hemel.

Martha was niet voorbereid geweest op Jeffs aanval. Hij was meestal zo degelijk en letterlijk, wachtte geduldig tot anderen iets besloten en voerde vervolgens hun wensen uit. 'Ik dacht alleen,' zei ze zachtmoedig, 'dat het onder andere onze taak was, als onderdeel van Projectontwikkeling, om mythen een nieuwe plaats in de moderne tijd te geven. Ik zou niet weten waarom dat voor de Hood-mythe anders zou liggen. Het feit dat hij op nummer zeven staat, zou juist een reden moeten zijn er nog eens goed naar te kijken.'

'Mag ik even inhaken op een p-aar van Jeffs z-elfgenoegzame, als ik het zo mag noemen, zinsneden?' Dr. Max leunde achterover, vingers losjes verstrengeld in de nek, ellebogen klaar om twijfelaars af te weren, al helemaal op de seminartoer. Martha keek naar sir Jack tegenover haar, maar de directeur was vandaag tolerant of misschien boosaardig gestemd. '"Iedereen weet toch wie Robin Hood is" is een kortzichtige formulering waar de historicus de haren van te berge rijzen. Iedereen weet, helaas, alleen wat iedereen weet, zoals mijn onderzoek ten behoeve van het Project op maar al te treurige wijze heeft aangetoond. Maar de grootste parel van hem en de zijnen is wel "Met Robin Hood kun je niet gaan sollen". M'n beste Jeff, wat is de geschiedenis volgens jou dan? Een heldere, polyoculaire transcriptie van de werkelijkheid? Kom, kom, kóm. De historie van rond 1250 tot rond 1300 is geen heldere beek waar we ons babbelend in kunnen storten. Wat de mythepot betreft, die blijft op overweldigende wijze door mannen bepaald. De geschiedenis is, om het maar eens bot te zeggen, een bonk. Net als jij eigenlijk, Jeff.

Nu de gedachten over deze k-westie die het eerst opkomen. Mevrouw Cochrane heeft, zeer relevant, de vraag opgeworpen of en waarom de "Vrienden" allemaal mannen waren. We weten dat één van hen – vrouwe Marian – gegarandeerd een vrouw was. Dat er een vrouw aanwezig was, staat dan ook van meet af aan vast. Voorts is juist de naam van de leider, Robin, tweeslachtig, een tweeslachtigheid die wordt gesteund door de Britse pantomimetraditie, waarin de vogelvrij verklaarde door een jonge vrouw wordt gespeeld. "Hood", kap, is trouwens de benaming voor een kledingstuk dat ambiseksueel is. Men zou het er dan ook op kunnen wagen, als men zich provocerend en enigszins anti-Jeff zou willen opstellen, om de Hood-mythe een nieuwe plaats te geven binnen het echte corpus van vogelvrij verklaarde vrouwen. Moll Cutpurse, Mary Read en Grace O'Malley zouden in dit verband bij sommigen, zo niet bij allen, kunnen opkomen.'

Sir Jack genoot van Jeffs onbehagen. 'Zo, Jeff, wat heb je daarop te zeggen?'

'Hoor eens, ik ben de conceptontwikkelaar maar. Ik ontwikkel concepten. Als de commissie besluit om Robin Hood en zijn Vrolijke Vrienden te veranderen in een stel... feeën, dan hoor ik het wel. Maar ik geef jullie één ding op een briefje: roze ponden gaan niet door hetzelfde tourniquet als harde dollars.'

'Misschien vinden ze het gedrang juist leuk,' zei dr. Max.

'Heren. Zo is het welletjes. Alle suggesties naar dr. Max, die aanstaande maandag rapport zal uitbrengen aan een spoedbijeenkomst van de commissie. O, en Jeff, schort het werk aan de slaapgelegenheid maar even op. Voor het geval we meisjeskamers moeten bijbouwen.'

De maandagochtend daarop legde dr. Max zijn rapport voor. In Martha's ogen deed hij even parmantig en druk als anders, maar was zijn houding flinker. Ze had zo'n idee dat zijn lichte gehakkel verdwenen zou zijn; verder was ze benieuwd of het Paul zou opvallen. Dr. Max schraapte zijn keel, alsof hij, en niet sir Jack, de leiding had.

'Omdat ik de bekende opvattingen van onze directeur over afzettingsgesteente en stenen speerpunten respecteer,' begon hij, 'zal ik u de niettemin boeiende voorgeschiedenis van de Hood-legende besparen, de arthuriaanse parallellen, de mogelijke oorsprong in de belangrijke Arische zonnemythe. Hetzelfde geldt voor *Piers Plowman*, Andrew van Wyntoun en Shakespeare. Speerpunten, meer niet. Ik zal u eveneens de resultaten besparen van mijn elektronische peiling van de opinie van John Publiek, die ik in het onderhavige geval misschien omdoop tot Jeff Publiek. Ja, iedereen "weet" inderdaad wie Robin Hood is, en men weet precies wat je zou verwachten. Geen bal, zoals dat wel heet.

Afgezien van dit alles, hoe zou de bende kunnen "spelen", als het ware? Jeff Publiek zou volgens mij de legende van de oervrijheidsstrijder toejuichen, niet alleen vanwege zijn bevrijdingsacties en zijn economische herverdelingsbeleid, maar ook vanwege de democratische wijze waarop hij zijn metgezellen kiest. Broeder Kortepij, Kleine Jan, Willem Rood en Much de Molenaarszoon. Wat hebben we voor ons? Een rebelse priester met een eetstoornis; iemand die lijdt óf aan dwerggroei óf aan gigantisme, afhankelijk van hoe ironisch je de middeleeuwse geest inschat; een mogelijk geval van *pityriasis rosea*, hoewel dipsomanie niet kan worden uitgesloten; en een bloembereider die zijn identiteit ontleent aan de maatschappelijke positie van zijn vader. Verder hebben we Allan-a-dale, wiens hartsproblemen wellicht allegorisch op een hartkwaal duiden.

Met andere woorden, een samenraapsel van randfiguren onder aanvoering van een gelijke-kansen-voor-mannen-en-vrouwenwerkgever die, al dan niet bewust, een van de eersten was die een programma ter stimulering van de werkgelegenheid voor minderheden ten uitvoer legden.' Martha sloeg dr. Max met een zeker ongeloof gade. Dat kon hij toch niet allemaal menen; het kon niet anders of hij nam Jeff in de maling. Maar gladde zelfspot lag dicht naast dr. Max' normale manier van doen, en haar vragende blik gleed af op zijn glanzend pantser. 'Wat ons er onvermijdelijk toe brengt de seksuele geaardheid van de bendeleden nader te beschouwen, en of ze misschien een homoseksuele gemeenschap hebben gevormd, waarmee hun vogelvrije status nogmaals wordt onderstreept en gerechtvaardigd. Zie Engelse koningen, diverse, *passim*, maar niettemin. Tijdens onze laatste rumoerige bespreking hebben we de kwestie van de tweeslachtigheid van namen te berde gebracht – Robin en Marian waren de belangrijkste voorbeelden – waaraan het geval van de molenaarszoon nog zou kunnen worden toegevoegd, die tekstueel voorkomt als Much, dat zou kunnen wijzen op een zekere stoerheid of Jeff-achtigheid, en als Midge, dat goed gedocumenteerd is als koosnaam voor kleine vrouwen.

In het algemeen zij opgemerkt dat we moeten beseffen dat in landelijke gemeenschappen die veel meer mannen dan vrouwen tellen, unisekspraktijken op grond van een waardevrij ethos de historische norm zijn. Onder dergelijke activiteiten vielen misschien een zekere mate van travestie, soms geritualiseerd, soms, ahum, niet. Ik zou ook graag vastgelegd zien – hoewel ik er alle begrip voor zou hebben als de commissie ervan afziet dit als concept te ontwikkelen – dat pastorale gemeenschappen van deze aard zich ongetwijfeld vaak aan bestialiteit hebben overgegeven. Om het onderhavige voorbeeld te nemen: herten en ganzen lijken misschien het eerst in aanmerking te komen voor fraternisering; zwanen, onwaarschijnlijk; everzwijnen, al met al nauwelijks.

Welnu, bij beschouwing van het geschiedkundig bewijs aangaande gerichtheid op hetzelfde geslacht, is het geval van vrouwe Marian van fundamenteel belang. Volgens de onvolledige verhalen die tot ons zijn gekomen is Marian, geboren Matilda Fitzwater, met Hood in de echt verbonden door broeder Tuck, wat de ecclesiastische waarde van de verbintenis vermoedelijk twijfelachtig heeft gemaakt. Hoe dan ook, ze weigerde het huwelijk te consumeren voordat de verbanning van haar gade was opgeheven. Intussen nam ze de naam vrouwe Marian aan, leefde in kuisheid, hulde zich in mannenkledij en ging met de "Vrienden" mee op jacht. Zijn er nog hypothesen, heren, mevrouw Cochrane?'

Hun aller aandacht was evenwel helemaal gespitst op het verhaal van dr. Max, of in elk geval op zijn beeldend vermogen, en op zijn vermetelheid, om het woord roekeloosheid niet te gebruiken, tegenover de eigenaar van kranten voor het hele gezin. Sir Jack zelf deed er peinzend het zwijgen toe. 'Drie mogelijkheden dienen zich aan,' vervolgde dr. Max soepeltjes, 'althans in mijn eigen onvolmaakte cerebrale werktuig. Ten eerste, de neutrale, non-interpretatieve mogelijkheid – ofschoon geen enkele echte historicus gelooft dat neutrale non-interpretatie mogelijk is – dat vrouwe Marian zich liet leiden door de ridderlijke gedragscode van die tijd, zoals zij die opvatte. Ten tweede, dat het een trucje van een gehuwde vrouw was om penetratieve seks te vermijden. Of non-penetratieve seks ook onder de kuisheidsgelofte viel, is uit historische bronnen niet duidelijk. Marian heeft wellicht geprobeerd, als het ware, van twee walletjes te eten. Ten derde, dat Matilda Fitzwater, hoewel in juridisch en dooptechnisch opzicht een vrouw, in biologisch opzicht misschien een man is geweest, en dat ze gebruik heeft gemaakt van een formele maas in de ridderwet om ontdekking te voorkomen.

Jullie wachten zonder twijfel met ingehouden adem op de conclusies die ik uit dit alles trek. Mijn conclusies zijn de volgende: dat het mij persoonlijk een rotzorg zal zijn, dat ik me tijdens het opstellen van dit rapport nog nooit zo in mijn beroepseer aangetast heb gevoeld en dat mijn ontslagbrief al op de bus is. Dank u, heren, mevrouw Cochrane, meneer de voorzitter.'

Na die woorden stond dr. Max op en trippelde met afgemeten pasjes het vertrek uit. Iedereen wachtte tot sir Jack een oordeel zou vellen. Maar de directeur weigerde het voortouw te nemen, wat niets voor hem was. Ten slotte zei Jeff: 'Volgens mij heeft hij zich daarmee danig in de vingers gesneden.'

Sir Jack schokschouderde en kwam in actie. 'Echt een opmerking voor jou, hoor, Jeff.' De conceptontwikkelaar besefte dat zijn conclusie voorbarig was geweest. 'Persoonlijk zou ik zeggen dat dr. Max' bijdrage zeer positief was. Provocerend uiteraard, en soms op het randje van aanstootgevend. Maar ik heb mijn huidige positie niet bereikt door jazeggers in dienst te nemen, hè, Marco?'

'Nee.'

'Of bedoel je in dit geval "ja"? Laat maar.'

De bespreking werd voortgezet. Sir Jack gaf aan welke kant het op moest. Jeff mokte. Martha had met dr. Max te doen. Mark, die altijd doorhad uit welke hoek de wind waaide, steunde het voorstel om actief personeel te werven onder homo's en etnische minderheden. Hij was het er ook mee eens dat nader moest worden onderzocht of mensen met een functiebeperking door de omstandigheden van de vogelvrijverklaring wellicht in staat waren gesteld een grotere bijdrage te leveren dan zoals werd geduld in de huidige maatschappij, die zulke figuren naar de marge verwees. Immers, wie zou er een beter reukvermogen kunnen hebben dan de slechtziende? Wie zou marteling stoïcijnser kunnen ondergaan dan de doofstomme?

Ten slotte werd er nog één voorstel in de notulen opgenomen. Zouden er niet twee aparte 'bendes' in Sherwood Forest kunnen bestaan, ideologisch verwant maar toch zelfstandig: de traditionele maar op minderheden georiënteerde mannenorganisatie onder leiding van Robin Hood, en een autonome vrouwengroep onder leiding van vrouwe Marian? Deze kwestie werd aangehouden om op een later tijdstip nader te worden besproken.

Terwijl de zitting werd opgeheven wenkte sir Jack de conceptontwikkelaar. 'Zeg, Jeff, je begrijpt wel dat ik jou persoonlijk de verantwoordelijkheid geef?'

'Dank u, sir Jack.'

'Mooi.' De directeur wendde zich tot de nieuwste Susie.

'Eh. Pardon, sir Jack. Waarvoor?'

'Hoezo, waarvoor?'

'Waar word ik precies persoonlijk verantwoordelijk voor?'

'Om te zorgen dat dr. Max zijn relevante bijdragen aan ons ideeënforum blijft leveren. Ga achter hem aan, stommeling.'

'Victor,' zei tante May. 'Wat een leuke verrassing.' Ze deed de voordeur van 'Ardoch' verder open om hem binnen te laten. Sommige neven wilden dat een dienstmeisje – meestal een heel bepaald dienstmeisje – hen kwam begroeten. Maar neef Victor deed het graag zoals het hoorde: dit was het huis van tante May, en dus deed tante May open.

'Ik heb een fles sherry voor u meegebracht,' zei sir Jack.

'Héél attent, neef, net als anders.' Vandaag was ze een elegante, in een tweed pakje geklede vrouw met een zilverblauwe haarspoeling; keurig, hartelijk maar kordaat. Morgen zou ze weer een ander soort tante zijn. 'Ik maak het straks wel open.' Ze wist dat de bruine zak ook het juiste aantal briefjes van duizend euro zou bevatten. 'Ik knap altijd reuze op van een bezoekje van jou.' Dat was ook zo. Sommige meisjes klaagden dat het het extraatje niet waard was, en waarom mocht Victor het wel maar sommige anderen niet? Ach, ze zouden er niet lang meer last van hebben; en zij zou niet meer elke paar maanden hoeven te tobben over waar ze een nieuwe Heidi vandaan haalde.

'Mag ik gaan spelen, tante?' Van al haar neven was Victor degene die het snelst ter zake kwam. Hij wist wat hij wilde, wanneer en hoe. Dat zou ze missen. Soms kostte het een eeuwigheid om nieuwe neven zover te krijgen dat ze hun wensen kenbaar maakten. Je probeerde weleens ze op weg te helpen en gokte dan verkeerd. 'Nu hebt u het helemaal bedorven,' klaagden ze dan.

'Ga jij maar spelen, Victor-lief. Dan neem ik er even mijn gemak van. Ik heb zo'n vermoeiende dag achter de rug.'

Terwijl sir Jack naar de trap liep, veranderde zijn loop. Hij werd zwaarder van zitvlak en knikkender van knie; zijn voeten wezen naar buiten. Hij begaf zich met een zijwaartse, rollende beweging naar beneden, alsof hij elk moment kon omtuimelen. Maar hij wist zijn evenwicht te bewaren; hij was nu een grote jongen, en grote jongens kenden de weg. De eerste keer had tante May met hem mee willen gaan, maar daar had hij gauw een stokje voor gestoken.

De kinderkamer mat twaalf bij zeven meter; het was er heel licht en er hingen vrolijke posters aan de gele wanden. Twee dingen trokken vooral de aandacht: een houten box van anderhalve meter hoog en drie meter in het vierkant, en een tweeënhalve meter lange kinderwagen met dikke spaken en stevige assen. De kap van de kinderwagen was afgezet met Union Jack-vlaggetjes. De kleine Victor stelde de op kniehoogte aangebrachte dimmers en het gesis van de gashaard bij. Hij hing zijn pak op en mikte vervolgens zijn overhemd en ondergoed over het hobbelpaard. Als hij groter was mocht hij het paard berijden, maar daar was hij nu nog niet groot genoeg voor.

In zijn blootje maakte hij de grote koperen sluiting van de box los en stapte erin. Op een plastic dienblaadje stond een wiebelige groene drilpudding, net gestort, van een halve meter hoog. De ene keer vond hij het leuk om ermee op zijn buik te knoeien. De andere keer vond hij het leuk om hem op te pakken en tegen de muur te kwakken; dan kreeg hij een standje en klappen. Vandaag had hij daar geen zin in. Hij ging op zijn buik liggen en schurkte zich in de pluizige roze deken, met zijn knieën als een kikker wijd uiteen. Daarna draaide hij zich half om en keek met grote ogen omhoog naar de commode. De enorme stapel luiers, de fles babyolie van een meter hoog, de bijbehorende bus talkpoeder. Tante May had alles beslist prima voor elkaar. Hij had lang naar haar moeten zoeken, maar het was elke euro dubbel en dwars waard.

Precies op het juiste moment ging de deur van de kinderkamer open.

'Baby! Victortje!'

'Bah-bah-bah-bah!'

'Baby vieze bips. Baby moet een schone luier.'

'Lui-lui,' kirde sir Jack. 'Lui-lui.'

'Schóne luier,' zei Lucy. Ze droeg een pasgestreken neutraal bruin verpleegstersuniform, en eigenlijk heette ze Heather; wat tante May niet wist, was dat ze aan de universiteit van Reading bezig was met een promotieonderzoek over psycho-seksualiteit. Maar hier heette ze Lucy en werd ze contant betaald. Ze pakte de reuzenbus talkpoeder van de commode en liet hem op de rand van de box balanceren. Geparfumeerd poeder dwarrelde neer uit gaten zo groot als een theepottuit; Victor kirde en trappelde van pret. Juffie wachtte even, waarna ze het poeder met een aan een bezemsteel bevestigde borstel van kamelenhaar in het huidje van de kleine wreef. Hij draaide zich op zijn rug, en ze bepoederde zijn andere kant. Daarna pakte ze een badstof luier formaat badlaken van de commode. Lucy manoeuvreerde sir Jack op de veerkrachtige stof heen en weer, waarbij híj niet liet merken dat hij meehielp en zíj niet hoeveel kracht het vergde. Terwijl zij hem de luier omdeed en die vastmaakte met een vijftig centimeter lange veiligheidsspeld, deed hij zijn benen zeer geloofwaardig tegen en van elkaar. De meeste baby's kozen voor een kant-en-klare luier in een plastic broekje met klittenbandsluiting, en op sommigen miste alleen al het geluid van klittenband dat werd losgetrokken zijn uitwerking niet. Maar de kleine Victor gaf de voorkeur aan badstof en een veiligheidsspeld. Heather dacht na over de kindertijd die ze samen nabootsten; waren zijn ouders onervaren, ouderwets, of misschien domweg arm geweest?

'Baby hap-hap?' vroeg Lucy. Deze hield ook van een ouderwets kindertaaltje. Anderen hadden behoefte aan grote-mensenzinnen, wat zou kunnen duiden op een jeugd waarin ze van meet af aan als volwassene waren behandeld, waardoor hun de authentieke koestererervaring was onthouden die ze nu zochten; of misschien wees het op de wens dat de volwassene de fantasie bepaalde; of wie weet op het onvermogen om verder terug te gaan. 'Misschien wil baby nu verschoond worden?' vroeg je dan in alle grammaticale ernst. Maar deze baby wilde per se helemaal als baby behandeld worden. Stoffen luiers, naturalistische intonatie en... de rest, waar ze nog even niet aan moest denken. In plaats daarvan herhaalde ze: 'Baby hap-hap?'

'Tiet-tiet,' murmelde hij. Voorlijk taalgebruik voor een kind van drie maanden, dat wel, maar getrouwe onverstaanbaarheid zou de klus hebben bemoeilijkt.

Ze ging naar de deur, opende hem en riep op een speciaal toontje, kirrend maar stout: 'Baby hap-hap!' Twee meter boven haar hoofd feliciteerde Gary Desmond zichzelf met de uitstekende geluidskwaliteit. Hij zag op de monitor dat Lucy de deur achter zich dichttrok en sir Jack ging staan in de box. Op wankele platvoeten waggelde hij enigszins door zijn knieën gezakt naar de commode, trok de onderste la open en viste er een blauwgeruit mutsje uit. Hij knoopte de bandjes onder zijn kin vast, waarna hij resoluut het versterkte trapje naar de kinderwagen beklom en zich erin hees. De kinderwagen deinde als een oceaanschip op de vering, maar kwam niet van zijn plaats. Tante May had ervoor gezorgd dat hij stevig aan de vloer verankerd was.

Sir Jack, rechtop zittend onder de opgeklapte kinderwagenkap met de Union Jack-vlaggetjes, begon te jengelen en te drenzen. Na een poosje hield het gedrein op en brulde hij met bijna-directiekamerstem: 'TIET-TIET!'

Op dat teken kwam Heidi binnengetrippeld. Alle zogende moeders van wie tante May gebruik maakte werden Heidi genoemd; dat was een traditie van het huis. Deze had bijna geen zog meer, of misschien was ze het domweg zat om baby's van middelbare leeftijd aan haar borsten te laten lurken; hoe dan ook, ze zou over een week of twee moeten worden vervangen. Dat was altijd een heel moeilijk aspect van tante Mays vak. Eén keer had ze in haar wanhoop een Caribische Heidi aangenomen. Wat had de kleine Victor zich die dag driftig gemaakt! Dat idee was er helemaal naast geweest.

Victor stond ook op een echte voedingsbeha. Sommige baby's kozen voor de topless-danseressenstijl, maar de kleine Victor vatte het babyschap serieus op. Heidi, die haar coupe soleil in een breivlecht droeg, trok haar blouse een eindje uit haar dirndlrok, klom op de rand van de kinderwagen, maakte haar knoopjes los en trok een flapje van haar beha open. Sir Jack kirde nogmaals 'tiet-tiet', trok zijn lippen over zijn tanden om een zachte mond te maken en sloot ze om de ontblote tepel. Heide kneep zachtjes in haar borst; Victor stak een knaagdierachtig pootje uit en legde dat tegen de beugelbeha; daarna sloot hij intens tevreden zijn ogen. Na een paar eindeloze minuten trok Heidi haar tepel terug, waarbij ze wat melk op zijn wangen liet druppelen, en gaf hem de andere borst. Zij kneep, hij zoog weer met zijn babymondje en dronk klokkend. Het kostte Heidi meer moeite om hem met deze borst te bereiken en ze deed haar uiterste best de melk te bestemder plaatse af te leveren. Ten slotte sloeg hij zijn ogen op uit een diepe sluimering en duwde haar zachtjes van zich af. Ze bedruppelde hem nogmaals met wat melk en schatte in dat hij bijna zover was. Ze wist dat hij liever had dat Lucy de melk afveegde. Heidi trok de flapjes van haar beha op hun plaats, knoopte haar blouse dicht en liet als terloops haar hand over zijn opbollende luier glijden. Ja, de kleine Victor was er helemaal aan toe.

Ze liep de kinderkamer uit. Sir Jack begon te drenzen, eerst zachtjes, daarna harder. Ten slotte brulde hij: 'LUI-LUI!' en Lucy, die achter de deur met haar handen in een kom ijswater stond te wachten, kwam aangesneld.

'Natte broek?' vroeg ze bezorgd. 'Heeft baby natte broek? Laat juffie maar eens even kijken.' Ze kietelde de kleine Victor op zijn buik, waarna ze langzaam, omzichtig en plagerig zijn veiligheidsspeld losmaakte. Sir Jacks erectie was in topvorm, en Lucy bevoelde hem met haar koele handen aan alle kanten.

'Luier is niet nat,' zei ze op verwonderde toon. 'Victortje is niet nat.' Sir Jack begon weer te drenzen, wat voor haar een teken was om op zoek te gaan naar andere oorzaken. Ze veegde Heidi's melk van zijn ossenwangen, waarna ze zachtjes met zijn ballen begon te spelen. Ten slotte scheen haar een licht op te gaan. 'Baby kriebel?' vroeg ze zich hardop af.

'Kiebel,' herhaalde Victor. 'Kiebel.'

Lucy pakte de drieliterfles babyolie. 'Het kriebelt,' zei ze op sussende toon. 'Wat naar nou. Juffie zorgt wel dat het overgaat.' Ze hield de fles ondersteboven en prietste olie op de bolle buik van de kleine Victor, zijn olifantsdijen en dat wat ze beiden zogenaamd aanzagen voor zijn piemeltje. Daarna begon ze de kriebels van de kleine Victor weg te wrijven.

'Lekker zo, Victortje?' vroeg ze.

'Uh... uh... uh,' mompelde sir Jack, terwijl hij het gewenste ritme aangaf. Vanaf dat moment meed Lucy elk oogcontact. Ze had geprobeerd objectief te blijven; per slot van rekening was ze Heather, en dit was nuttig, goedbetaald veldonderzoek. Maar ze merkte dat ze zich om de een of andere vreemde reden alleen helemaal kon distantiëren door een steeds grotere betrokkenheid, door zichzelf wijs te maken dat ze echt Lucy was en dat het echt de kleine Victor was die, met zijn luier op halfzeven en bloot op een blauw mutsje na, languit onder haar lag.

'Uh... uh,' deed hij terwijl ze nog wat olie op zijn eikel goot. 'Uh... uh,' en hij tilde zijn heupen op om aan te geven dat ze zijn ballen nog wat gladder moest maken. 'Uh... uh,' op zachtere, brommeriger toon ten teken dat ze het precies goed deed. Toen, met een luidere, diepere brom fluisterde hij: 'Bah.'

'Baby drukje doen?' vroeg ze bemoedigend, alsof ze er niet helemaal van overtuigd was dat hij tot de primaire babydaad in staat was. Sommige baby's wilden te horen krijgen dat het niet mocht, en deden het dan ook niet. Andere wilden te horen krijgen dat het niet mocht om de opwinding van het verbodene te kunnen zoeken. Maar de kleine Victor was een echte baby: complicaties of dubbelzinnigheden ontbraken in zijn dwingende verlangens. Het ultieme verlangen, merkte ze wel, was heel nabij.

Zijn heupen welfden zich, zij oefende in reactie daarop druk uit met haar glimmende handen, en sir Jack Pitman, ondernemer, vernieuwer, ideeënman, mecenas, binnenstadstimulator, sir Jack Pitman, niet zozeer captain of industry als wel admiraal, sir Jack Pitman, ziener, dromer, daadkrachtig en vaderlandslievend man, zette een brommend crescendo in dat eindigde in een sforzando brul 'POE-OE-OE-OEP!' Hij stootte een reeks knetterende winden uit, kwam schokkend klaar in Lucy's ineengeslagen handen en scheet op spectaculaire wijze zijn luier vol.

Sommige baby's worden graag schoongemaakt, afgeveegd, gedroogd en bepoederd, wat een paar duizend euro extra kostte en niet populair was bij de meisjes. Maar Lucy's taak zat er nu op: kleine Victor werd op dit moment liever met rust gelaten. De laatste camerabeelden toonden hem terwijl hij uit de kinderwagen sprong en als een opbloeiende jongeman naar de douche liep.

Gary Desmond nam niet de moeite om het tempo of het narcisme vast te leggen waarmee sir Jack Pitman zich aankleedde.

Tante May liet Victor uit, net als altijd, bedankte hem voor de sherry en zei dat ze zich al verheugde op zijn bezoek van volgende maand. Ze was benieuwd of het ervan zou komen. Ze raakte niet graag een van haar trouwste neven kwijt. Maar ja, als hij iets met die afgrijselijke massaslachting te maken had... en het honorarium van kolonel Desmond was verbazingwekkend royaal geweest... en dan hoefden ze niet meer aan de vlaggetjes aan de kinderwagen te denken... en de meisjes hadden toch al nooit zoveel op met de strontridders. Ze zeiden dat het baby-zijn daarmee net iets te ver werd doorgevoerd.

Sir Jack Pitman verliet 'Ardoch' met gezwinde pas en liep fluitend naar de limo. Hij voelde zich herboren. Daar stond Woodie, met de pet onder de arm, het portier open te houden. Het zout der aarde, mensen als Woodie. Verdomd goeie chauffeur; trouw ook. Heel anders dan die jongen van Harrison, die zijn neus optrok als hem de kans werd geboden om sir Jack ergens heen te brengen. Ging liever naar huis om met mevrouw Cochrane te vrijen. Een ongrijpbare tante, die probeerde zijn ideeënbewaker tegen hem op te zetten. Maar zelfs de vluchtige gedachte aan hun onappetijtelijke paring zette geen domper op zijn goede stemming. Trouw. Ja, hij moest Woodie een royale fooi geven als ze thuiskwamen. En wat zou het onderweg worden? De Zevende misschien? Daar bleef je vrolijk van als je daar toch al toe geneigd was, en je werd er vrolijk van als je dat niet was. Ja, de Zevende. Verdomd fidele kerel, die ouwe Ludwig.

De koning bestuurde de koninklijke jet van Northolt naar Ventnor. Tenminste, dat dacht hij; en het was ook min of meer zo. Maar sinds die reeks koninklijke incidenten was er een systeem ingevoerd waarbij de verkeersleiding de besturing op afstand zo nodig kon overnemen. De officiële copiloot – die niets waard was gebleken toen prins Rick dat kinderdagverblijf zo tragisch in vlammen had doen opgaan – zat er nu voor spek en bonen bij.

Hij raakte de controls met geen vinger aan en hoefde alleen maar goedkeurend te glimlachen: iemand boven wie de koninklijke vlieger zich verheven kon voelen. Wel deed zich een minieme vertraging voor tussen 's konings besturingsopdrachten en de bevestiging daarvan door het luchtmachtcommando (Nationaal Erfgoed) in Aldershot. Vandaag, nu het helder was en er een lichte zuidwestenwind stond, bestuurde de koning het toestel zo goed als eigenhandig. Aldershot had maar weinig te doen, terwijl de copiloot tot ze bij het verzamelpunt ten westen van Chichester kwamen glimlachend naar het vredige landschap kon kijken.

Daar kwamen ze, met stompe neus en rammelend, twee Spitfires en een Hurricane; ze groetten met de vleugels, die waren voorzien van het cirkelvormige nationale embleem, en maakten zich op om de stille jet naar de officiële opening van het Eiland te escorteren. Aldershot overrulede even de koninklijke controls en nam gas terug tot de afgesproken snelheid. De Spitfires kwamen er aan weerskanten naast vliegen, terwijl de Hurricane de gelederen sloot.

De intercom van de gevechtsvliegtuigen was van het nieuwste model, compleet met zo nu en dan statisch geruis en gekraak. 'Luitenant-kolonel "Johnnie" Johnson meldt zich, hoogheid. Aan stuurboord hebt u majoor "Ginger" Baker en aan bakboord kapitein "Chalky" White.'

'Welkom aan boord, heren,' zei de koning. 'Doe rustig aan en veel plezier tijdens de voorstelling, hè? Roger, of iets dergelijks?'

'Roger, hoogheid.'

'Zeg, overste, wie was Roger eigenlijk?'

'Pardon, hoogheid?'

'Als ik me goed herinner werkte hij voor de firma Wilco.'

'Ik vrees dat ik u niet kan volgen, hoogheid.'

'Grapje, grapje, overste. Over en sluiten.'

De koning keek zijn copiloot schuins aan en schudde teleurgesteld zijn hoofd. Eerder die ochtend was er ten paleize een scenariobespreking gehouden, en terwijl ze wachtten op toestemming om op te stijgen had hij zijn tekst met Denise geoefend. Ze had het bijna in haar broek gedaan. Ze was een prima maatje, Denise. Maar wat had het voor zin om veel geld neer te tellen als het publiek het toch niet snapte?

Ze vlogen bij Selsey over de kust en hielden boven het Kanaal een zuidwestelijke koers aan. 'Een kostbaar kleinood gevat in een zilveren zee, nietwaar?' mompelde de koning.

'Dat is het zeker, hoogheid.' De copiloot knikte alsof Zijne Majesteit wel vaker zulke uitspraken deed.

Het kleine squadron vloog verder over de golven. De koning werd altijd een beetje melancholiek van het besef hoe snel je bij de zee was en hoe klein zijn rijk was vergeleken met dat waarover zijn voorvaderen eens hadden geheerst. Nog maar een paar generaties geleden had zijn wie-weet-hoe-vaak-over-overgrootmoeder de scepter gezwaaid over een derde van de aardbol. Als men aan het hof zijn jeugdige zelfvertrouwen een tikje wankel had geacht, werden er atlassen waar het weer in zat opgediept om hem te laten zien hoe roze de wereldkaart eens was gekleurd en hoe ontzettend belangrijk zijn afstamming was. Nu was het bijna allemaal verdwenen, alle rechtvaardigheid, luister, vrede, macht en nummer-één-zijn-verdomme, weg, allemaal weg, jullie worden reuze bedankt, buitenlanders. Tegenwoordig was het land zo klein dat je je kont er niet kon keren; het was geslonken tot de omvang die het had toen die goeie ouwe koning Alfred de broodjes liet verbranden. Als het land de schouders er niet onder zette, zei hij altijd tegen Denise, dan zouden zij met z'n tweeën weer thuis brood moeten bakken, net als in de tijd van Alfie.

Hij had zijn hoofd er niet goed bij; hele stukken leek het toestel bijna uit zichzelf te vliegen. Toen kietelde er plotseling statisch geruis en gekraak in zijn oren.

'Bandieten op drie uur, hoogheid.'

De koning keek waar zijn copiloot heen wees. Een klein vliegtuigje kwam pal voor hen langs, met een lang sleep achter zich aan. WELKOM MAJ SANDY DEXTER EN THE DAILY PAPER las hij.

'Zwaar klote,' mompelde de koning. Hij draaide zich om en

riep door de open cockpitdeur: 'Hé, Denise, kom eens kijken wat een klojo.'

De koningin grabbelde haar scrabbleletters mee, omdat ze er nooit helemaal op vertrouwde dat haar hofdame eerlijk speelde, en stak haar hoofd de cockpit binnen.

'Klote,' zei de koningin. 'Zwaar klote.'

Ze hadden geen van beiden veel op met Sandy Dexter. Naar de mening van de koning en van de koningin was Dexter een slijmbal en *The Daily Paper* nog niet eens goed genoeg voor de buitenplee. Natuurlijk lazen ze de krant ieder voor zich wel, alleen maar om te zien wat voor bagger en leugens hun trouwe onderdanen voorgeschoteld kregen. Zo was koningin Denise erachter gekomen dat haar man geregeld op bezoek ging bij dat vreselijke kreng dat haar tieten in Amerika had gehaald, Daphne Lowestoft. Als die ooit een voet over de drempel van het paleis zette terwijl Denise thuis was, zou er nog veel meer kosmetisch aan haar gesleuteld moeten worden. Eveneens in *The Daily Paper* had de koning ontdekt dat de recente, loffelijke belangstelling van zijn vrouw om dolfijnen te redden werd gedeeld door iemand in wetsuit wiens naam hij niet eens over de lippen kon krijgen. Vreemd dat in zo'n wetsuit alles geprononceerd uitkwam, net als in een advertentie.

Terwijl ze toekeken keerde Dexters kleine Apache en begon voor hen langs in tegenovergestelde richting terug te vliegen. De koning stelde zich voor dat de etterbak in zijn vuistje zat te lachen en tegen de fotograaf zei waar hij zijn telekanon op moest richten. Waarschijnlijk hadden ze al een plaatje van de koninklijke cockpit geschoten.

'Kingeding,' zei de koningin. 'Doe iets.'

'Zwaar klóte,' herhaalde de koning. 'In hemelsnaam, hoe kunnen we ons van die slijmbal ontdoen?'

'Roger, hoogheid.'

Luitenant-kolonel 'Johnnie' Johnson trok op, weg van de koninklijke jet, en verlegde zijn koers om de Apache te kunnen onderscheppen. Hij naderde het toestelletje met het provocerende aanhangsel dicht. Een beetje bang maken, voor de lol, waarom niet? Toen dacht hij: zal ik die knakker écht aan het schrikken maken? Na de repetitie van de slag om Engeland, gisteren, zaten er vast nog wel een paar rondjes in het boordkanon. Een beetje ammunitie in z'n donder schieten zodat die vent het in z'n broek deed. Klotejournalisten.

De Hurricane naderde de Apache nog dichter. Johnson riep 'Die is van mij!' in de intercom, nam zijn doelwit in het vizier, drukte de vuurknop in en voelde de romp sidderen terwijl hij twee salvo's van acht seconden afvuurde. Hij trok de kist in een scherpe hoek omhoog, precies volgens het boekje, en grinnikte bij zichzelf toen hij de onmiskenbare stem van 'Ginger' Baker de radiostilte hoorde verbreken. 'Christus klóte,' waren zijn ondubbelzinnige woorden.

De luitenant-kolonel keek om. Eerst zag hij alleen maar een steeds groter wordende vuurbal. Langzaam aan veranderde die in een spoor van verticale brokstukken die nog enige samenhang vertoonden, terwijl de sleep los ronddwarrelde en onbeschadigd wegzeilde. Er verschenen geen parachutes. De tijd verliep trager. De radiostilte keerde terug. De bemanning van het koninklijk squadron bleef kijken tot de restanten van het lichte toestel heel even op het verre water stuiterden en verdwenen.

'Johnnie' Johnson nam zijn positie achteraan weer in. De oostelijke rotsen van het Eiland kwamen geleidelijk aan in zicht. Toen meldde kapitein 'Chalky' White zich met zijn identificatiecode. 'Noteer maar in het logboek, overste,' zei hij. 'Volgens mij was het motorstoring.'

'Moffen blazen zich wel vaker op met hun eigen bom,' voegde 'Ginger' Baker eraan toe.

Het bleef lang stil. Ten slotte meldde de koning zich, nadat hij de zaak overdacht had, over de intercom. 'Goed gedaan, overste. De vijand is afgeschrikt, lijkt me.' Koningin Denise maakte gebruik van drie letters van haar hofdame en legde met veel gekletter het woord SLIJMBAL.

'Koud kunstje, hoogheid,' antwoordde 'Johnnie' Johnson, gedachtig aan zijn tekst uit het eind van de Slag.

'Maar al met al zou ik zeggen: mondje dicht is het devies,' voegde de koning eraan toe.

'Mondje dicht, hoogheid.'

Het squadron vloog op Ventnor aan en kreeg toestemming om te landen. Toen de deur van de jet openging en een fanfare zijn herkenningsmelodie inzette, probeerde de koning te bedenken wat hij nou precies had gezegd waardoor de luitenant-kolonel zó door het lint was gegaan dat hij Sandy Dexter finaal het Kanaal in had geschoten. Dat was het probleem als je in de publieke belangstelling stond: wat je ook zei, je werd altijd akelig verkeerd begrepen. De luitenant-kolonel vroeg zich intussen af wie toch zijn losse flodders door scherp had vervangen.

Een troep potige parachutisten kwam, met opgebolde crinolines en rubbereieren veilig in hun rieten mandjes vastgelijmd, uit een windstille hemel neerdalen richting dorpsbrink voor Buckingham Palace.

'Betsy ten hemel!' brulde sir Jack vanaf de tribune.

De koning, die naast hem stond, was moe. Het was warm die middag, en ergens voelde hij zich nog steeds een tikje schuldig vanwege het neerhalen van Sandy Dexter, gisteren. Denise had zich best flink gehouden; ze was werkelijk een prima maatje, die Denise. In zijn hart was hij als de dood geweest dat de journalisten hem het vuur na aan de schenen zouden leggen, en hij had bij zijn adjudant geïnformeerd of er niet een anonieme schenking aan Dexters weduwe gedaan kon worden. De adjudant had overlegd met de persvoorlichter, die had gemeld dat Dexter niet bekend had gestaan als een erg huiselijk man – integendeel juist –, en dat was in zekere zin een troost geweest.

Toen was de officiële verwelkoming gevolgd, en hoewel het Eiland nieuw voor hem was, verschilde de begroeting door sir Jack Pitman niet zoveel van de begroeting door enkele staatshoofden die hij maar niet zou noemen, behalve dan dat Pitman tenminste niet had geprobeerd hem op beide wangen te kussen.

De rondvlucht per helikopter boven het Eiland – ach, dat was in elk geval nog wel leuk geweest. Een soort versneld afgedraaide versie van Engeland: het ene moment de Big Ben, het volgende de cottage van Anne Hathaway, daarna de krijtrotsen van Dover, het Wembley-stadion, Stonehenge, je eigen paleis en Sherwood Forest. Ze hadden Robin Hood en zijn bende een belletje gegeven, die hadden gereageerd door pijlen naar hen omhoog te schieten.

'Schurken en schavuiten,' had Pitman geschreeuwd, 'niks mee te beginnen.'

De koning was als eerste in de lach geschoten, en om zijn befaamde koninklijke onverschrokkenheid te demonstreren had hij teruggegrapt: 'Gelukkig hebben jullie ze niet met grondluchtwapens uitgerust.'

Daarna had hij een eindeloze rij handjes moeten schudden, vogels van diverse pluimage: Shakespeare, Francis Drake, Muffin the Mule, Chelsea-veteranen, een heel voetbalelftal, dr. Johnson, die hem een vreselijke engerd leek, Nell Gwynn, Boadicea, en ruim honderd van die verrekte dalmatiërs. Een hele schok voor een mens om je eigen wie-weet-hoe-vaak-over-overgrootmoeder de hand te schudden, vooral als je haar geen lachje kon ontlokken en zij zich maar bleef voordoen als koningin-keizerin. Hij wist trouwens ook niet zo zeker of men hem wel aan Oliver Cromwell had moeten voorstellen. Getuigde niet bepaald van goede smaak. Maar die Nell Gwynn was een fantastische meid geweest, vond hij, in dat laag uitgesneden gevalletje en met die, eh, sinaasappels. Maar zijn vuur was enigszins gedoofd door de manier waarop Denise had gezegd: 'Denk jij dat ze echt zijn?' Denise kon soms echt een kreng zijn, een prima maatje, maar echt een kreng. Alleen zou het prettiger zijn als ze niet zo'n onfeilbaar oog had voor kosmetische aanpassingen – en Zijne Majesteit was ouderwets genoeg om kosmetische aanpassingen alleen mooi te vinden als hij er niet van op de hoogte was. Hij zag het tafereel al voor zich: een beetje stoeien, de sinaasappels rolden onder het bed, de goeie ouwe Kingeding deed, hoe zeiden die Fransozen dat ook alweer, zijn *droit du seigneur* gelden, en dan, net op het verkeerde moment, schoten hem Denises woorden 'Denk jij dat ze echt zijn?' te binnen. Dat zou een grote afknapper zijn.

De lunch. Altijd werd er geluncht, ditmaal met eigenlijk te veel glazen van die Adgestonewijn waar het Eiland zich naar zijn mening te veel op beroemde. Gevolgd door uren op de tribune in de hete zon. Hij had een regiment gardesoldaten en een stoet Londense taxi's aan zich voorbij zien trekken (eerlijk gezegd leek dat wel erg veel op voor het raam staan in Buck House), historische optochten en praalwagens vol mythes. Hij had beefeaters gezien en roodborstjes van één meter tachtig die een ingestudeerd dansje deden op sneeuw die in de zomerwarmte maar niet wilde smelten. Hij had geluisterd naar fanfarekorpsen, symfonieorkesten, rockgroepen en operasterren, allemaal voor zijn neus elektronisch in cyberspace bijeengebracht. Lady Godiva was langsgekomen op haar paard, en om zich ervan te vergewissen dat zij zich niet in cyberspace bevond, had hij een verrekijker aan zijn doppen gezet. Toen hij links beweging voelde, had hij een vorstelijke hand geheven om zijn gemalin het zwijgen op te leggen. In het openbaar kende Denise tenminste haar plaats, en ditmaal werden er geen denigrerende opmerkinkjes geplaatst over cellulitis of weggewerkte huidplooien. Die lady Godiva was werkelijk oogverblindend geweest.

'Dat paard boft maar,' had hij tegen die Pitman aan zijn rechterhand gemompeld.

'Net wat u zegt, hoogheid. Maar ik moet er wel aan toevoegen dat ik zelf gelukkig getrouwd ben.' Godallemachtig, waarom leek vandaag íedereen tegen hem te zijn? Vanmorgen bijvoorbeeld, tijdens de rondvlucht over het Eiland, waren ze speciaal omgevlogen om over een of andere gedenkvijver te komen. Gewoon een dorpsvijver met wat eenden en een paar treurwilgen, maar zijn dikke gastheer had er vochtige ogen van gekregen en was gaan wauwelen als de aartsbisschop van Canterbury.

Nu kwamen die kerels van de SAS, of wat het ook waren, in

vrouwenkleren gestoken en met mandjes eieren bij zich, voor zijn ogen aan parachutes omlaag, met op de achtergrond een of ander patriottische soundtrack. Hij had geen idee in welk gedeelte van het programma zij een rol speelden. Het ene moment was er een soort koninklijk steekspel aan de gang, het volgende een of ander vreselijk rotzooitje. Hij wist niet beter of de hele mensheid, plus het hele dierenrijk en ontelbare als plant verklede figuren, zou één voor één aan hem voorbijtrekken en hij zou al die lui stuk voor stuk moeten groeten, de hand schudden en een lintje geven. De Adgestone klotste in zijn maag, en de muziek schalde.

Maar hij had niet voor niets Windsor-genen. Zijn voorouders hadden een paar kneepjes van het vak doorgegeven. Altijd van tevoren plassen, dat was regel één. Regel twee: laat je gewicht iets meer op één voet rusten, en wissel na een poosje van voet. Regel drie kwam van Denise: bewonder altijd dingen waarvan je het niet erg vindt om ze naderhand cadeau te krijgen. En regel vier had hij helemaal zelf bedacht: op het moment dat de hele kleretoestand ondraaglijk begint te worden en je je te pletter verveelt, wend je je tot je gastheer, zoals hij zich nu tot Pitman wendde, en zeg je, zo hard dat je omgeving het ook kan horen: 'Verdomd fraaie vertoning.'

'Dank u, hoogheid.'

Nu het compliment gemaakt was, dempte de koning zijn stem. 'En een verdomd fraaie lady Godiva, als ik zo vrij mag zijn. Een fantastische meid.'

Sir Jack hield zijn blik gericht op de SAS-travestieten, die bezig waren hun parachutes op te vouwen. Een willekeurige toehoorder zou hebben gedacht dat hij het over hen had toen hij fluisterde: 'Ze is een groot bewonderaarster van u, hoogheid, als ík zo vrij mag zijn.'

Pats! De vuile hypocriet. Maar wie weet eindigde de dag toch nog goed. Misschien moest Denise wel eerder terugvliegen.

'Beslist geen toespraken,' vervolgde sir Jack, nog steeds mompelend. Krijg de klere! Het was alsof die ouwe gedachten kon lezen. 'Alleen als u dat wilt. Geen belasting. Geen roddelpers. Af en toe dient u zich in koninklijken lijve te vertonen, maar uitstekende replica's nemen het meeste werk voor hun rekening. Geen saaie staatshoofden die bezoeken komen afleggen. Tenzij u ze wilt ontvangen: ik heb alle begrip voor familieverplichtingen. En vanzelfsprekend onder géén beding fietsen.'

Men had de koning afgeraden om rechtstreeks te onderhandelen met Pitman, die men als een gladde rakker beschouwde, en hij beperkte zich dan ook tot: 'Een fiets heeft soms iets grappig onwaardigs, hoor. De manier waarop je knieën naar buiten steken.'

'Dubbele beglazing,' zei sir Jack, met een hoofdknikje richting Buckingham Palace. Om de een of andere reden was het op halve grootte mooier. 'Satelliet-, kabel- en digitale tv. Gratis bellen over de hele wereld.'

'O ja?' De koning vond die laatste opmerking maar aanmatigend. Naar zijn mening werd daarmee al te openlijk gezinspeeld op de gedwongen installatie van munttelefoons in Buck House na de laatste censuurmotie in het Lagerhuis. Echt waar, hij was de warmte en deze opdringerige gastheer met zijn verrekte wijn spuugzat. 'Hoe komt u erbij dat die stomme telefoonrekening mij ook maar ene moer kan schelen?'

'Natuurlijk kan het u niets schelen, hoogheid, natuurlijk niet. Ik dacht alleen: het is niet bepaald handig als u naar de munttelefoon moet elke keer dat u een luchtaanval wilt laten uitvoeren. Als u begrijpt uit welke hoek de wind waait.'

De koning toonde hem een koel koninklijk profiel en draaide zijn zegelring om en om. *Als u begrijpt uit welke hoek de wind waait.* De boodschap was duidelijk, nietwaar? Alsof je net op de verkeerde plek zat wanneer een van Denises Engelse doggen een scheet liet.

'Aha. Als je het over de duvel hebt...'

De koning zou weleens willen weten of die zak van een Pitman was getipt of dat het stom toeval was. Maar als op een afgesproken teken kwamen er twee Spitfires en een Hurricane aanzetten, met als gezagvoerders, zo werd via het omroepsysteem bevestigd, kapitein 'Chalky' White, majoor 'Ginger' Baker en luitenant-kolonel 'Johnnie' Johnson. Ze vlogen laag over, ronkten over de tribune, groetten met hun vleugels, voerden een paar keer een langzame rol uit, maakten een looping, vuurden losse flodders af en stootten rode, witte en blauwe rook uit.

'Het is maar dat u het weet,' zei de koning, 'en zonder enige bijbedoeling, zoals mijn geleerde adviseurs het aldoor zeggen. Op mijn hoofdkwartier heb ik verdorie de hele landmacht, luchtmacht en marine ter beschikking om me te verdedigen als de nood aan de man mocht komen. Hier hebben jullie die drie ouwe museumstukken met proppenschieters eraan. Daar schijt de gemiddelde buitenlander heus niet van in z'n broek, toch?'

Sir Jack, die hun gesprek liet opnemen, verkneukelde zich over iets wat, als de omstandigheden dat vereisten, zou kunnen worden omgebogen tot de zoveelste koninklijke blunder. Vooralsnog nam hij er alleen maar nota van, evenals van 's konings verveling, prikkelbaarheid, alcoholgebruik en geilheid. 'En eveneens zonder bijbedoeling, hoogheid,' antwoordde hij, 'hoewel ik van plan was geweest een dergelijke discussie uit te stellen tot mijn volgende bespreking met uw geleerde adviseurs, u zou ervan opkijken als u wist hoe voordelig men in onze moderne wereld aan nucleaire slagkracht kan komen.'

De volgende dag keerde koningin Denise terug naar het grote eiland om haar liefdadigheidsverplichtingen te hervatten. De koning zegde een lunch met een van de regimenten af nadat hij had besloten dat zijn persoonlijke aanwezigheid gewenst was nu de 'besprekingen over besprekingen' zich tot besprekingen schenen te ontwikkelen. Lady Godiva bleek voor zover hij dat kon uitmaken geen cellulitis te hebben, noch huidplooien te hebben laten wegwerken, maar wel een geweldige vaderlandsliefde te bezitten.

Volgens *The Times of London*, die tegenwoordig in Ryde werd uitgebracht, werd in vier verschillende logboeken in gelijkluidende details de verschijning beschreven, drie dagen terug, van een niet nader geïdentificeerd licht vliegtuig, vijftien kilometer ten zuiden van Selsey Bill. Alle meldden dat de vlieger plotseling de macht over zijn toestel had verloren. De mogelijkheid dat er overlevenden waren moest worden uitgesloten. *The Times* bevestigde de dood van een veelgelezen roddeljournalist, evenals van een topfotograaf, zij het dat deze bekend had gestaan om zijn aanvaringen met de sterren. Het kantoor van sir Jack gaf een verklaring uit waarin werd bevestigd dat het vliegtuigwrak was gezonken binnen de territoriale wateren van het Eiland, en dat de graven voor altijd zouden worden gerespecteerd. Twee dagen later, toen de besprekingen naar tevredenheid waren afgerond, vloog sir Jack Pitman in een helikopter van Pitco over de plek des onheils. Met een stralende, brede glimlach gooide hij een weelderige krans uit.

Sir Jacks vijfenzestigste verjaardag was gekozen als dé datum om tot actie over te gaan. In de replica van zijn knusse, dubbelgrote werkkamer in het hoofdkantoor op het Eiland pronkte sir Jack uitdagend met zijn Palace of Westminster-bretels. Wat kon het hem schelen dat hij nu definitief niet meer in aanmerking kwam voor het Hogerhuis? De diverse dwazen en domoren van diverse partijen aan wie hij de afgelopen decennia meer dan royale schenkingen had gedaan, hadden de kans om hem met hermelijn te tooien laten schieten. Ach, het zij zo. Minne mannetjes probeerden altijd om hoger geplaatsten onderuit te halen; de hypocrieten zouden zegevieren. En dat alleen omdat een inspecteurtje van het ministerie van Handel, dat nog niet droog was achter zijn oren en geen sjoege had van de hedendaagse commerciële praktijken, een tijdje geleden had geprobeerd zich op te werken door middel van een staaltje goedkope zwartmakerij. De uitspraak dat sir Jack Pitman even eerzaam was als Taras Bulba was een misselijke racistische aantijging. Dat hij ooit was uitgemaakt voor iemand die nog geen viskraam kon runnen, stak hem nog steeds danig. Indertijd had hij vijftig kilo vis bij de bescheiden woning van de inspecteur in Reigate laten bezorgen, ten overstaan van een groot aantal paparazzi die de vernedering konden vastleggen; maar hij was bang dat de manoeuvre te subtiel was geweest. Op de een of andere manier had de inspecteur de zaak zo weten te draaien dat het zeebanket als poging tot omkoping overkwam. Het was helemaal uit de hand gelopen, en sir Jacks schertsende opmerking dat de vis was bekostigd uit zijn buitengaatse activiteiten was volkomen verkeerd geïnterpreteerd.

Maar goed, vandaag zouden die papieren parlementariërs, uit eigenbelang handelende ministers, hypocrieten en minkukels wel merken wie ze tegenover zich hadden. Binnenkort kon hij zichzelf desgewenst volspelden met medailles en net zoveel titels voor zichzelf instellen als hij maar wilde. Hoe was het bijvoorbeeld het geslacht-Fortuibus vergaan? Dat kon vast wel weer tot leven worden gewekt. De eerste baron Fortuibus van Bembridge? En toch had sir Jack het idee dat er diep in hem een elementaire eenvoud school, soberheid zelfs. Natuurlijk moest je de schijn ophouden (wat zou de Barmhartige Samaritaan voor nut hebben gehad als hij de herbergier niet had kunnen betalen?), maar je mocht het contact met je wezenlijke menselijkheid niet verliezen. Nee, misschien was het beter, passender, om gewoon maar sir Jack te blijven.

Alle activa van het bedrijf waren naar het buitenland overgebracht, buiten bereik van de verongelijkte wraakzucht van Westminster. Het huurcontract voor Pitman House (1) liep over een paar maanden af, en de eigenaren werden aan het lijntje gehouden. Een deel van have en goed zou te zijner tijd worden overgebracht, tenzij het door de Britse overheid werd geconfisqueerd. Daar hoopte sir Jack eigenlijk op, dan kon hij de hypocrieten en minkukels voor het Internationale Gerechtshof dagen. Hoe dan ook, hem was te kennen gegeven dat het merendeel van de outillage aan vernieuwing toe was. Ongeveer hetzelfde gold voor het menselijk materieel.

Zijn wat bang uitgevallen medewerkers hadden ervoor gepleit om niet op hetzelfde moment op alle fronten toe te slaan. Ze beweerden dat de aandacht in de pers daardoor te veel versnipperd zou raken. Sir Jack was zo vrij met hen van mening te verschillen: dit was het moment voor de Big Bang, dit was niet alleen de opening van de voorpagina van die dag, maar een vervolgverhaal. Maar goed, hoe deed je dat? Je deed het door het te doen. De gebeurtenissen van die dag zouden zich dan ook in snelle opeenvolging ontrollen in Reigate, Ventnor, Den Haag en Brussel. Sir Jack zou een hoekje van zijn geest, en een dubbele pagina in een van zijn kranten, voor Reigate reserveren. Die inspecteur van het ministerie van Handel, wie het de laatste tijd voor de wind scheen te gaan, zou aan de ontbijttafel, die hij deelde met zijn bekoorlijke echtgenote, tot zijn verbazing ontdekken dat er bij de post verscheidene aangetekende stukken zaten die waren voorzien van Zuid-Amerikaanse postzegels en geadresseerd in een handschrift dat opvallend veel gelijkenis vertoonde met dat van hemzelf. Slechts enkele minuten zouden verstrijken tussen het aanbellen van de beminnelijke postbode en dat van de aanzienlijk strengere vertegenwoordigers van Z.M.'s douane- en accijnsdienst. Laatstgenoemden bezaten prettig vergaande bevoegdheden tot het doen van huiszoeking, en ook hadden ze een uitgesproken mening over de smerige handel in levensbedreigende drugs – des te meer na een recente campagne in bepaalde kranten – die werd gedreven door ogenschijnlijk achtenswaardige zetbazen, wier ziekelijke hebzucht de jeugd van de natie meesleurde in een spiraal van ellende.

Min of meer op hetzelfde moment dat een donkere pantalon met een deken erboven een pseudo-Tudor huis in Reigate verliet, terwijl verrassend goed geïnformeerde paparazzi 'Kijk eens deze kant op, meneer Holdsworth!' riepen, zat sir Jack vanuit een door hemzelf ter beschikking gestelde landauer met zijn driekante gouverneurssteek te zwaaien. Personeelsleden stonden langs de route naar de nieuwe eilandsraadgebouwen in Ventnor. Eerst verleende sir Jack, met een helm op en een vergulde troffel in de hand, zijn medewerking aan de ceremonie ter gelegenheid van het feit dat het hoogste punt was bereikt en werd hij gefotografeerd terwijl hij deelde in de ruwe kameraadschap van dakdekkers en metselaars. Daarna knipte sir Jack op de begane grond een stel linten door, verklaarde de gebouwen voor geopend en droeg ze formeel over aan de bevolking van het Eiland, in de persoon van de voorzitter van de eilandsraad, Harry Jeavons. Vervolgens werden de camera's naar binnen verplaatst, waar de raad zichzelf beëdigde en meteen zijn laatste wet aannam. De raadsleden verklaarden eenstemmig dat het Eiland na zeven eeuwen onderdrukking het juk van Westminster afwierp. De onafhankelijkheid werd daarmee uitgeroepen, de status van de raad werd verheven tot die van parlement, en alle vaderlandsgezinde eilanders werd verzocht te zwaaien met de door Pitco gesponsorde vlaggetjes die uit de achterste wagen van sir Jacks gemotoriseerde colonne waren gegooid.

Zonder de zetels te verzetten nam het parlement vervolgens zijn eerste wet aan, op grond waarvan sir Jack Pitman de titel gouverneur werd toegekend. Het was louter een ereambt, ook al behelsde het formeel nog de oude bevoegdheid – door een meesterkalligraaf aan het mooiste perkament toevertrouwd – om ingeval van een nationale noodtoestand het parlement en de grondwet buiten werking te stellen en zelf te regeren. Deze bevoegdheden werden in het Latijn opgesteld en voorgelezen, waardoor de klap voor degenen die ermee instemden minder hard aankwam. Sir Jack, die vanaf een vergulde troon het woord voerde, sprak van een heilige plicht en bracht vroegere gouverneurs en bestuurders van het Eiland in herinnering, met name prins Heinrich van Battenberg, die in 1896 zijn vaderlandslievendheid terdege had bewezen door tijdens de expeditie naar Asjanti de heldendood te sterven. Zijn weduwe, de edele prinses Beatrice, had het bewind als gouverneur voortgezet – sir Jack wees erop dat in zijn grammatica het mannelijk ook altijd het vrouwelijk omarmde – tot haar eigen dood bijna een halve eeuw later. Sir Jack bekende bescheiden dat hij nog in onwetendheid verkeerde omtrent zijn eigen ontmoeting met de man met de zeis, maar noemde uit liefde voor zijn echtgenote de naam van lady Pitman alvast als mogelijke opvolger.

Terwijl de klokken van Ventnor feestelijk beierden, leverde een jonge eilandbewoonster, door sir Jack persoonlijk uitverkoren om Isabella van Fortuibus te symboliseren, aan de overkant van het Kanaal bij het Internationale Gerechtshof te Den Haag een petitie af waarin werd verzocht de aankoop van het Eiland in 1293 nietig te verklaren. Daarna bracht een Boadiceaanse strijdwagen haar naar de Deutsche Bank, waar ze een rekening opende op naam van 'het Britse volk' en een bedrag van zesduizend mark plus één euro inlegde. Ze werd vergezeld van een lijfwacht bestaande uit laat-dertiende-eeuwse ruwe klanten, wier aanwezigheid moest benadrukken dat eenvoudige lieden aan wie het verdrag nooit fatsoenlijk was uitgelegd, met de zogenaamde 'aankoop' van het Eiland door Edward I een oor was aangenaaid. Onder die ruwe klanten bevonden zich diverse Pitco-directeuren, die ingestudeerde korte, kernachtige uitspraken deden over het oorspronkelijke landjepik dat voor eeuwen in de doofpot was gestopt.

Isabella van Fortuibus vervolgde haar reis per strijdwagen naar het station, waar een speciale sneltrein naar Brussel voor haar klaarstond. Daar aangekomen werd ze opgehaald door juristen van Pitman Offshore International, die het verzoek van het Eiland om met onmiddellijke ingang als voorlopig lid tot de Europese Unie te mogen toetreden hadden opgesteld. Dit was een mijlpaal, verklaarde de toponderhandelaar van POI tegenover de mondiale media, een mijlpaal die de lange vrijheidsstrijd van de eilandbewoners markeerde, een strijd gekenmerkt door eeuwenlange moed en opoffering. Voortaan verwachtten ze van Brussel, Straatsburg en Den Haag waarborgen voor hun rechten en vrijheden. Er brak een periode aan met belangrijke kansen, maar ook met grote gevaren: de Unie zou krachtig en resoluut moeten optreden. Het zou meer dan tragisch zijn als werd gedoogd dat zich op de noordelijke drempel van Europa een situatie als in het voormalige Joegoslavië ontwikkelde.

Terwijl de Londense effectenbeurs een zo zwarte dinsdag beleefde dat de handel rond het middaguur voor onbepaalde tijd werd stilgelegd, schoot de koers van de aandelen Pitco in de rest van de wereld omhoog. Die avond zat sir Jack te drinken bij zijn neo-Beierse haard, waarin blokken eikenhout van het Eiland patriottisch opvlamden. Hij liet het bewijsmateriaal op video en in anekdotische vorm de revue passeren. Hij grinnikte om herhalingen van zijn eigen vooraf opgenomen korte, kernachtige uitspraken. Hij liet een stuk of vijf telefoonlijnen openstaan en schakelde van de ene met ontzag vervulde toehoorder naar de andere. Enkele hoofdredacteuren mochten met hem worden doorverbonden om hem hun gelukwensen aan te bieden. De eerste *coup d'état* zonder bloedvergieten sinds mensenheugenis, noemden ze het. Een stap in de richting van het nieuwe Europa. Een traditie doorbroken. Pitman de vredestichter. De populaire bladen sleepten David en Goliath erbij. En Robin Hood. Heel de dramatische dag riep bij een commentator bij een van sir Jacks betere bladen associaties op aan *Fidelio*: waren er geen ketenen geslaakt? Ja, zo meende de nieuwe gouverneur, een zeker iemand zou ongetwijfeld instemmend hebben gereageerd. Uit eerbetoon – nee, eerder uit gelijkgestemdheid – liet hij zijn triomf luister bijzetten door de machtige *Eroica*.

De overwinning smaakte des te zoeter als degenen die je overwinningen toejuichten niet beseften hoe groot die in feite waren. Hij was bijvoorbeeld helemaal niet van plan om het Eiland lid te maken van de Europese Unie. De gevolgen daarvan voor hun arbeids- en bankwetten, om maar eens twee terreinen te noemen, zouden rampzalig zijn. Hij had Europa alleen nodig om ervoor te zorgen dat Westminster hem, totdat de rust was weergekeerd, niet voor de voeten liep. Het aanbod om het Eiland terug te kopen voor zesduizend mark en één euro? Alleen een grote sufferd geloofde dat dat iets meer voorstelde dan het opsteken van de middelvinger naar het grote eiland: nog voordat de media in de trein naar Brussel waren gestapt, had hij de rekening al laten opheffen. Ook vermoedde hij dat de wraking van het verdrag van 1293 juridisch geen schijn van kans maakte: stel je voor wat een beerput Europa voor zichzelf zou openen als ze dat erdoor lieten. En wat dat stomme eilandsparlement betrof, alleen al de aanblik van die omhooggevallen raadsleden die stuk voor stuk deden alsof ze Garibaldi waren... Het was voldoende om zich van zijn gouverneurstroon te verheffen om tegen hen te zeggen, in het Engels en niet in het Latijn, zodat die dwazen en domkoppen het tenminste snapten, dat hij van plan was het parlement over nog geen week te verdagen. Nee, dat woord was te moeilijk voor hen, hij zou het daarom eenvoudig houden. Er heerste een nationale noodtoestand, die was ontstaan doordat de eilandsparlementariërs krankzinnig genoeg geloofden dat ze de tent zelf konden runnen. Hij hief het parlement op omdat het niets te doen had. Niets dat hij, sir Jack Pitman, niet liever zelf deed. En die omhooggevallen raadsleden mochten wat hem betrof de eerste boot naar Dieppe nemen. Tenzij ze hun recente kortstondige werkervaring te nutte wilden maken. Het Project hield nog steeds audities voor de Lagerhuisbelevenis. Baantjes voor de voorste bankjes waren al vergeven, maar ze zochten nog zwijgende backbenchers die kans zagen een eenvoudig choreografietje onder de knie te krijgen: op een teken van de voorzitter opstaan, quasi geagiteerd zwaaien met de agenda en vervolgens weer neerzijgen op het groene leer. Ze zouden ook allerlei nonverbale maar begrijpelijke geluiden moeten kunnen uitstoten: verachtelijk blaffen, kruiperig kreunen, fanatiek mopperen en onoprecht lachen waren de belangrijkste categorieën. Dat moesten ze toch wel kunnen, leek hem.

Sir Jack nam nog meer drank tot zich. Hij pleegde nog meer telefoontjes. Hij werd nog meer geprezen. Die nacht om twee uur ontbood hij Martha Cochrane en zei dat ze haar knuffelbeer, die slome aantekeningenmaker, moest meenemen voor het geval er een sprankelende droom in hem opwelde. Eigenlijk had hij best neukbeer kunnen zeggen, want eersteklas armagnac maakte de tong nu eenmaal los. Hoe dan ook, ze was zo te zien niet blij dat ze van wat voor bezigheden dan ook was weggeroepen. Wat de jonge Paul betrof, die werd ontzettend chagrijnig zodra Jack een licht schunnige toespeling had gemaakt op... O, ze konden de pot op, de pot op. Wat iemand uitspookte interesseerde hem geen fluit, hij wilde gewoon mensen om zich heen hebben die wisten te geníéten. Hij had niks aan brutale neezeggers zoals dit tweetal, dat met wrokkig opeengeklemde lippen van hun armagnac nipte. Zeker niet op een dag als vandaag. Sir Jack was al aardig op dreef met zijn hoogdravende betoog toen hij spontaan besloot hen in zijn herstructureringsplannen op te nemen.

'Waar het bij veranderingen om draait, is dat niemand ze ziet aankomen. Westminster heeft dat net ontdekt, en het zogenaamde eilandsparlement komt er binnenkort nog wel achter. Als je niet één sprong voorblijft, loop je twee stappen achter. De meeste mensen moeten looppas op de plaats maken om me te kunnen bijhouden als ik slaap. Neem jullie tweeën nou.' Hij zweeg even. Ja, nu waren ze een en al oor. Hij liet zijn zoeklichtblik over hen schijnen. Net wat hij dacht: zij staarde brutaal terug, hij deed alsof hij iets zocht tussen de zitting en de zijleuning van zijn stoel. 'Toen jullie eenmaal op fluweel zaten bij sir Jack, dachten jullie zeker dat jullie tot aan je pensioen op je kont kon blijven zitten. Nou, dan heb ik een grote verrassing voor jullie in petto... miesmuizers die jullie zijn. Nu het Project op poten staat en goed loopt, kan ik een stelletje zeurkousen en klagers die de zaak proberen te verzieken missen als kiespijn. Bij deze heb ik dan ook de eer jullie mede te delen dat jullie de eerste twee werknemers zijn die ik ga ontslaan. Heb ontslagen. Reeds. Op staande voet. Jullie kunnen jezelf als ontslagen beschouwen. Sterker nog, op grond van de arbeidswet die ik mijn armzalige eilandsparlementje al dan niet zal laten aannemen, en trouwens evenmin op grond van nieuwe contracten die met terugwerkende kracht gelden, daar wordt al aan gewerkt, komt er voor jullie geen afvloeiingsregeling. Jullie zijn ontslagen, verdomme, allebei, en als jullie je spullen niet hebben gepakt voordat straks de eerste veerboot vertrekt, mik ik al jullie rotzooi eigenhandig in de haven.'

Martha Cochrane keek heel even naar Paul, die knikte. 'Tja, sir Jack, u biedt ons kennelijk geen alternatief.'

'Nee, verdomme, en ik zal jullie vertellen waarom niet.' Hij verhief zich in zijn volle romboïdale omvang, nam slurpend nog een slok, wees van de een naar de ander, en daarna, hetzij als climax, hetzij als bij ingeving, op zichzelf. 'Omdat, om de zaak eenvoudig te stellen, omdat in mij, heb ik altijd het gevoel, een wezenlijke eenvoud schuilt, omdat ik een genie ben. Zo zit dat.'

Hij stak zijn hand uit naar het barokke schellekoord, klaar om dat kritische kreng en haar suffe knuffeltje te lozen, toen Martha Cochrane de twee woorden uitsprak die hij het allerlaatst had verwacht te horen.

'Tante May.'

'Wat zeg je?'

'Tante May,' herhaalde ze. En daarna, opkijkend naar zijn wankelende gestalte: 'Tiet-tiet. Lui-lui. Bah.'

DRIE

EEN TOERISTENMEKKA GEVAT IN EEN ZILVEREN ZEE

Twee jaar geleden heeft een voortvarende recreatieorganisatie voor de zuidkust van Engeland een nieuw project gelanceerd. Het is algauw een van de meest gewilde bestemmingen geworden van vakantiegangers uit het betere marktsegment. Onze redacteur Kathleen Su *onderzoekt of de nieuwe eilandstaat wellicht model zal staan voor meer dan alleen de vrijetijdsindustrie.*

Het is een klassieke lentedag bij Buckingham Palace. Hoog aan de hemel drijven schapenwolkjes, William Wordsworth's narcissen deinen op de wind, en gardesoldaten met de traditionele 'kolbak' (berenmuts) op staan voor hun wachthuisjes in de houding. Drommen mensen drukken hun neus nieuwsgierig tegen het hek om een glimp van de Britse koninklijke familie op te vangen.

Klokslag elf uur gaan de hoge balkondeuren open. De immer populaire koning en koningin komen glimlachend en zwaaiend naar buiten. Een salvo van tien saluutschoten doorklieft de lucht. De gardesoldaten presenteren het geweer, en fototoestellen klikken als ouderwetse tourniquets. Een kwartier later, om 11:15 precies, gaan de hoge deuren weer dicht, tot de volgende dag.

Echter, schijn bedriegt. De drommen mensen en de camera's zijn echt; de wolkjes ook. Maar de gardesoldaten zijn acteurs, Buckingham Palace is een replica op halve grootte, en de saluutschoten worden elektronisch geproduceerd. Het gerucht gaat dat ook de koning en koningin niet echt zijn en dat ze van dit dagelijkse ritueel zijn verschoond op grond van het contract dat ze twee jaar geleden met de Pitco-groep van sir Jack Pitman hebben afgesloten. Insiders bevestigen dat in het koninklijk contract inderdaad een ontsnappingsclausule is opgenomen, maar dat hunne koninklijke hoogheden blij zijn met het contante honorarium dat elk balkonoptreden oplevert.

Het is show, maar het is ook big business. Mét de eerste bezoekers (zoals toeristen in deze contreien worden genoemd) kwamen de Wereldbank en het IMF. De goedkeuring van deze instellingen – in combinatie met de enthousiaste steun van de Portland Derde Millennium Denktank – betekent dat deze baanbrekende onderneming de komende jaren en decennia waarschijnlijk alom navolging zal vinden. Sir Jack Pitman – het Eiland was zijn geesteskind – houdt zich tegenwoordig op de achtergrond, hoewel hij de gang van zaken scherp in de gaten blijft houden vanuit zijn verheven post van gouverneur, een historische titel die eeuwen teruggaat. Naar buiten toe wordt Pitman House op het ogenblik vertegenwoordigd door algemeen directeur Martha Cochrane. Mevrouw Cochrane, een capabele veertigster met een uitmuntend stel hersens, een scherpzinnige geest en een collectie designer mantelpakjes, heeft tegenover *The Wall Street Journal* verklaard dat een van de problematische aspecten van het toerisme altijd was dat vijfsterrenbezienswaardigheden zelden of nooit binnen bereikbare afstand van elkaar lagen. 'Weet u nog hoe frustrerend het was om u van A naar B naar Z te slepen? Weet u nog van die bumper aan bumper rijdende touringcars?' Het zal bezoekers uit de Verenigde Staten die naar de grote trekpleisters in Europa komen bekend in de oren klinken: gebrekkige infrastructuur, inefficiënte verwerking van de toeristenstroom, onhandige openingstijden – allemaal dingen waar de reiziger niet op zit te wachten. Hier zijn de prentbriefkaarten zelfs alvast van een postzegel voorzien.

In een grijs verleden heette dit eiland Wight, maar de huidige bewoners geven de voorkeur aan een eenvoudiger en gedistingeerder aanduiding: ze hebben het over Het Eiland. Het officiële adres sinds de onafhankelijkheidsverklaring van twee jaar geleden is kenmerkend voor de kwajongensachtige, vrijbuiterige stijl van sir Jack Pitman. Hij gaf het de naam Engeland, Engeland. Hét moment om een lied in te zetten.

Mede door zijn originele staaltje lateraal denken is in één gebied van ruim tweehonderd vierkante kilometer alles bijeengebracht wat de bezoeker zou willen zien van wat we vroeger als Engeland beschouwden. In dit jachtige tijdsgewricht lijkt het immers zinnig om op een en dezelfde ochtend Stonehenge en de cottage van Anne Hathaway te kunnen bezichtigen, tussen twaalf en twee een 'ploughman's lunch' te nuttigen op de krijtrotsen van Dover, om vervolgens de middag ontspannen door te brengen in warenhuis Harrods in de Tower (beefeaters duwen het winkelwagentje voor je!). Wat het vervoer tussen de bezienswaardigheden betreft: die benzine slurpende touringcars hebben het veld moeten ruimen voor de milieuvriendelijke ponywagen. Mocht het regenachtig worden, dan kun je ook zo'n beroemde zwarte Londense taxi nemen, of zelfs een grote rode dubbeldekker. Beide lopen op zonne-energie en belasten het milieu dus niet.

Het is aardig om even in herinnering te roepen dat dit geweldige succesverhaal onder stormen van kritiek van start is gegaan. Er is geprotesteerd tegen de vrijwel volledige vernietiging van Wight, zoals sommigen het noemden. Die reactie was duidelijk overtrokken. Belangrijke bouwwerken die op de monumentenlijst stonden zijn gespaard gebleven, evenals grote stukken kust en delen van het centrale heuvelland. Maar het huizenbestand – door professor Ivan Fairchild, hoogleraar aan de universiteit van Sussex en prominent tegenstander van het project, omschreven als 'popperige bungalows uit het interbellum en de jaren vijftig, waarvan het gebrek aan karakteristieke architectonische verdienste werd goedgemaakt door de bijzondere authenticiteit en de tijdgebonden inrichting' – is voor bijna honderd procent met de grond gelijkgemaakt.

Toch kun je ze nog wel gaan bekijken, als je dat wilt. In Bungalow Valley kunnen bezoekers ronddwalen in een perfect herbouwd straatje met cottages die karakteristiek zijn voor de pre-Eilandperiode. Daar vind je voortuintjes waar de rotspartijen overlopen van de aubretia en hele gezinnen van gipsen kabouters zich verzamelen. Een pad met fantasiebestrating (gerecyclede betontegels) leidt naar een voordeur met gefigureerd glas. Met het ding-dong van de bel nog nagalmend in je oren loop je door naar een woongedeelte waar opzichtige vloerbedekking ligt. Er zijn vliegende eenden op gestreept behang, strak vormgegeven bankstellen en openslaande deuren die uitkomen op een terrasje met fantasiebestrating. Hier heb je opnieuw uitzicht op aubretia, hangmandjes, kabouters en antieke schotelantennes. Het is allemaal best schattig, maar je moet het niet te veel zien. Professor Fairchild stelt dat Bungalow Valley niet zozeer een hercreatie is, als wel een zichzelf rechtvaardigende parodie; maar hij geeft toe dat het om een verloren zaak gaat.

De tweede reden voor klachten was dat het Eiland zich vooral richt op mensen met een dikke portemonnee. Hoewel reis en verblijf vooruitbetaald zijn, controleren immigratiebeambten de bezoekers niet op eventuele onregelmatigheden in hun paspoort of vaccinatiebewijs, maar op kredietwaardigheid. Reisorganisaties hebben de raad gekregen vakantiegangers erop te wijzen dat ze met het eerste het beste vliegtuig worden teruggestuurd als de informatie over hun financiële draagkracht de autoriteiten op het Eiland niet bevalt. Zijn er geen vliegtuigstoelen beschikbaar, dan worden onwelkome bezoekers op de eerstvolgende veerboot naar Dieppe, in Frankrijk, gezet.

Dit onmiskenbare elitairisme wordt door Martha Cochrane verdedigd als 'verstandig beheer' zonder meer. Ze verklaart zich nader: 'Een vakantie hier lijkt misschien duur, maar je maakt zoiets maar één keer in je leven mee. Bovendien, als je bij ons bent geweest, hoef je het oude Engeland niet meer te gaan bekijken. En ons kostenplaatje toont aan dat als je zou proberen om de "originele" bezienswaardigheden af te reizen, je daar dan wel drie, vier keer zo lang over zou doen. Met onze hogere prijzen ben je dus uiteindelijk goedkoper uit.'

Haar stem krijgt een laatdunkende klank als ze het woord 'originele' uitspreekt. Ze verwijst daarmee naar het derde belangrijke punt van kritiek op het project, een bezwaar waarover aanvankelijk veel werd gesproken maar dat nu bijna in het vergeetboek is geraakt. Het gaat om de overtuiging dat toeristen de grote trekpleisters bezoeken ten einde niet alleen de ouderdom daarvan te ondergaan, maar ook de uniciteit. Uit gedetailleerde onderzoeken in opdracht van Pitman House is gebleken dat dit helemaal niet klopt. 'Eind vorige eeuw,' zo legt mevrouw Cochrane uit, 'is de beroemde David van Michelangelo van de Piazza della Signoria in Florence verwijderd en vervangen door een kopie. Die kopie bleek bij bezoekers even populair als het "origineel" was geweest. Sterker nog, drieënnegentig procent van de ondervraagden gaf te kennen dat ze er, na het zien van deze volmaakte replica, geen behoefte meer aan hadden het "origineel" in een museum te gaan bekijken.'

Pitman House heeft uit deze onderzoeken twee conclusies getrokken. Ten eerste, toeristen waren tot dan toe in drommen naar 'originele' bezienswaardigheden gekomen omdat ze domweg geen keus hadden. Als je in vroeger tijden de Westminster Abbey wilde bezichtigen, moest je naar de Westminster Abbey toe. Ten tweede, en dat houdt daar zijdelings verband mee, een groot deel van de toeristen zou, als ze de keus kregen tussen een lastig te bereiken 'origineel' en een gemakkelijk te bereiken replica, voor het laatste kiezen. 'Bovendien,' voegt mevrouw Cochrane daar met een wrang glimlachje aan toe, 'vindt u het ook niet democratisch en maakt het de mensen niet mondiger als je ze een ruimere keuze biedt, of het nu om de samenstelling van hun ontbijt gaat of om historische bezienswaardigheden? Wij volgen gewoon de logica van de markt.'

Het project had zijn bestaansrecht niet op spectaculairder wijze kunnen bewijzen. Beide luchthavens – Tennyson Een en Tennyson Twee – naderen het plafond van hun capaciteit. Het aantal verwerkte bezoekers heeft de meest optimistische verwachtingen overtroffen. Het Eiland zelf zit tjokvol, maar alles loopt op rolletjes. Er is altijd wel een vriendelijke 'bobby' (politieagent) of 'beefeater' (hellebaardier van de Tower) aan wie men de weg kan vragen, terwijl alle 'cabby's' (taxichauffeurs) minstens één belangrijke toeristentaal beheersen. De meesten spreken ook Engels!

Maisie Bransford, uit Franklin in Tennessee, die met haar gezin vakantie houdt, vertelde deze krant: 'We hadden gehoord dat Engeland nogal duf en ouderwets was, en vreselijk achterliep bij de nieuwe trends. Maar we wisten níét wat we zagen. Het is hier net als thuis.' Paul Harrison – hij is eerste adviseur van Martha Cochrane en gaat over de dagelijkse strategie – verklaart: 'Wij laten ons hier leiden door twee principes. Nummer één, keuzemogelijkheden voor de cliënt. Nummer twee, het voorkomen van schuldgevoelens. We proberen de mensen nooit het gevoel te geven dat ze móéten genieten, dat ze zich menen te vermaken terwijl dat niet het geval is. We zeggen gewoon: als deze topattracties u niet bevallen, hebben we er nog meer.'

Een goed voorbeeld van de ruime keuzemogelijkheden voor de cliënt is de manier waarop je je geld uitgeeft – letterlijk. Mevrouw Cochrane wijst erop dat Pitman House met gemak elk besef van geld-uit-de-zak-klopperij had kunnen wegnemen, hetzij door all-invakanties aan te bieden, hetzij door het rechtstreeks belasten van de eindnota. Onderzoek heeft echter uitgewezen dat het merendeel van de vakantiegangers het leuk vindt om geld te spenderen, en, even belangrijk, dat anderen hen dat zien doen. Voor de aan plastic geld verslaafden is er dan ook een Eilandpas, ruitvorming in plaats van langwerpig, waarmee je hetzelfde maximum kunt opnemen als van je creditcard thuis.

Voor fiscaal avontuurlijke bezoekers is er echter ook nog het echte Oud-Engelse muntstelsel, dat altijd zoveel hoofdbrekens kostte. Daarbij staan je zakken bol van een gevarieerde collectie koperen en zilveren munten: farthings, ha'penny's, penny's, groats, tanners, shillings, florins, half-crowns, crowns, sovereigns en guinea's. Natuurlijk bestaat de mogelijkheid om *shove-ha'penny* (een soort sjoelbakken), het spel dat van oudsher in Engelse kroegen werd gespeeld, met een plastic schijfje te spelen, maar hoeveel prettiger is het om het gewicht van een glimmend koperen munt tegen je duim te voelen. Gokkers van Las Vegas tot aan Atlantic City weten hoe een zilveren dollar op de hand weegt. Hier in het Eilandcasino kun je spelen met een fluwelen beurs vol Angels, elk zeven shilling en sixpence waard, en elk voorzien van een afbeelding van Sint-Michaël die de draak verslaat.

En tegen welke draken hebben sir Jack Pitman en zijn team het op het Eiland moeten opnemen? Als we het Eiland niet alleen als recreatieoord bekijken, waarvan het succes verzekerd lijkt, maar als de miniatuurstaat die het in feite al twee jaar is, welke lering valt daar voor ons buitenstaanders dan wellicht uit trekken?

Om te beginnen bestaat er volledige werkgelegenheid, zodat belastende bijstandsvoorzieningen overbodig zijn. Radicale tegenstanders beweren ook nu nog dat dit wenselijke doel met onwenselijke middelen is bereikt, toen Pitco de bejaarden, langdurig zieken en uitkeringstrekkers naar het grote eiland afvoerde. Maar je zult de Eilanders niet horen klagen, net zomin als ze erover klaagden dat misdaad niet voorkomt, waardoor er geen behoefte bestaat aan politie, reclasseringsambtenaren en gevangenissen. Het stelsel van openbare gezondheidszorg, eens populair in het oude Engeland, is vervangen door het Amerikaanse model. Iedereen, bezoeker of bewoner, is hier verplicht verzekerd, en de luchtverbinding met de Pitman-vleugel van het ziekenhuis in Dieppe zorgt voor de rest.

Richard Poborsky, analist bij de Zwitserse nationale bank, verklaarde tegenover *The Wall Street Journal*: 'Ik vind dit een zeer spannende ontwikkeling. Het is een zuivere marktstaat. Overheidsbemoeienis ontbreekt, want er ís geen overheid. Er is dan ook geen buitenlands of binnenlands beleid, alleen economisch beleid. Het is een zuivere wisselwerking tussen kopers en verkopers, zonder dat de markt wordt verstoord door een centrale overheid met zijn complexe bijbedoelingen en verkiezingsbeloftes.

De mensen zijn al eeuwen op zoek naar nieuwe levenswijzen. Kunt u zich de vele hippiecommunes nog herinneren? Die liepen altijd op niets uit, en waarom? Omdat ze van twee dingen geen verstand hadden: van de menselijke natuur en van marktwerking. Op het Eiland wordt juist erkend dat de mens een marktgestuurd dier is, dat hij zich op de markt thuisvoelt als een vis in het water. Ik waag me niet aan voorspellingen, maar laten we het erop houden dat ik meen de toekomst gezien te hebben, en volgens mij werkt het goed.'

Maar hiermee lopen we op de zaken vooruit. De Eilandbelevenis, zo wordt er op de reclameborden beweerd, is alles wat je je van Engeland had voorgesteld, maar dan gerieflijker, schoner, vriendelijker en doelmatiger. Sommige monumenten zijn niet wat traditionalisten authentiek zouden noemen, zo vrezen archeologen en geschiedkundigen. Maar zoals onderzoek door Pitman House bevestigt: de meeste bezoekers zijn hier voor het eerst en hebben een bewuste marktkeuze gedaan tussen het oude Engeland en Engeland, Engeland. Wie ben je liever: de verloren figuur op een winderig trottoir in het vieze oude Londen die de weg niet weet terwijl de rest van de stad langs hem heen raast ('De Tower? Geen idee, mister'), of iemand die wordt behandeld alsof alles om hem draait? Als je op het Eiland op zo'n grote rode bus wilt stappen, zul je merken dat er al twee, drie vrolijk achter elkaar aankomen nog voordat je de juiste muntjes uit je zak hebt kunnen vissen en de conductrice het fluitje aan haar lippen heeft kunnen zetten.

In plaats van het traditionele Engelse kouwe-kikkerwelkom ondervind je hier vriendelijkheid in internationale stijl. En hoe zit het met het traditionele kille weer? Dat is er nog steeds. Er is zelfs een gebied waar het altijd winter is; daar trippelen roodborstjes door de sneeuw en kun je meedoen aan een aloud plaatselijk spel: sneeuwballen gooien naar de helm van een bobby, om vervolgens weg te rennen terwijl hij door de gladheid onderuitgaat. Je kunt ook een gasmasker uit de oorlog opzetten en de beruchte Londense smog beleven. En als het regent, nou, dan regent het. Maar alleen buiten. Immers, wat zou Engeland, 'origineel' of anderszins, zijn zonder regen?

In weerwil van alle demografische veranderingen hier, voelen vele Amerikanen nog steeds verwantschap met en nieuwsgierigheid naar het landje dat door William Shakespeare 'dit kostbaar kleinood gevat in de zilveren zee' is genoemd. Per slot van rekening was dit het land waar de *Mayflower* de zeilen hees (elke donderdagochtend om 10:30 vaste prik: 'De afvaart van de *Mayflower*'). Het Eiland is de aangewezen plek om die nieuwsgierigheid te bevredigen. Uw verslaggever heeft 'het oude Engeland', zoals het steeds vaker wordt aangeduid, verscheidene malen bezocht. Van nu af aan hoeven alleen mensen met een levendige hang naar ongemak of een necrofiele voorkeur voor antiquiteit zich daar nog te wagen. Het beste van alles wat Engeland was, en is, kan veilig en gerieflijk worden beleefd op dit spectaculaire, goed geoutilleerde juweel van een eiland.

Kathleen Su *reisde incognito en uitsluitend en alleen op kosten van* The Wall Street Journal.

Vanuit haar kantoor kon Martha het hele Eiland meebeleven. Ze kon kijken naar het voederen van de Honderd-en-een dalmatiërs, controleren of op de pastorie in Haworth alles vlot verliep en luistervink spelen in het bruine café bij de mannen-ondermekaargesprekken tussen een op een strootje kauwende pummel en een intellectueel uit de Pacific Rim. Ze kon de slag om Engeland, de Last Night of the Proms, het proces tegen Oscar Wilde en de terechtstelling van Karel I volgen. Op een monitor sloeg koning Harold de ogen ten hemel, wat hem fataal werd, op een andere waren chique dames met breedgerande tuinhoed op bezig zaailingen uit te planten en de vlindersoorten op de buddleia's te tellen; op een derde scherm sloegen rouwdouwen gaten in de fairway van de Alfred lord Tennyson-golfbaan. Sommige bezienswaardigheden op het Eiland waren Martha vanuit talloze camerastandpunten zo vertrouwd, dat ze zich niet meer kon herinneren of ze ze ooit wel in het echt had gezien.

Er waren dagen dat ze haar kantoor nauwelijks uit kwam. Maar ja, haar beleid was immers dat haar deur voor iedereen openstond, dus het was haar eigen schuld. Sir Jack zou ongetwijfeld een systeem à la Versailles hebben ingesteld, waarbij hoopvolle petitionarissen zich verzamelden in een antichambre terwijl een Pitmanesk oog hen door een kijkgaatje in het wandtapijt begluurde. Sinds zijn afzetting was sir Jack zelf iemand geworden die bedelde om aandacht. De camera's betrapten hem weleens terwijl hij vanuit zijn landauer radeloos met zijn driekante steek naar verwonderde bezoekers zwaaide. Het had iets zieligs: hij was verschrompeld tot wat hij zou moeten zijn: een stroman zonder werkelijke macht. Uit een mengeling van mededogen en cynisme had Martha zijn armagnacrantsoen verhoogd.

Ze zag dat ze om 10:15 uur een afspraak had met Nell Gwynn. Dat was een naam van lang geleden. Wat leken die discussies tijdens de conceptontwikkeling nu ver weg. Dr. Max had die dag zitten stoken, maar zijn tussenkomst had waarschijnlijk op alle fronten problemen voorkomen. Na diverse rapporten had Nell haar plaats in de Engelse geschiedenis uiteindelijk mogen behouden, maar het feit dat ze Jeffs Top Vijftig Wezenskenmerken niet had gehaald, had het afslanken van haar mythe gewettigd.

Tegenwoordig was ze een lief meisje zonder ambities, dat op een paar honderd meter van het paleishek een vruchtensapstalletje beheerde. Toch was haar wezen, net als haar sap, ingedikt en bleef ze een versie van wat ze eens was geweest, of in elk geval van wat ze volgens de bezoekers – zelfs degenen die kranten voor het hele gezin lazen – was geweest. Ravenzwart haar, sprankelende ogen, een bepaald model witte blouse met ruches, lippenstift, gouden sieraden en levendigheid: een Engelse Carmen. Vanmorgen zat ze echter ingetogen tegenover Martha, met haar blouse tot haar kin dichtgeknoopt en een uitdrukking op haar gezicht die niet bij haar paste.

'Nell 2 past op de sapwinkel?' informeerde Martha gewoontegetrouw.

'Nell 2 was nie' lekker,' antwoordde Nell, die haar aangeleerde spraakje in elk geval nog niet had afgelegd. 'Connie heb 't overgenome.'

'Cónnie? Jezus... Hoe kóm je...' Martha belde de directiekamer. 'Paul, kun jij even iets regelen? Connie Chatterley staat in Nells Sapstal. Ja, dat moet je mij niet vragen, ik weet het. Precies. Kun jij bij Rekwisieten meteen even een Nell 3 organiseren? Geen idee voor hoelang. Bedankt. Da-ag.'

Ze wendde zich weer tot Nell 1. 'Je kent de regels toch? Die zijn glashelder. Als Nell 2 ziek is, ga je regelrecht naar Rekwisieten.'

'Sorry, mevrouw Cochrane, alleen, nou ja, ik voel me de laatste tijd niet honderd procent. Nee, dat is het niet, ik zit in een lastig parket.' Nell was Nell niet meer, en Martha zag op het scherm voor zich bevestigd dat het meisje in werkelijkheid een dubbele achternaam had en in Zwitserland op een *finishing-school* had gezeten.

Martha wachtte even, en drong toen aan: 'Een lastig parket, hoezo?'

'O, eigenlijk klap ik uit de school. Maar het begint uit de hand te lopen. Ik dacht dat ik erom kon lachen, begrijpt u wel, dat ik het als een grapje kon afdoen, maar het spijt me...' Ze had haar rug en schouders gerecht. Er was geen spoortje Nell meer in haar te bekennen. 'Ik moet een officiële klacht indienen. Dat vindt Connie ook.'

Waar Nell Gwynn en Connie Chatterley het over eens waren, was dat de huidige uitbaatster van Nells Sapstal van geen enkele man schunnig gedrag en ongewenste intimiteiten hoefde te pikken, zelfs niet al was hij de koning van Engeland. En in het onderhavige geval was hij dat toevallig. In het begin was hij aardig geweest en had hij gevraagd of ze hem Kingeding wilde noemen, al had ze daar niets voor gevoeld. Maar daarna waren er opmerkingen gemaakt, haar verlovingsring was genegeerd en haar handel was op dubbelzinnige wijze betast. De laatste tijd viel hij haar lastig in het bijzijn van klanten, die erom moesten lachen alsof het allemaal bij de voorstelling hoorde. Het was geen doen meer.

Martha gaf Nell de rest van de dag vrij en verzocht de koning om om 15:00 uur op haar kantoor te zijn. Ze had zijn programma gecheckt: 's morgens alleen een toernooi op Tennyson Down, daarna niets meer tot het uitreiken van onderscheidingen aan helden van de slag om Engeland om 16:15. Niettemin keek de koning chagrijnig toen hij kwam opdraven. Hij was nog steeds niet gewend aan het idee dat hij op het hoofdkantoor van het Eiland kon worden ontboden. Aanvankelijk had hij het geprobeerd met op zijn troon blijven zitten in de hoop dat Martha wel naar hem toe zou komen. Maar de enige die bij hem kwam was plaatsvervangend gouverneur sir Percy Nutting, lid van de Queen's Counsel en oud-parlementslid, die historische kruiperigheid paarde aan meewarig vasthouden aan 's konings duidelijke verplichtingen op grond van de thans vigerende contractwet en uitvoerende macht op het Eiland. Martha had hem al verscheidene malen bij zich laten komen en wist dat ze een geagiteerde, klagerige figuur tegenover zich kon verwachten.

'Wat heb ik nú weer misdaan?' vroeg hij, als een kind dat voor een reprimande komt.

'Helaas is er een officiële klacht tegen u ingediend. Hoogheid.' Martha voegde de titel toe, niet uit eerbied maar om hem aan de verplichtingen van het koningschap te herinneren.

'Door wie nu weer?'

'Nell Gwynn.'

'Nell?' zei de koning. 'Nee maar, here-me-tijd, krijgen we het niet opeens een beetje hoog in ons bol?'

'U erkent dus dat de klacht gegrond is?'

'Mevrouw Cochrane, als een man niet eens meer een paar grapjes over marmelade mag maken...'

'Het ging wel iets verder.'

'O, goed dan, ik heb inderdaad gezegd...' De koning keek Martha aan met een kwartlachje dat uitnodigde tot medeplichtigheid. 'Ik heb inderdaad gezegd dat ze mijn clementines mocht uitpersen wanneer ze maar wilde.'

'En van welke scenarioschrijver hebt u die?'

'Wat een brutaliteit, mevrouw Cochrane. Dat had ik allemaal zelf bedacht.' Hij zei het met onmiskenbare trots.

'Dat zal ik dan maar geloven. Ik ben er alleen nog niet achter of dat het er beter of erger op maakt. En waren de onwelvoeglijke gebaren ook spontaan?'

'De wát?' Martha's blik was zo streng dat hij het hoofd liet hangen. 'Ach nou ja, u begrijpt, het was maar een grapje. Over moraalridders gesproken. U bent al net zo erg als Denise. Er zijn momenten dat ik wou dat ik weer daarginds zat. Toen ik nog écht koning was.'

'Het is geen kwestie van moraal,' zei Martha.

'O nee?' Misschien was er nog hoop. Hij had altijd moeite met dat woord en wat er eigenlijk onder werd verstaan.

'Nee, in mijn optiek is het zuiver een contractuele kwestie. Ongewenste intimiteiten vallen onder contractbreuk. Hetzelfde geldt voor gedrag dat het Eiland een slechte naam zou kunnen bezorgen.'

'O, u bedoelt normáál gedrag.'

'Hoogheid, ik moet u namens de directie gelasten geen relatie met mevrouw Gwynn aan te gaan. Haar achtergrond... is in zekere zin nogal controversieel.'

'God nog an toe, u gaat me toch niet vertellen dat ze de sief heeft?'

'Nee, maar we hebben liever niet dat men te diep in haar geschiedenis duikt. Sommige cliënten ontbreekt het misschien aan begrip. U dient met haar om te gaan alsof ze, laten we zeggen, een jaar of vijftien is.'

De koning keek strijdlustig op. 'Vijftien? Als dat grietje niet al lang meerderjarig is, dan ben ík de koningin van Sheba.'

'Ja,' zei Martha. 'Zo staat het in haar geboortebewijs. Laten we het erop houden dat Nell op het Eiland, op het *Eiland*, vijftien is. Net zo goed als u op het Eiland... de koning bent.'

'Wel verdomme, ik bén de koning!' riep hij uit. 'Altijd en overal.'

Alleen zolang u zich weet te gedragen, dacht Martha. U bent koning op grond van een contract en onze toestemming. Als u een directiebesluit naast u neerlegt en wij u morgenochtend op de boot naar Dieppe zetten, betwijfel ik of er een gewapende opstand zal uitbreken. Een organisatorische kink in de kabel, meer niet. Altijd zat er ergens wel iemand die de troon ambieerde. En als de monarchie pretenties kreeg, konden ze Oliver Cromwell er altijd nog voor een poosje bij halen. Waarom eigenlijk niet?

'De kwestie is, mevrouw Cochrane,' zei de koning klaaglijk, 'dat ik haar echt graag mag. Nell. Ik merk aan alles dat ze meer is dan een sapverkoopstertje. Als ze me beter leerde kennen, zou het beslist klikken tussen ons. Ik zou haar fatsoenlijk kunnen leren spreken. Alleen,' hij sloeg zijn ogen neer en draaide zijn zegelring om en om, 'alleen zijn we kennelijk verkeerd begonnen.'

'Hoogheid,' zei Martha op mildere toon, 'er zijn andere vrouwen te over om "echt graag te mogen". Van de juiste leeftijd.'

'O wie dan wel?'

'Dat weet ik niet.'

'Nee, dat weet u niet. Niemand weet hoe moeilijk het is om in mijn schoenen te staan. Iedereen staart aldoor maar naar je, en je mag niet eens terugkijken zonder dat je voor deze... arbeidsrechtbank wordt gesleept.'

'Nou, Connie Chatterley bijvoorbeeld.'

'Connie Chatterley?' De koning was een en al ongeloof. 'Die doet het met boerenkinkels.'

'Lady Godiva?'

'Al gehad, al gedaan,' zei de koning.

'Ik had het niet over Godiva 1. Ik bedoelde Godiva 2. Heb ik u niet bij die auditie gezien?'

'Godiva 2?' Het gezicht van de koning klaarde op, en Martha zag even de 'legendarische charme' waar *The Times of London* het strijk en zet over had. 'Weet u, u bent een echte kameraad, mevrouw Cochrane. Niet dat Denise geen goede kameraad is,' zei hij er gauw bij. 'Ze is mijn beste kameraad. Maar niet altijd even begripvol, als u begrijpt wat ik bedoel. Godiva 2? Ja. Ik weet nog dat ik dacht: kijk, dat zou nu eens een prima vrouwtje voor Kingeding wezen. 'k Zal haar eens een belletje geven. Vragen of ze mee gaat een cappuccino drinken. U weet niet toevallig...'

'Biggin Hill,' zei Martha.

'Hè?'

'Eerst naar Biggin Hill. Helden medailles opspelden.'

'Hebben die helden nou nog niet genoeg medailles? Kunt u het Denise niet laten doen vandaag?' Hij keek Martha smekend aan. 'Ach nee, dat zal wel niet gaan. Het staat in mijn contract, hè? Dat stomme contract staat vol met stomme dingen. Maar goed. Godiva 2. U bent een bovenste beste, mevrouw Cochrane.'

De koning vertrok even monter als hij chagrijnig was gearriveerd. Martha Cochrane schakelde een van de monitors op RAF Biggin Hill. Alles oogde normaal: bezoekers stonden in groepjes bij het kleine squadron Hurricanes en Spitfires, anderen stoeiden wat met gevechtssimulators of slenterden door de nissenhutten langs de startbaan. Daar konden ze kijken naar in schapenleren vliegeniersjacks gestoken helden die hun handen warmden boven petroleumkacheltjes, een kaartje legden en wachtten tot de dansmuziek op de koffergrammofoon werd onderbroken door het bevel om op te stijgen. Ze mochten de helden vragen stellen en kregen dan gedateerde, authentiek kortaffe antwoorden. Koud kunstje. Knudde. De mof heeft zich met z'n eigen bom opgeblazen. Vervelen ons stierlijk. Mondje dicht. Daarna hervatten de helden hun spel, en terwijl ze de kaarten schudden, coupeerden en deelden, konden de bezoekers nog eens napeinzen over de grotere gevaren in het leven van zulke mannen: nu eens speelde het lot je de joker toe, dan weer de strenge schoppenvrouw. De medailles die de koning straks zou uitreiken hadden ze dubbel en dwars verdiend.

Martha riep haar secretaresse op. 'Vicky, als BH het telefoonnummer van Godiva 2 opvraagt, mag je het doorgeven. Godiva 2, niet Godiva 1. Bedankt.'

Vicky. Dat was weer eens iets anders dan de stoet Susies van sir Jack. Toen Martha algemeen directeur werd, was een van haar eerste maatregelen geweest dat de secretaresse met haar echte naam moest worden aangesproken. Verder had ze de dubbelgrote werkkamer opgedeeld in een cappuccinobar en een mannentoilet. De meubels van de gouverneur – althans het meubilair dat werd beschouwd als eigendom van het bedrijf en niet van hem – waren her en der terechtgekomen. Over de Brancusi was onenigheid geweest. Het hof had geopteerd voor de Beierse haarden, die nu in de recreatiezaal dienst deden als goals voor indoorhockey.

Martha had het ondersteuningsteam van de gouverneur ingekrompen, zijn vervoermiddelen teruggebracht tot één landauer en hem in passender accommodatie ondergebracht. Paul had geprotesteerd dat sommige van haar maatregelen – bijvoorbeeld dat sir Jacks nieuwe secretaresse een man moest zijn – domweg wraakzuchtig waren. Er was ruzie gemaakt. Sir Jacks bokkigheid was Victorachtig geweest, zijn boosheid theatraal, zijn telefoonrekening wagneriaans. Martha had geweigerd hem te paraferen. Ook had ze sir Jack toestemming geweigerd om interviews te geven, zelfs aan de kranten waarvan hij nog eigenaar was. Hij mocht zijn uniform en zijn titel houden en bepaalde rituelen blijven vervullen. Dat was volgens haar genoeg.

Mede door het geharrewar over sir Jacks rechten en voorrechten – of isolement en vernedering zoals hij het liever noemde – was onopgemerkt gebleven dat Martha's benoeming tot algemeen directeur in feite weinig verandering had gebracht. Het vervangen van een ziekelijk egocentrische autocratie door een oligarchie die enigszins op zijn verantwoordelijkheden kon worden aangesproken, was noodweer geweest; het Project zelf had er evenwel nauwelijks onder geleden. De financiële constructies waren het werk van een deskundige die bretels van Z.M. ministerie van Financiën droeg, terwijl er aan de afdelingen Conceptontwikkeling en Bezoekersdoelgroepen nauwelijks iets was gewijzigd. De onverstoorbare Jeff en de sprankelende Mark waren op hun post gebleven. Het voornaamste verschil tussen de vorige en de huidige algemeen directeur was dat sir Jack Pitman heilig in zijn product geloofde, terwijl Martha Cochrane dat in haar hart niet deed.

'Maar ach, als een omkoopbare paus het Vaticaan kan runnen...' Dat was er zomaar uitgerold, aan het eind van een vermoeiende dag. Paul had haar met gloeiende ogen aangekeken. Hij moest niets hebben van luchthartige uitspraken over het Eiland.

'Dat vind ik een domme vergelijking. Trouwens, volgens mij zou het Vaticaan door een corrupte paus niet beter gerund worden. Integendeel.'

Martha had inwendig een zucht geslaakt. 'Je zult wel gelijk hebben.' Eens hadden ze onder één hoedje gespeeld tegen sir Jack, wat een hechte band tussen hen had moeten smeden. Het scheen de tegenovergestelde uitwerking te hebben gehad. Geloofde Paul oprecht in Engeland, Engeland? Of duidde zijn loyaliteit op sporen van schuldgevoel?

'Ik bedoel, we zouden dat vriendje van je, dr. Max, erbij kunnen halen, die heeft toch niet genoeg te doen, en hem vragen of grote politieke en godsdienstige organisaties volgens hem het best kunnen worden bestierd door idealisten, cynici of nuchtere praktische lieden. Ik weet zeker dat hij daar omstandig zijn mening over zou geven.'

'Laat maar. Je hebt gelijk. We bestieren hier de katholieke Kerk niet.'

'Dat is volmaakt duidelijk.'

Ze ergerde zich mateloos aan zijn toon, die haar arrogant en zelfingenomen voorkwam. 'Hoor eens, Paul, dit leidt nu al tot ruzie, en ik snap niet waarom. Dat snap ik tegenwoordig wel vaker niet. Maar als we het toch over cynisme hebben, stel jezelf dan eens de vraag hoe ver sir Jack het zou hebben geschopt als hij niet behoorlijk cynisch was geweest.'

'Dat is ook cynisch.'

'Dan geef ik het op.'

In haar kantoor gezeten dacht ze nu: in één opzicht heeft Paul gelijk. Ik beschouw het Eiland als niet meer dan een aanvaardbaar, goed gepland middel om geld te verdienen. Toch leid ik de zaak waarschijnlijk net zo goed als Pitman zou hebben gedaan. Heeft Paul het daar soms moeilijk mee?

Ze liep naar het raam en keek uit over het eersteklasuitzicht dat eens van sir Jack was geweest. Onder haar, in een met keien geplaveid en door vakwerkhuizen overhuifd straatje, wendden bezoekers zich af van onderdanige marskramers en venters om te kijken naar een schaapherder die zijn kudde naar de markt dreef. Halverwege de horizon weerkaatste de zon in de zonnepanelen van een dubbeldekker die geparkeerd stond bij de vijver ter nagedachtenis aan het huwelijk van de Stacpooles; op de dorpsbrink erachter was een cricketwedstrijd aan de gang: een van de spelers rende net naar voren om te werpen. Daarboven, in het enige gedeelte van haar uitzicht dat geen eigendom was van Pitco, zwenkte een jet van Islandair weg om de helft van zijn betalende passagiers een laatste blik op Tennyson Down te gunnen.

Martha wendde met gefronste wenkbrauwen en ietwat gespannen kaken af. Hoe kwam het dat alles op z'n kop stond? Ze kon het Project tot een succes maken, ook al geloofde ze er niet in; aan het eind van de werkdag ging ze dan met Paul naar huis, naar iets waarin ze wel geloofde, of wilde of trachtte te geloven, maar dat ze kennelijk níét tot een succes kon maken. Daar was ze aanwezig, alleen, zonder dekking, zonder afstandelijkheid, ironie en cynisme, daar was ze aanwezig, alleen, in eenvoudig contact, verlangend, onzeker, naar beste weten het geluk zoekend. Waarom kwam het dan niet?

Martha was al maanden van plan dr. Max de laan uit te sturen. Niet vanwege waarneembare contractbreuk; nee, iedere functieanalist zou onder de indruk zijn geweest van de punctualiteit en de positieve instelling van de projecthistoricus. Bovendien was Martha erg op hem gesteld, en ze had al heel lang geleden geleerd door zijn lichtgeraaktheid en ironie heen te kijken. Ze beschouwde hem nu als iemand die bang was voor eenvoud, en die angst ontroerde haar.

Na de heroverweging van de positie van Hood was hij gelukkig alleen uit verontwaardiging zo driftig weggebeend, een daad van verzet die zijn loyaliteit aan het Project zo mogelijk nog had versterkt. Maar juist die loyaliteit was nu een probleem geworden. Dr. Max was in dienst genomen om een bijdrage te leveren aan de ontwikkeling van het concept, maar toen het concept eenmaal ontwikkeld en Pitman House naar het Eiland overgeplaatst was, was hij gewoon meeverhuisd. Gelijktijdig had de Veldmuis zijn column overgeheveld naar *The Times of London* (uitgebracht in Ryde). Niemand scheen het te merken of er bezwaar tegen te maken, zelfs Jeff niet. De geschiedkundige zat derhalve tegenwoordig in een kamer twee verdiepingen lager dan Martha, met uitgebreide onderzoeksmogelijkheden onder het bereik van zijn handen met de gepolijste en soms gelakte nagels. Iedereen, Pitman-medewerker of bezoeker, mocht zijn bureau bellen voor informatie over alle geschiedkundige zaken. Zijn aanwezigheid en functie werden vermeld in het voorlichtingspakketje dat in alle hotelkamers lag. Een cliënt die het goedkoopste weekendje had geboekt en zich verveelde, kon dr. Max aanspreken en met hem in discussie gaan, zo lang als hij wilde, geheel gratis, over de strategie van de Saksen tijdens de slag bij Hastings.

Het probleem was dat niemand dat deed. Op het Eiland was een eigen dynamiek ontstaan: de contacten tussen bezoekers en attracties dienden nauwkeurig op elkaar te worden afgestemd, eerder op pragmatische dan op theoretische gronden, en de rol van de officiële geschiedkundige was daardoor eenvoudigweg... tot de geschiedenis gaan behoren. Dat was althans wat Martha, als algemeen directeur, dr. Max wilde vertellen toen ze hem bij zich ontbood. Hij kwam haar kamer binnen terwijl hij, net als anders, met één oog inschatte uit hoeveel koppen het studiopubliek bestond. Alleen mevrouw Cochrane? Zo zo, een tête-à-tête op hoog niveau dus. Dr. Max' houding was wellevend en opgewekt; het zou slechtgemanierd zijn hem erop te wijzen dat zijn bestaan hachelijk en marginaal was.

'Dr. Max,' begon Martha, 'bent u gelukkig bij ons?'

De projecthistoricus begon zachtjes te lachen, nam een professorale houding aan, klopte een waarschijnlijk niet-bestaand kruimeltje van een van zijn pied-de-poule revers, stak zijn duimen in zijn donderwolkgrijze suède vest en sloeg zijn benen over elkaar op een wijze die een veel langere zit voorspelde dan in Martha's bedoeling lag. Vervolgens deed hij wat maar weinig andere Pitco-medewerkers, van de kortstondigste boerenkinkelfigurant tot plaatsvervangend gouverneur sir Percy Nutting zelf, ooit zouden hebben gedaan: hij vatte de vraag letterlijk op.

'G-eluk, mevrouw Cochrane, is vanuit h-istorisch oogpunt bezien bijzonder interessant. Gedurende mijn dertig jaar als een van de meest ik mag niet zeggen uitmuntende maar zeker wel meest zichtbare vormers en kneders van jonge denkers, ben ik vertrouwd geraakt met een grote verscheidenheid van intellectuele misvattingen, van kreupelhout dat moet worden weggebrand voordat de aarde der geest kan worden bewerkt, van onzin en rommel, eerlijk gezegd. De categorieën fouten zijn even veelkleurig als het pronkgewaad van Jozef, maar de grootste en ergste vallen meestal onder de volgende naïeve opvatting: dat het verleden eigenlijk niet meer is dan een kostuumstuk van het heden. Verwijder die queues de Paris en crinolines, wambuizen en pofbroeken, die haute-couture-achtige toga's, en wat zie je dan? Mensen die opmerkelijk veel op ons lijken, mensen met een goed hart dat in wezen net zo klopt als dat van moederlief. Werp een blik in hun niet al te best verlichte brein, en je ontdekt een reeks halfgevormde ideeën die, wanneer ze eenmaal volledig vorm hebben gekregen, het fundament van onze fiere moderne democratische staten worden. Bestudeer hun toekomstvisie, probeer je een voorstelling te maken van hun verwachtingen en angsten, van hun onbeduidende dromen over hoe het leven vele eeuwen na hun dood zal zijn, en je ziet een vaag waargenomen versie van ons eigen goede leven. Grof gezegd, zij willen zijn zoals wij. Baarlijke nonsens natuurlijk allemaal. Ga ik u te vlug?'

'Tot nu toe kan ik het volgen, dr. Max.'

'Mooi. Nu heb ik er altijd g-enoegen in geschept – zij het een soms tamelijk genadeloos g-enoegen, maar laten we niet al te moralistisch zijn en het veroordelen – om mijn trouwe sikkeltje te pakken om een deel van dat kreupelhout uit de zich ontwikkelende geest weg te hakken. En op het weiland vol koeien van fouten is geen misvatting hardnekkiger, moeilijker uitroeibaar – men kan denken aan het zevenblad, nee, beter nog, aan de alles verdringende paardenbloem – dan de veronderstelling dat het sentimentele hartje dat in het hedendaagse lichaam rikketikt daar altijd al is geweest. Dat wij in emotioneel opzicht onveranderlijk zijn. Dat de hoofse liefde slechts een primitieve voorloper was van het scharrelen in het bushokje, als de jeugd zich daar nog steeds onledig mee houdt, en dat moet u mij niet vragen.

Goed, laten wij de M-iddeleeuwen, die zichzelf, dat behoeft geen betoog, niet als m-iddeleeuws beschouwden, eens nader bekijken. Laat ons, omwille van de nauwkeurigheid, Frankrijk tussen de tiende en de dertiende eeuw nemen. Een prachtige, vergeten beschaving die de grote kathedralen heeft gebouwd, de ridderidealen heeft gevestigd, een tijdje het gevaarlijke beest in de mens heeft getemd, de *chansons de geste* heeft voorgebracht – niet door iedereen beschouwd als een gezellig avondje uit, maar toch – en, kortom, een geloof, een politiek stelsel, goede manieren en goede smaak heeft gedecreteerd. En welk doel had dat alles? vraag ik mijn kreupelhoutbewonertjes. Met welk doel zijn zij getrouwd, hebben zij handel gedreven, gebouwd en dingen tot stand gebracht? Omdat ze gelúkkig wilden zijn? De kleinzieligheid van een dergelijk streven zou hun lachlust hebben gewekt. Zij zochten de verlóssing, niet het geluk. Nee, zij zouden onze moderne notie van geluk hebben beschouwd als iets wat dicht bij zondigheid lag, en zeker als een hindernis op de weg naar de verlossing. Terwijl...'

'Dr. Max...'

'Terwijl, als we de band zouden doorspoelen...'

'Dr. Max.' Martha had het idee dat ze een bel nodig had – nee, een claxon, een ziekenwagensirene. 'Dr. Max, we zullen de band helemaal moeten doorspoelen, vrees ik. En zonder nu te willen overkomen als een van uw studenten, moet ik u verzoeken mijn vraag te beantwoorden.'

Dr. Max haalde zijn duimen uit zijn vest, klopte ingebeelde bacteriën van beide revers en keek Martha aan met de studioverongelijktheid – schijnbaar welwillend maar tegelijk ernstige *lèse-majesté* suggererend – die hij tijdens zijn strijd met drammerige tv-presentatoren had vervolmaakt. 'En die was, als ik mij m-ag verstouten?'

'Ik wilde alleen maar weten, dr. Max, of u gelukkig bij ons bent.'

'Precies w-aar ik h-een wilde. Zij het, vindt u, via een omweg. Om een in wezen gecompliceerd standpunt te vereenvoudigen, al besef ik, mevrouw Cochrane, dat u geen kreupelhoutintellect bent, zou ik als volgt willen antwoorden. Ik ben niet "gelukkig" in de bushokjesgescharrelzin. Ik ben niet gelukkig volgens de definitie die de moderne wereld van dat woord wenst te geven. Nee, ik zou willen zeggen dat ik juist gelukkig ben omdat ik die moderne opvatting een aanfluiting vind. Ik ben gelukkig, om die onvermijdelijke term te bezigen, juist omdat ik het geluk níét zoek.'

Martha zweeg. Wat vreemd dat zo'n bruisend betoog en zo'n uitbundige paradox bij haar ernst en eenvoud konden oproepen. Met slechts een zweem van spot vroeg ze: 'U zoekt dus wel de verlossing, dr. Max?'

'Lieve god, nee. Daar ben ik veel en veel te heidens voor, mevrouw Cochrane. Ik zoek... het genot. Véél betrouwbaarder dan geluk. Véél beter gedefinieerd, en toch véél gecompliceerder. De ongenoegens ervan tekenen zich zo fraai af. U zou me een pragmatische heiden kunnen noemen, zo u wilt.'

'Dank u, dr. Max,' zei Martha, en ze stond op. Kennelijk had hij de strekking van haar vraag niet begrepen; niettemin was zijn reactie een antwoord geweest dat ze onbewust nodig had gehad.

'Ik hoop dat u genoegen hebt beleefd aan ons g-esprekje,' zei dr. Max, alsof hij de gastheer was geweest. Over zichzelf praten behoorde tot zijn grootste genietingen, en bovendien vond hij dat deze gedeeld dienden te worden.

Martha glimlachte naar de dichtvallende deur. Ze benijdde dr. Max om zijn blijmoedigheid. Ieder ander zou hebben doorgehad waarom ze hem had laten komen. De officiële geschiedkundige deed dan misschien laatdunkend over verlossing in de hogere zin des woords, maar hij had ongewild een lagere, tijdelijke versie verworven.

'Een nogal ongebruikelijke kwestie, vrees ik.' Ted Wagstaff stond voor Martha Cochranes bureau. Die ochtend droeg ze een olijfgroen pakje met een witte kraagloze blouse, aan de kin gesloten met een gouden sierknoopje; haar oorbellen waren een museumkopie van Bactrisch goud, haar panty was van Fogal of Switzerland, haar schoenen waren van Ferragamo. Allemaal aangeschaft bij de Harrods in de Tower. Ted Wagstaff droeg een groene zuidwester, een oliejas en lieslaarzen met omgeslagen randen: een uitrusting die ruim genoeg zat om er allerlei elektronica onder te verbergen. Zijn gelaatskleur hield het midden tussen bucolisch en alcoholisch, maar of dat kwam door het buitenleven, door onmatigheid of door Rekwisieten kon ze niet uitmaken.

Martha glimlachte. 'Kijk eens hoe ver je het met een goede opleiding kunt schoppen.'

'Pardon, m'voj?' Hij keek oprecht verwonderd.

'Sorry, Ted. Ik zat te dromen.' Martha was boos op zichzelf. Toevallig had ze zijn cv nog in haar hoofd gehad. Ze hoorde inmiddels te weten dat als Ted Wagstaff, onderdirecteur (exploitatie) Veiligheid en coördinator Cliëntenfeedback, zich aandiende met het uiterlijk en het spraakje van een kustwachter, ze hem als zodanig moest aanspreken. Na een paar minuten zou de beroepsmatige vermomming geleidelijk aan wegvallen; ze moest gewoon geduld oefenen.

Deze afsplitsing – of dit beklijven – van een persoonlijkheid was iets wat het Project niet had voorzien. De meeste uitingen ervan waren onschuldig en konden zelfs worden opgevat als een teken van een bevredigende inzet voor de zaak. Al een paar maanden na de Onafhankelijkheid konden bepaalde medewerkers van Decor bijvoorbeeld niet meer worden aangesproken als Pitco-medewerkers, maar alleen als de personages in wier huid ze, tegen betaling, waren gekropen. Hun geval was aanvankelijk verkeerd beoordeeld. Men dacht dat ze tekenen van ontevredenheid vertoonden, terwijl het tegenovergestelde het geval was: ze toonden tekenen van tevredenheid. Ze waren graag wie ze waren geworden, en wilden niet anders zijn.

Hele groepen dorsers en herders – en zelfs enkele kreeftenvissers – voelden er steeds minder voor om gebruik te maken van de bedrijfsaccommodatie. Ze zeiden dat ze liever in hun bouwvallige hutjes sliepen, hoewel daar de moderne voorzieningen ontbraken waarover de verbouwde gevangenissen wel beschikten. Sommigen vroegen zelfs of ze in Eilandvaluta konden worden uitbetaald, omdat ze kennelijk gehecht waren geraakt aan de zware koperen munten waar ze de hele dag mee speelden. De situatie werd nauwlettend in het oog gehouden en zou Pitco op termijn weleens voordeel kunnen opleveren, zoals lagere accommodatiekosten; het fenomeen zou zich echter ook kunnen ontwikkelen tot je reinste sentimentele eigengereidheid.

Nu zag het ernaar uit dat het verschijnsel zich ook al buiten Decor voordeed. Ted Wagstaff was een onschuldig geval; 'Johnnie' Johnson en zijn slag om Engeland-squadron waren problematischer. Zij beweerden dat het zinvol was, omdat elk moment de intercom kon gaan loeien en het appel 'Opstijgen!' kon klinken, dat ze in de nissenhutten langs de startbaan bivakkeerden. Het zou zelfs laf en onvaderlandslievend zijn om dat niet te doen. Ze stookten hun petroleumkacheltjes dan ook op, legden nog een kaartje en schurkten zich lekker in hun gevoerde vliegeniersjacks, ook al wisten ze in hun achterhoofd wel dat de moffen heus geen verrassingsaanval zouden uitvoeren voordat de bezoekers hun Uitgebreide Engelse Ontbijt hadden verorberd. Moest Martha hierover een spoedvergadering van de directie beleggen? Of moesten ze zich maar gelukkig prijzen met de grotere authenticiteit?

Martha merkte dat Ted haar geduldig zat aan te kijken.

'Een ongebruikelijke kwestie?'

'Ja, m'voj.'

'Iets wat... je aan me kwijt wilt?'

'Ja, m'voj.'

Weer bleef het stil.

'Nu misschien, Ted?'

De veiligheidsman legde zijn oliedekmantel af. 'Nou, om er niet veel woorden aan vuil te maken: er schijnt een probleempje met de smokkelaars te zijn.'

'Wat is het probleem dan?'

'Ze smokkelen.'

Met grote moeite onderdrukte Martha de zorgeloze, onschuldige, zuivere, waarachtige lach die ze in zich had, iets even onstoffelijks als een windvlaag, een opwellling van natuurlijkheid, een langvergeten frisheid; iets wat zo onbezoedeld was dat het tot hysterie kon leiden.

In plaats daarvan informeerde ze ernstig naar bijzonderheden. Het Eiland telde drie smokkelaarsdorpjes, en er waren meldingen binnengekomen van activiteiten in Lower Thatcham die strijdig waren met de beginselen van het Project. Bezoekers van Lower, Upper en Greater Thatcham konden van heel nabij aspecten van de traditionele handel op het Eiland bekijken: vaten met dubbele bodem, munten die in de zoom van kledingstukken waren genaaid, kluitjes tabak die voor vroege aardappeltjes moesten doorgaan. Het leek wel alsof alles voor iets anders kon doorgaan: sterke drank en shag, zijde en graan. Om deze waarheid te demonstreren pakte een zeeroverachtige kerel zijn kortelas en wrikte voorzichtig een walnoot in tweeën, om uit het gladgeschuurde inwendige een dameshandschoen van achttiendeeeuwse snit te voorschijn te halen. Hierna konden de bezoekers in het Handelscentrum precies zo'n noot kopen – of nog beter, een paar – waarvan de inhoud door middel van een lasercode op de dop was aangebracht. Weken later, en duizenden kilometers ver weg, zouden de notenkrakers voor de dag gehaald worden, en onder verwonderde uitroepen zou de handschoen als gegoten zitten om de hand die hem had gekocht.

Naar het scheen had het Handelscentrum in Lower Thatcham zijn activiteiten de laatste tijd gediversifieerd. In het begin ging het om indirecte aanwijzingen: enkele dorpelingen van wie je dat niet zou verwachten droegen opeens gouden sieraden (wat aanvankelijk weinig argwaan wekte daar ze voor imitatie werden aangezien); een pornovideo die in een hotel in een recorder was blijven zitten; een kwartvolle fles, zonder etiket, waarvan de inhoud ongetwijfeld alcoholisch en waarschijnlijk giftig was. Infiltratie en observatie hadden het volgende aan het licht gebracht: het besnoeien van Eilandvaluta en het slaan van valse munten; de heimelijke distillatie van een kleurloze, sterk alcoholische drank uit appels uit deze streek; het illegaal nadrukken van reisgidsen van het Eiland en het vervalsen van officiële souvenirs; de invoer van pornografie in allerlei vorm en het uitbaten van dorpsmeisjes.

Adam Smith had zijn goedkeuring gehecht aan het smokkelen, kon Martha zich nog herinneren. Ongetwijfeld had hij het een verantwoorde uitbreiding van de vrije markt gevonden, waarmee slechts abnormale afwijkingen in belastingen en accijnzen werden uitgebuit. Misschien juichte hij het smokkelen ook toe als een voorbeeld van ondernemingsgeest. Ze zou zich de moeite besparen en principiële kwesties maar niet bespreken met Ted, die rustig stond te wachten op haar reactie, lovende woorden en bevelen, net als iedere andere werknemer.

'En, wat moeten we er volgens jou aan doen, Ted?'

'Aan doen? Aan dóén? Ophangen is nog te veel eer.' Ted Wagstaff zou graag zien dat de boosdoeners zweepslagen kregen, op de volgende boot naar Dieppe werden gezet en van het achterschip werden gegooid zodat de meeuwen hun ogen konden uitpikken. Hij zou ook graag zien – door zijn hang naar vergelding zag hij het begrip onvervreemdbaar eigendom niet helder meer – dat de cottages in Lower Thatcham met fakkels in brand werden gestoken.

Op het Eiland werd rechtgesproken door de directieleden en niet door juristen, wat het systeem sneller en flexibeler maakte. Niettemin moest het juiste recht gelden. Niet 'juist' in de ouderwetse zin van het woord, maar juist voor de toekomst van het Project. Ted Wagstaff liep te hard van stapel maar was niet gek; welk oordeel Martha ook velde, er moest een element van afschrikking in zitten.

'Goed dan,' zei ze.

'We zetten ze dus op de eerste de beste boot? We steken het dorp in brand?'

'Nee, Ted. We geven ze tijdelijk ander werk.'

'Wat? Als ik zo vrij mag zijn, mevrouw Cochrane, dat is een veel te zachtzinnige aanpak. We hebben hier met zware misdadigers van doen.'

'Precies. Ik zal ze dus wijzen op artikel 13b van hun contract.'

Ted bleef kijken alsof er een zachtzinnig vrouwelijk compromis werd voorgesteld. In artikel 13b stond alleen dat er onder bijzondere omstandigheden, omstandigheden die de directie van het Project als zodanig aanmerkte, van medewerkers kon worden verlangd dat ze werden overgeplaatst naar een andere, door voornoemde directie te bepalen post.

'U bedoelt dat u ze laat omscholen? Dat lijkt me niet rechtvaardig, mevrouw Cochrane.'

'Nou, je zei dat het misdadigers zijn. Dan school ik ze als zodanig om.'

De volgende dag werden topklasse bezoekers uitgenodigd om, tegen bijbetaling, op een nog geheime plaats een authentieke maar niet nader aangeduide Oude-traditieactiviteit bij te wonen. Hoewel men voor dag en dauw moest vertrekken, waren de kaartjes al gauw uitverkocht. Driehonderd topklassers, ieder met een gratis warme grog in de hand, keken toe terwijl accijnsbeambten het dorp Lower Thatcham binnenvielen. Het tafereel werd verlicht door fel brandende fakkels, hier en daar aangevuld met schijnwerpers; gedateerde vloeken werden geslaakt; liefjes van smokkelaars, in schaars geklede toestand zoals men in tv-series wel ziet, verschenen voor vensters. Het rook er naar brandende pek, en vergulde accijnsknopen blonken bescheiden; een omvangrijke contrabandier rende met opgeheven kortelas dreigend op een groep topklassers af, tot een van hen zijn grog op de grond gooide, zich van zijn overjas ontdeed om een geruststellend uniform te tonen en de kerel velde. Bij het ochtendgloren werden twaalf leiders in nachthemd en met voetboeien om onder welgemeend applaus op een gevorderde hooiwagen gestouwd. Gerechtigheid – of omscholing – zou de volgende dag beginnen op kasteel Carisbrooke, waar sommigen in het schandblok zouden worden geslagen om met rotte vruchten te worden bekogeld, terwijl anderen de graantredmolen moesten treden en de verpakking om de van dat meel gebakken veroordeeldenbroden van hun handtekening voorzien. Als ze dat zesentwintig weken hadden gedaan, zouden ze de door algemeen directeur Martha Cochrane opgelegde boete hebben afbetaald. Tegen de tijd dat zij naar het vasteland van Europa werden gescheept, zouden de nieuwe smokkelaars van Lower Thatcham, die onder stringenter opgestelde contracten werkten, een gedegen opleiding hebben afgerond.

Dat zou succes hebben. Alles op het Eiland had succes, want complicaties werden niet geduld. De organisatiestructuur was eenvoudig, en elk handelen was gebaseerd op de stelregel dat je iets deed door het te doen. Misdaad kwam dan ook niet voor (afgezien van dit soort incidentjes), en derhalve was er geen rechtsstelsel en waren er geen gevangenissen – geen echte althans. Er was geen regering, alleen een uit zijn bevoegdheid ontheven gouverneur, en derhalve waren er geen verkiezingen en geen politici. Er waren geen andere advocaten dan de advocaten van Pitco. Er waren geen andere economen dan de economen van Pitco. Er was geen andere geschiedenis dan de geschiedenis van Pitco. Wie had kunnen vermoeden, lang geleden in Pitman House (I), terwijl ze naar de kaart tuurden die op de commandotafel lag en grapjes maakten over ondrinkbare cappuccino, wat ze per ongeluk zouden scheppen: een oord met overzichtelijk vraag en aanbod, een plek waarvan het hart van Adam Smith sneller zou zijn gaan kloppen. In een vredig koninkrijk was welstand gecreëerd; wat kon een mens – filosoof of burger – zich nog meer wensen?

Misschien was het werkelijk een vredig koninkrijk, een nieuw soort staat, een blauwdruk voor de toekomst. Als de Wereldbank en het IMF er zo over dachten, waarom zou je jezelf dan publiciteit ontzeggen? Elektronische én retrolezers van *The Times* ontdekten onberispelijk goed nieuws over het Eiland, gemengd nieuws over de rest van de wereld en niet-aflatend negatief nieuws over het oude Engeland. Volgens alle verhalen maakte dat land een vrije val door, was het een economische en zedelijke afvalput geworden. De inwoners, die in aantal slonken en de gevestigde waarheden van het derde millennium koppig afwezen, kenden alleen inefficiëntie, armoede en zonde; neerslachtigheid en afgunst waren schijnbaar hun primaire emoties.

Op het Eiland daarentegen had zich in hoog tempo een pittig, modern patriottisme ontwikkeld: geen vaderlandslievendheid die was gebaseerd op verhalen over veroveringen en op sentimentele opgedreunde teksten, maar een vaderlandslievendheid die, zoals sir Jack het had kunnen verwoorden, hier, nu en magisch was. Waarom zouden ze niet onder de indruk zijn van hun eigen prestaties? De rest van de wereld was dat immers ook. Uit dit overgeplante patriottisme bloeide een fiere nieuwe eilandmentaliteit op. Tijdens de eerste maanden na de Onafhankelijkheid, toen er met juridische stappen werd gedreigd en er over een blokkade werd gefluisterd, had het vermetel geleken als Eilanders steels de veerboot naar Dieppe namen en als zakenlui per Pitco-heli gauw even de Solent overstaken. Maar al gauw ging men dat als verkeerd beschouwen, zowel onpatriottisch als zinloos. Waarom zou je maatschappelijke spanningen in ogenschouw gaan nemen? Waarom zou je je in een armoedige omgeving begeven waar de mensen gebukt gingen onder gisteren en eergisteren en eereergisteren? Onder geschiedenis? Hier op het Eiland hadden ze geleerd met de geschiedenis om te gaan, die nonchalant op je rug te slingeren en tegen de wind in het heuvelland in te trekken. Zorg dat je weinig bagage hebt; dat ging op voor volkeren maar ook voor wandelaars.

Martha en Paul werkten dan ook op vijftien meter afstand van elkaar in Pitman House (II) en sleten hun vrije tijd – deels van topkwaliteit, deels niet – in een directieflat van Pitco met een eersteklas uitzicht over wat op landkaarten nog steeds het Kanaal heette. Er waren mensen die vonden dat de plas herdoopt moest worden, misschien wel in zijn geheel verplaatst.

'Vervelende week gehad?' vroeg Paul. Het was weinig meer dan een rituele vraag, want hij deelde al haar beroepsgeheimen.

'O, gewoon. Gepooierd voor de koning van Engeland. Mislukte poging gedaan om dr. Max te ontslaan. En dan nog die smokkelaarskwestie. Die hebben we tenminste de kop ingedrukt.'

'Ik z-z-zal dr. Max wel voor je ontslaan.' Paul klonk enthousiast.

'Nee, we hebben hem nodig.'

'O ja? Je hebt zelf gezegd dat niemand hem weet te vinden. Niemand is nieuwsgierig naar dr. Max z'n ouwe geschiedenis.'

'Hij is zo onschuldig. Volgens mij is hij waarschijnlijk de enige onschuldige op het hele Eiland.'

'Mar-tha. Hebben we het wel over dezelfde vent? Tv-persoonlijkheid – liever gezegd gewezen tv-persoonlijkheid –, fat, geaffecteerd stemmetje, geaffecteerde maniertjes. En hij is *on*schuldig?'

'Ja,' antwoordde Martha koppig.

'Okay, okay, als officieuze ideeënvanger van Martha Cochrane leg ik hierbij haar mening vast dat dr. Max de onschuld zelve is. Voorzien van datum en bewaard.'

Martha liet de stilte voortduren. 'Mis jij je oude baan?' Waarmee ze ook bedoelde: je oude baas, hoe het was voordat ik op het toneel verscheen.

'Ja,' zei Paul eenvoudig.

Martha zweeg. Ze zweeg doelbewust. Tegenwoordig spoorde ze Paul bijna aan om dingen te zeggen die vervolgens haar mening over hem nadelig beïnvloedden. Simpele perversiteit, of een concreet doodsverlangen? Hoe kwam het toch dat twee jaar samen met Paul er soms wel twintig leken?

In zekere zin schonk het haar dan ook voldoening toen hij vervolgde: 'Ik vind sir Jack nog steeds een groot man.'

'Het schuldgevoel van de vadermoordenaar?'

Pauls mond verstrakte, hij wendde zijn blik van haar af en zijn stem kreeg een schoolmeesterachtige scherpte. 'Soms ben je slimmer dan goed voor je is, Martha. Sir Jack is een groot man. Dit hele project was van begin tot eind zijn idee. Wie betaalt in feite je salaris? Je laat je zelfs door hem klèden.'

Slimmer dan goed voor je is. Martha was terug in haar jeugd. Ben je brutaal? Vergeet niet dat cynisme een zeer eenzame deugd is. Ze keek naar Paul en dacht aan de eerste keer dat ze hem onder het stro had horen ritselen. 'Ach, misschien is dr. Max niet de enige onschuldige op het Eiland.'

'Wees niet zo bevoogdend, Martha.'

'Dat ben ik niet. Het is een eigenschap die ik waardeer. Je komt hem veel te weinig tegen.'

'Je bent nog steeds bevoogdend.'

'En sir Jack is nog steeds een groot man.'

'Je kunt m'n rug op, Martha.'

'Deed iemand dat maar bij mij.'

'Nou, op mij hoef je vanavond niet te rekenen, dank je wel.'

Bij een andere gelegenheid zou Pauls gewoonte om het beleefd te houden haar misschien hebben ontroerd. Ik haat je, sorry dat ik het zo grof zeg. Ik wens je naar de hel, akelig rotwijf, *excusez le mot*. Maar vanavond niet.

Later in bed, toen Paul deed alsof hij sliep, gaf hij zich over aan gedachten die hij niet kon ontzenuwen. Je hebt me zover gekregen dat ik sir Jack heb verraden, en nu verraad jij mij. Door niet van me te houden. Of niet genoeg van me te houden. Of me niet aardig te vinden. Jij hebt alles echt gemaakt. Een poosje maar. Nu is het weer net als voor jouw tijd.

Ook Martha deed alsof ze sliep. Ze wist dat Paul wakker was, maar haar lichaam en haar geest hadden zich van hem afgekeerd. Ze lag haar leven te overdenken. Dat deed ze op de gebruikelijke manier: verkennend, verwijtend, vertederd, verbeterend. Als ze op haar werk werd geconfronteerd met een probleem of een beslissing, functioneerde haar geest helder, logisch en zo nodig cynisch. Tegen het vallen van de avond leken die eigenschappen te vervluchtigen. Hoe kwam het dat ze de koning van Engeland makkelijker terecht kon wijzen dan zichzelf?

En waarom viel ze Paul zo hard? Domweg vanwege haar eigen teleurstelling? Tegenwoordig was het alsof zijn passiviteit haar alleen maar prikkelde. Ze wilde hem opporren, hem eruit wakker schudden. Nee, niet alleen uit die passiviteit, ook uit zichzelf – alsof er (tegen beter weten in) binnenin een ander mens schuilging. Ze wist dat er iets niet klopte. Probeer het eens met kantoorlogica, Martha. Als je een passieveling zodanig tart dat hij geïrriteerd raakt, wat krijg je dan? Een voormalig passief, nu geïrriteerd en weldra weer passief iemand. Wat schiet je daarmee op?

Ze wist ook dat juist die zachtaardigheid, dat gebrek aan ego – dat ze nu omdoopte in passiviteit –, een van zijn aantrekkelijke kanten was geweest. Ze had gedacht... Ja, wat eigenlijk? Ze dacht (nu) dat ze (toen) had gedacht dat hij iemand was die niet zou proberen zich aan haar op te dringen (tja, dat klopte), bij wie ze zichzelf kon zijn. Had ze dat inderdaad gedacht, of was dit een latere versie? In beide gevallen onwaar. 'Jezelf zijn' – dat zeiden de mensen, maar ze meenden het niet. Ze bedoelden – zij bedoelde – 'jezelf wórden', wat dat ook wezen mocht en hoe dat ook zou kunnen worden bereikt. De waarheid was, Martha – ja toch? – dat je verwachtte dat alleen al Pauls aanwezigheid als een groeihormoon op je hart zou werken. Ga maar op de bank zitten, Paul, en straal je liefde op me over, dan word ik de volwassen, rijpe vrouw die ik altijd al wilde zijn. Kon het nog egoïstischer, en nog naïever? Of nog passiever, nu we het er toch over hebben? Wie zei trouwens dat menselijke wezens rijp werden? Misschien werden ze alleen maar oud.

Haar geest wipte terug naar haar jeugd, wat tegenwoordig wel vaker gebeurde. Haar moeder legde uit hoe tomaten rijpten. Of liever gezegd, hoe je tomaten liet rijpen. Het was een koele, natte zomer geweest, en de vruchten zaten nog groen aan de stengels toen het blad al als behangselpapier omkrulde en er vorst werd voorspeld. Haar moeder had de oogst in tweeën verdeeld. De ene helft van de tomaten liet ze met rust, om ze op natuurlijke wijze samen te laten rijpen. De andere helft legde ze op een schaal, met een banaan erbij. In een paar dagen tijd waren de tomaten op de tweede schaal eetbaar, de exemplaren op de eerste nog steeds alleen geschikt voor chutney. Martha had om een verklaring gevraagd. Haar moeder had gezegd: 'Zo gaat dat nu eenmaal.'

Ja, Martha, maar Paul is geen banaan, en jij bent geen pond tomaten.

Lag het aan het Project? Aan wat dr. Max de verruwende simplificaties ervan noemde – waren die ondermijnend? Nee, je werk de schuld geven was hetzelfde als je ouders de schuld geven, Martha. Na je vijfentwintigste niet meer toegestaan.

Kwam het doordat de seks niet volmaakt was? Paul was attent; hij streelde de binnenkant van haar arm (en meer) tot ze een kreetje slaakte; hij had de woorden geleerd waar zij in bed behoefte aan had. Maar Carcassonne was het niet, om haar persoonlijke code te gebruiken. Maar waarom zou dat een verrassing moeten zijn? Carcassonne was eenmalig, dat was nu juist de clou. Je ging er niet steeds naar terug in de hoop er weer een volmaakte partner en weer een El Greco-onweersbui te treffen. Zelfs die goeie ouwe Emil deed dat niet. Misschien lag het dan ook niet aan de seks.

Je kon altijd het lot nog de schuld geven, Martha. Je mag je ouders geen verwijten maken, je mag sir Jack en zijn Project geen verwijten maken, je mag Paul noch een van zijn voorgangers verwijten maken, je mag de Engelse geschiedenis geen verwijten maken. Wat kun je dan nog wel de schuld geven, Martha? Jezelf en het lot. Laat jezelf vanavond buiten schot, Martha. Geef het lot maar de schuld. Je hebt domweg pech dat je niet als tomaat bent geboren. Dat zou alles een stuk eenvoudiger hebben gemaakt. Het enige wat je dan nodig zou hebben gehad, was een banaan.

Tijdens een woelige nacht, toen een westerstorm de golven hoog opzweepte, toen de sterren aan het oog onttrokken waren en het regende dat het goot, werden enkele botenbouwers uit een dorp nabij de Needles erop betrapt dat ze aan de waterkant met lantaarns naar bevoorradingsschepen zwaaiden. Een van de vaartuigen had zijn koers gewijzigd, in de veronderstelling dat ze het licht van het havencafé zagen.

Enkele avonden nadien meldde een transportvliegtuig dat het, terwijl het op Tennyson Twee aanvloog, op zo'n zeshonderd meter aan stuurboord een onregelmatig spoor alternatieve landingslichten had waargenomen.

Martha noteerde de bijzonderheden, prees de navorsingen van Ted Wagstaff en wachtte tot hij opstapte. 'Ja, Ted? Is er nog iets?'

'M'voj.'

'Veiligheid of Cliëntenfeedback?'

'Alleen een stukje CF dat ik toch maar beter kan doorgeven, mevrouw Cochrane. Je weet maar nooit of het belangrijk is. Ik bedoel, het is iets anders dan koningin Denise met die fitnesstrainer, wat mij niks aanging, zei u.'

'Dat heb ik niet gezegd, Ted. Alleen dat het geen verraad was. Hooguit contractbreuk.'

'Precies.'

'Om wie gaat het deze keer?'

'Het gaat om die dr. Johnson. Die vent die met bezoekers in The Cheshire Cheese zit te eten. Forse, lompe figuur, flodderpruik. Slonzig, als u het mij vraagt.'

'Ja, Ted, ik weet wel wie dr. Johnson is.'

'Nou, er zijn klachten binnengekomen. Van bezoekers. Terloops én officieel.'

'Wat voor klachten?'

'Ze zeggen dat hij deprimerend gezelschap is. "De zon komt op in het oosten", nou en? De chagrijn, 'k snap niet waarom ze eigenlijk met 'm aan tafel willen zitten.'

'Dank je, Ted. Laat de map maar hier.'

Ze maakte een afspraak met dr. Johnson voor drie uur. Hij kwam om vijf uur en mompelde in zichzelf toen hij Martha's kantoor werd binnengelaten. Het was een schutterige, gespierde kerel met zeer pokdalige wangen en ogen die haar nauwelijks schenen te zien. Hij bleef maar mompelen, maakte een paar potsierlijke gebaren en plofte vervolgens onuitgenodigd op een stoel neer. Martha, die zijn proefoptreden mede had beoordeeld en een sprankelende voorvertoning in The Cheshire Cheese had bijgewoond, schrok van de verandering. Toen ze hem hadden aangenomen, was er alle reden voor vertrouwen geweest. De acteur – zijn naam was haar ontschoten – had enkele jaren rondgetrokken met een solovoorstelling getiteld 'De wijze man uit Midden-Engeland', en hij beheerste de stof in kwestie tot in de puntjes. Het Project had hem zelfs geraadpleegd tijdens de bouw van The Cheese, en er waren herbergmetgezellen ingehuurd – Boswell, Reynolds, Garrick – om de één-op-ééndruk te verlichten die misschien zou zijn ontstaan als de zeergeleerde heer met bezoekers alleen was gelaten. Projectontwikkeling had ook een bibliofiele aangever geleverd, die altijd een eerbiedige voorzet paraat had om de dominante doctor een geestige opmerking te ontlokken. De Dinerbelevenis was zo georkestreerd dat een Johnsoniaanse alleenspraak werd afgewisseld met snedige reacties van tijdgenoten en gesprekken-waarin-de-tijdperken-elkaar-ontmoeten tussen de Goede Geleerde en zijn hedendaagse gasten. Er was zelfs een moment ingebouwd waarop het Eiland-project op subtiele wijze werd gesteund. Dan bracht Boswell het gesprek op Johnsons reizen en vroeg: '"Is de Giant's Causeway het bekijken waard?"' Dan antwoordde Johnson: '"Het bekijken waard? Jazeker. Maar het *gaan* bekijken niet."' Dit gesprekje ontlokte bezoekers met gevoel voor ironie vaak een gevleid lachje.

Martha Cochrane keek op het scherm de map door waarin de klachten tegen Johnson werden opgesomd. Dat hij slecht gekleed ging en onfris rook; dat hij at als een beest en zo schrokte dat de bezoekers, die zich verplicht voelden hem bij te houden, er indigestie van kregen; dat hij óf bazig dominant was, óf in stilzwijgen verzonk; dat hij zich verscheidene keren midden in een zin had gebukt om een vrouw een schoen uit te trekken; dat hij deprimerend gezelschap was; dat hij racistische opmerkingen maakte over het land van herkomst van vele bezoekers; dat hij prikkelbaar werd als men doorvroeg; dat zijn conversatie weliswaar briljant was, maar dat de cliënten werden afgeleid door het amechtige gehijg waarmee zijn woorden gepaard gingen, evenals door het nodeloze gedraai op zijn stoel.

'Dr. Johnson,' begon Martha. 'Er zijn klachten over u binnengekomen.' Ze keek op, maar haar werknemer scheen zijn aandacht er niet goed bij te hebben. Hij ging als een olifant verzitten en mompelde iets dat leek op een regel uit het Onze Vader. 'Klachten over uw gebrek aan wellevendheid tegenover uw disgenoten.'

Dr. Johnson werd wakker. '"Ik ben bereid de gehele mensheid lief te hebben",' antwoordde hij, '"*behalve een Amerikaan.*"'

'Ik denk dat u met dat vooroordeel niet veel opschiet,' zei Martha, 'als je nagaat dat vijfendertig procent van onze bezoekers uit Amerika komt.' Ze wachtte op antwoord, maar Johnson ging een discussie kennelijk liever uit de weg. 'Zit u iets dwars?'

'"Ik heb een afschuwelijke melancholie van mijn vader meegekregen,"' antwoordde hij.

'Na je vijfentwintigste mag je je ouders geen verwijten meer maken,' zei Martha kordaat, als betrof het een huisregel.

Johnson haalde eens diep adem, piepte amechtig en blafte terug: '"Ellendig ideeënloos meisje!"'

'Bent u niet tevreden over de mensen met wie u samenwerkt? Zijn er spanningen? Kunt u het goed vinden met Boswell?'

'"Hij bezet een stoel,"' antwoordde Johnson somber.

'Ligt het misschien aan het eten?'

'"Het is zo slecht als het maar zijn kan"' antwoordde de zeergeleerde heer, en hij schudde met zijn hoofd zodat zijn wangzakken ervan trilden. '"Het is verkeerd gevoederd, verkeerd geslacht, verkeerd bewaard en verkeerd opgedist."'

Martha beschouwde dat alles als retorische overdrijving, al kon het ook een voorbarige actie zijn om een hogere beloning en betere arbeidsvoorwaarden binnen te halen. 'Laten we ons tot de zaak bepalen,' zei ze. 'Ik heb een scherm vol klachten over u. Neem bijvoorbeeld monsieur Daniel uit Parijs. Hij zegt dat hij een toeslag voor de Dinerbelevenis had betaald in de veronderstelling dat hij van u voorbeelden te horen zou krijgen van hoogstaande, traditionele Britse humor, maar dat u de hele avond nauwelijks tien woorden hebt gezegd, geen van alle voor herhaling vatbaar.'

Johnson piepte en snorkte en wierp zich log heen en weer in zijn stoel. '"Een Fransman moet altijd praten, of hij nu verstand van het onderwerp heeft of niet. Een Engelsman neemt er genoegen mee niets te zeggen, wanneer hij niets te zeggen heeft."'

'Dat is formeel allemaal mooi en aardig,' antwoordde Martha, 'maar daar betalen we u niet voor.' Ze zocht verder. 'En meneer Schalker uit Amsterdam zegt dat hij u tijdens het diner op de twintigste van de vorige maand enkele vragen heeft gesteld, waarvan u er geen een hebt beantwoord.'

'"Vragen stellen is niet de wijze waarop echte heren converseren,"' antwoordde Johnson zeer neerbuigend.

Hemeltje, zo kwamen ze geen stap verder. Martha zocht het arbeidscontract van dr. Johnson op. Natuurlijk, dat had meteen al een waarschuwing moeten zijn. Hoe de oorspronkelijke naam van de acteur ook had geluid, hij had hem lang geleden al door middel van een eenzijdige akte laten veranderen in Samuel Johnson. Ze hadden Samuel Johnson aangenomen om Samuel Johnson te spelen. Misschien verklaarde dat alles.

Opeens werd er druk geschoven, gescharreld en gemompeld, gevolgd door een plof toen Johnson zich op zijn knieën liet zakken, onder het bureau reikte en Martha met een lompe maar onbehouwen nauwkeurige beweging van haar rechterschoen ontdeed. Geschrokken keek ze over haar bureaublad naar de kruin van zijn groezelige pruik.

'Wat krijgen we nóú?' vroeg ze. Maar hij schonk er geen aandacht aan. Hij staarde naar haar voet en brabbelde bij zichzelf. Ze herkende de woorden. '... niet in verzoeking, maar verlos ons van den bozen...'

'Dr. Johnson, *sir*!'

De scherpe klank in haar stem wekte hem uit zijn mijmeringen. Hij kwam overeind en stond wankelend en hijgend voor haar.

'Dr. Johnson, u móét u beheersen.'

'"Ach, als het móét, mevrouw, dan heb ik geen keus."'

'Weet u dan niet wat een contract is?'

'Zeker wel, mevrouw,' antwoordde Johnson, opeens een en al concentratie. '"Het is ten eerste een overeenkomst die twee partijen bijeenbrengt, ten tweede kan het een huwelijksbelofte zijn, en ten derde een schriftelijk vastgelegde overeenkomst waarin wederzijdse verplichtingen worden aangegaan."'

Martha wist niet hoe ze het had. 'Daar zie ik de redelijkheid van in,' zei ze. 'Nu moet u er op uw beurt de redelijkheid van inzien dat uw... humeurigheid, of zwaarmoedigheid, of hoe we het ook noemen, onprettig is voor uw disgenoten.'

'"Mevrouw, u kunt de warme zon van het West-Indische klimaat niet hebben zonder de donder, de bliksem en de aardbevingen."'

Hemeltje, hoe kon ze de man bereiken? Ze had wel gehoord van die acteermethode waarbij de speler zich helemaal met zijn rol identificeerde, maar dit was het ergste geval dat ze ooit had meegemaakt.

'Toen we dr. Johnson inhuurden,' begon ze, maar maakte haar zin niet af. Het was alsof zijn omvangrijke gestalte een donkere slagschaduw over haar bureau wierp. 'Toen we u in dienst namen...' Nee, dat was ook niet goed. Ze was niet langer directeur of zakenvrouw, zelfs niet iemand uit haar eigen tijd. Ze was alleen met een ander menselijk wezen. Ze ervoer een vreemde, eenvoudige pijn. 'Dr. Johnson,' zei ze, en haar stem kreeg moeiteloos een zachtere klank terwijl ze via zijn rij dikke knopen, langs zijn witte foularde, opkeek naar zijn brede, gehavende, gekwelde gezicht, 'we willen dat u "dr. Johnson" bént, begrijpt u dat dan niet?'

'"Mijn voorbije leven in ogenschouw nemend," antwoordde hij, met nietsziende ogen naar de muur achter haar kijkend, "ontdek ik niets dan een onvruchtbare tijdverspilling, alsmede lichamelijke ongemakken en een geestelijke verwarring die de waanzin dicht benadert, die naar ik hoop voor Hem die mij heeft geschapen aanleiding zijn om vele fouten te vergoelijken en vele gebreken te excuseren."' Vervolgens maakte hij aanstalten om, met de moeizame gang van iemand die in boeien is geslagen, Martha's kantoor te verlaten.

'Dr. Johnson.' Hij bleef staan en draaide zich om. Ze stond op achter haar bureau, uit balans doordat haar ene voet was geschoeid en de andere niet. Ze voelde zich net een meisje dat in haar eentje tegenover de vreemdheid van de wereld staat. Dr. Johnson was niet alleen twee eeuwen ouder dan zij, maar ook twee eeuwen wijzer. Zonder gêne vroeg ze: 'En de liefde dan, sir?'

Hij fronste en legde een arm schuin over zijn hart. '"Er bestaat eigenlijk niets wat de rede zozeer weglokt bij de waakzaamheid als de gedachte aan een heel leven samen met een liefdevolle vrouw; en als alles zou verlopen zoals een minnaar het zich wenst, weet ik niet welk ander aards geluk nog nastrevenswaard is."'

Zijn dwalende blik had nu een doel gevonden, en wel haar.

Martha merkte dat ze bloosde. Dit was bespottelijk. Ze had in geen jaren gebloosd. En toch had ze niet het idee dat het bespottelijk was.

'Maar?'

'"Maar de liefde en het huwelijk zijn verschillende staten. Bij hen die voorbestemd zijn om samen tegenspoed te doorstaan en dikwijls te lijden omwille van elkaar, gaan weldra de tedere blik en de welwillende geesteshouding verloren die waren voortgekomen uit de betrokkenheid bij onversneden genoegen en ononderbroken vermaak."'

Martha schopte haar andere schoen uit en keek hem vanaf waterpas aan. 'Het is dus allemaal uitzichtloos? Het houdt nooit stand?'

'"Een vrouw, daar zijn wij van overtuigd, is niet altijd eerlijk; wij zijn er niet van overtuigd dat ze altijd deugdzaam is."' Martha sloeg haar ogen neer, alsof haar onbetamelijkheden al eeuwen bekend waren. '"En de man kan niet zijn hele leven het respect en de volharding blijven betrachten waarmee hij een dag of een maand genoegen schenkt."'

Na die woorden strompelde dr. Johnson de kamer uit.

Martha had het gevoel dat ze volledig had gefaald: ze had niet tot hem weten door te dringen, en hij had zich gedragen alsof zij nog minder echt was dan hij. Tegelijkertijd voelde ze zich licht in het hoofd en flirterig kalm, alsof ze na een lange zoektocht een verwante ziel had gevonden.

Ze ging zitten, wurmde haar voeten in haar schoenen en werd weer directeur. De logica keerde terug. Natuurlijk moest hij eruit. In sommige delen van de wereld zouden ze al zijn geconfronteerd met miljoenenclaims vanwege ongewenste intimiteiten, racistische opmerkingen, contractbreuk op grond van het feit dat de cliënt niet aan het lachen was gemaakt, en god mocht weten wat nog meer. Gelukkig erkenden de wetten op het Eiland – met andere woorden: de besluiten van de directie – geen specifiek contract tussen de bezoeker en Pitco; in plaats daarvan werden redelijke klachten ad hoc afgehandeld, waarbij gewoonlijk een financiële compensatie werd toegekend in ruil voor stilzwijgen. De oude Pitman House-traditie van de knevelclausule gold nog steeds.

Moesten ze een nieuwe Johnson inhuren? Of de hele Dinerbelevenis opnieuw opzetten met een andere gastheer? Een avond met Oscar Wilde? De risico's lagen voor de hand. Noel Coward? Overwegend hetzelfde probleem. Bernard Shaw? O, de alom bekende nudist en vegetariër. Stel dat hij dat alles per se aan tafel in praktijk zou willen brengen. Ze moest er niet aan denken. Had het oude Engeland dan geen wijze mannen voortgebracht die wel gezond van geest waren?

Sir Jack werd niet toegelaten tot directievergaderingen, maar mocht wel de maandelijke bijeenkomsten van het hoofdbestuur met zijn aanwezigheid opluisteren. Bij die gelegenheden droeg hij zijn gouverneursuniform: driekante steek met tressen, epauletten als vergulde haarborstels, koorden zo dik als gevlochten paardenstaarten, een waslijn vol zelftoegekende onderscheidingen, een rottinkje met ivoorwerk stevig onder de oksel en een zwaard dat tegen de zijkant van zijn knie stootte. In Martha's ogen vertegenwoordigde het tenue geen spoortje macht, niet eens een zweempje junta; de komische overdrijving ervan bevestigde dat de gouverneur zichzelf tegenwoordig accepteerde als een operettefiguur.

Gedurende de eerste maanden na de coup van Martha en Paul arriveerde sir Jack steevast te laat op deze bestuursvergaderingen, met de timing van een drukbezet man die nog steeds de dienst uitmaakt, maar alles wat hij aantrof was een vergadering die al aan de gang was en een vernederend plaatsje aan de tafel. Hij probeerde zich dan te doen gelden door vanuit wisselende standpunten lange betogen af te steken en bepaalde mensen zelfs duidelijke opdrachten te geven. Maar terwijl hij een rondje om de tafel maakte, zag hij niets dan arrogante nekken. Waar waren de angstige ogen, de meedraaiende hoofden, de onderdanigheid van de krassende pen en de zacht klakkerende laptop? Hij wierp nog steeds ideeën op als een groot vuurrad, maar de vonken vielen nu op stenige bodem. Steeds vaker hield hij zijn mond dicht en zijn mening voor zich.

Toen Martha ging zitten zag ze een onbekende figuur aan sir Jacks zijde. Nee, niet echt aan zijn zijde: omvang en kledinggekletter van sir Jack waren dusdanig dat de man eerder in zijn schaduw leek te staan. Ach ja, een van de gekunstelde beeldspraken van de gouverneur was vroeger geweest zichzelf te vergelijken met een machtige eik die beschutting bood aan degenen die eronder stonden. Vandaag hield hij de regen tegen voor een champignon: zachtgrijs Italiaans kostuum, tot de kin dichtgeknoopt wit overhemd, een ronde kop met kortgeknipt grijs haar. Allemaal heel erg midden jaren negentig; zelfs de bril dateerde uit die periode. Misschien was het een van die grote investeerders die nog zoet werden gehouden en die nog tot het besef moesten komen dat hun eerste dividend waarschijnlijk aan hun kleinkinderen zou worden uitgekeerd.

'Mijn vriend Jerry Batson,' verkondigde sir Jack, meer tegen Martha dan tegen de anderen. 'Neem me niet kwalijk,' vervolgde hij, zijn hoofd in grote verwarring schuddend, 'tegenwoordig sír Jerry.'

Jerry Batson. Van Cabot, Albertazzi en Batson. De champignon beloonde deze inleiding met een flauw lachje. Zoals hij daar welwillend, zen-achtig zat, was hij een nauwelijks waarneembare aanwezigheid. Een kiezel in een eeuwig stromende rivier, een tot zwijgen gebracht windcarillon.

'Pardon,' zei Martha. 'Ik weet niet precies in welke hoedanigheid u hier bent.'

Jerry Batson wist dat hij zelf geen verantwoording zou hoeven afleggen. Sir Jack stond op onder een woedend gerinkel van schots en scheve medailles. Zijn verschijning mocht dan operetteachtig zijn, zijn toon was wagneriaans, wat enkele aanwezigen terugvoerde naar Pitman House (1). 'Jerry is hier, mevrouw Cochrane, Jerry is hier in de hoedanigheid van bedenker van het hele Project, verdomme, hij heeft meegeholpen bij het bedenken, heeft als *katalysator* gefungeerd. Bij wijze van spreken. Paul kan dat bevestigen.'

Martha wendde zich tot Paul. Tot haar verbazing keek hij niet van haar weg. 'Dat was voor jouw tijd. Sir Jerry heeft een cruciale rol gespeeld bij de aanzet tot de projectontwikkeling. De stukken zijn eensluidend.'

'We zijn hem vast allemaal erkentelijk. Mijn vraag blijft: in welke hoedanigheid is hij hier?'

Zonder een woord te zeggen en met de handpalmen sussend geheven kwam Jerry Batson zonder duidelijke spierinspanning overeind. Met een nauw zichtbaar hoofdknikje richting Martha verliet hij het vertrek.

'De ene onbeleefdheid op de andere gestapeld,' luidde het commentaar van sir Jack.

Die avond zat de gouverneur, nu in de tuniek, de Sam Browne en de slobkousen van het kleine tenue, met een karaf schenkklaar geheven tegenover sir Jerry. Zijn vrije hand gebaarde slapjes naar zijn bescheiden zitkamer. De vijf ramen boden vanaf het klif een weids uitzicht, maar Zij had zijn Beierse open haarden ingepikt, en zijn Brancusi paste verdorie maar nét naast de drankkast. 'Alsof je een admiraal onderbrengt in de hut van een cadet,' klaagde hij. 'De ene vernedering op de andere gestapeld.'

'De armagnac is nog steeds prima.'

'Dat staat in mijn contract.' Sir Jacks toon was bij wijze van uitzondering onzeker en hield het midden tussen trots omdat hij een dergelijke clausule had weten te bedingen en spijt omdat hij dat had moeten doen. 'Alles wordt tegenwoordig in een contract vastgelegd, verdomme. Die kant gaat het op, Jerry. De dagen van de ouwe avonturiers zijn geteld, vrees ik. We zijn dinosaurussen geworden. Doe het door het te doen, dat was vroeger mijn motto. Tegenwoordig is het: doe het niet, tenzij toverdokters, marktonderzoekers en doelgroepen je hand vasthouden. Waar is het elan, waar is de flair, waar is de goeie harde mannenmentaliteit gebleven? Vaarwel, gij ondernemers met handelsgeest – is dat niet de droeve waarheid?'

'Naar men zegt.' Batson had de ervaring dat neutraliteit sir Jack eerder ter zake bracht dan actief commentaar.

'Maar je begrijpt toch wat ik bedoel?'

'Ik hoor wel hoe 't allemaal zo gekomen is.'

'Nu even over háár. Madam... Ze begint laks te worden. Haar aandacht verslapt. Een vrouw gespeend van elke visie. Toen ze... Toen ik haar tot algemeen directeur benoemde, koesterde ik nog hoop, dat geef ik toe. De hoop dat een man die niet meer zo jong is als hij was' – sir Jack weerde met opgeheven hand tegenspraak af die uitbleef – 'zijn vermoeide botten rust zou kunnen gunnen. Naar de achtergrond zou kunnen treden. Plaats zou kunnen maken voor nieuw bloed, en al dat soort overwegingen.'

'Maar.'

'Maar. Ik heb zo mijn bronnen. Ik hoor van voorvallen die een strengere hand niet zou gedogen of goedkeuren. Ik probeer te waarschuwen. Maar je hebt zelf gezien hoe onbeschaamd ik op directieniveau word behandeld. Er zijn momenten dat ik het idee krijg dat mijn grootse Project uit pure afgunst en boosaardigheid wordt ondermijnd. En op zulke ogenblikken maak ik mezelf verwijten, dat moet ik toegeven. In alle nederigheid.' Hij keek naar Batson, uit wiens minzame gezichtsuitdrukking was op te maken dat hij misschien wel bereid was, zij het node, in een dergelijke toebedeling van verwijten mee te gaan; of, aan de andere kant, bij nader inzien, misschien ook niet. 'En de door Pitco opgestelde arbeidscontracten waren in bepaalde opzichten slecht voorbereid. Niet dat zulke dingen per se zo bindend zijn als ze schijnen.'

Er doorvoer Jerry Batson een lichte huivering die voor een knikje zou kunnen doorgaan. Er was dus een scheurtje in sir Jacks zakenfilosofie ontstaan. Je deed iets door het te doen – behalve wanneer je het niet deed. Vermoedelijk omdat je het niet kon. Ten slotte zei Jerry zachtjes: 'Het is een kwestie van wat we willen uitsluiten en wat we willen insluiten. Plus de parameters.'

Sir Jack slaakte een enorm diepe zucht en klokte zijn armagnac achterover. Waarom moest hij het werk van Batson er altijd ook nog eens bij doen? Best een gisse kerel, ongetwijfeld, en dat mocht ook wel voor dat honorarium. Maar niet iemand die genoegen schepte in het steekspel van een mooi mannengesprek. Of hij zei boe noch bah, of hij stak een hele verhandeling af. Maar goed, ter zake.

'Jerry, je hebt een nieuw account.' Hij zweeg net lang genoeg om Batson op het verkeerde been te zetten. 'Ik weet het, ik weet het, Silvio en Bob gaan over alle nieuwe accounts. Wat heel knap van ze is, gezien hun gebrek aan existentiële realiteit, zoals jij het waarschijnlijk zou noemen. Om van de existentiële realiteit van hun bankrekeningen op de Kanaaleilanden nog maar te zwijgen.'

Batsons waarderende glimlach ging over in zacht gegrinnik. Misschien was de ouwe rakker het toch nog niet verleerd. Had hij het al die tijd al geweten en zich doelbewust op de vlakte gehouden, of was hij er pas achter gekomen nu hij over meer vrije tijd beschikte? Niet dat Jerry ernaar zou informeren, want hij betwijfelde of sir Jack hem de waarheid zou vertellen.

'Zo,' besloot de gouverneur, 'dat was het voetjevrijen en het voorspel. Je hebt een cliënt.'

'En wil die cliënt dat ik weer aan het dromen sla?'

Sir Jack weigerde in te gaan op de verwijzing en de herinnering. 'Nee. Deze cliënt wil dat je actie onderneemt. Deze cliënt heeft een probleem, vijf letters, het begint met een K, de tweede is een R en het rijmt op eng. Jij moet een oplossing bedenken.'

'Oplossingen,' herhaalde Jerry Batson. 'Weet je, ik denk weleens dat dat ons sterkste punt is, als volk. Wij Engelsen staan terecht bekend om ons pragmatisme, maar bij het oplossen van problemen leggen wij beslist genialiteit aan de dag. 'k Zal je mijn favoriete oplossing vertellen. De dood van koningin Anne. Zeventien zoveel. Opvolgingskwestie. Geen kinderen meer in leven. Het parlement wil – moet – weer een protestant op de troon. Groot probleem. Gigantisch probleem. Iedereen die voor opvolging in aanmerking komt is katholiek of met een katholiek getrouwd, wat toentertijd een net zo verkeerd karma was. Wat doet het parlement dus? Het passeert vijftig – méér dan vijftig – uitstekend geschikte koninklijke lieden met de beste, betere en goede aanspraken, en kiest een obscure figuur uit Hanover, echte droogstoppel, spreekt nauwelijks een woord Engels, maar protestant in hart en nieren. En vervolgens verkopen ze hem aan het volk als onze redder van overzee. Briljant. Je reinste marketing. Zelfs na al die tijd kun je er met je verstand niet bij. Van geen kanten.'

Sir Jack schraapte zijn keel om deze irrelevante kwestie te kappen. 'Je zult míjn probleem, vermoed ik, in zulk verheven gezelschap wel uiterst onbenullig vinden.'

Martha was erop getraind de terugval van Johnson als een louter administratieve kwestie te behandelen. Een werknemer had contractbreuk gepleegd: ontslag, de eerste de beste boot naar het buitenland en een snelle vervanging uit de pool geregistreerde potentiële arbeidskrachten. Openbare bestraffing, zoals bij de smokkelaars, was niet op zijn plaats. Gewoon afhandelen dus.

Maar haar gevoel verzette zich nog. Aan de regels van het Project viel niet te tornen. Óf je werkte, óf je was ziek. Als je ziek was, werd je overgebracht naar het ziekenhuis in Dieppe. Maar was hij wel een medisch geval? Of was hij iets volkomen anders: een historisch geval bijvoorbeeld? Ze wist het niet goed. Overigens deed het feit dat het Eiland zelf er verantwoordelijk voor was dat 'dr. Johnson' dr. Johnson was geworden, dat de beschermende aanhalingstekens waren weggevallen waardoor hij kwetsbaar was geworden, ook niet ter zake. De waarheid die ze plotseling had ervaren toen hij zich hijgend en mompelend naar haar toe had gebogen, was dat zijn pijn authentiek was. En zijn pijn was authentiek omdat deze was veroorzaakt door authentiek contact met de wereld. Martha besefte dat deze conclusie op sommige mensen – op Paul zeker – irrationeel zou overkomen, krankzinnig zelfs, maar zo voelde ze het nu eenmaal. De manier waarop hij haar schoen van haar voet had gerukt en het Onze Vader was gaan prevelen alsof hij boete moest doen; de manier waarop hij had gesproken over zijn kwalen en tekortkomingen, zijn hoop op verlossing en vergeving. Op welke manier dit beeld haar ook was voorgezet, ze zag een wezen dat alleen was met zichzelf en dat pijn leed bij onbeschermd contact met de wereld. Wanneer had ze voor het laatst iets dergelijks gezien of gevoeld?

De St.-Aldwyn lag half overwoekerd in een van de schaarse gedeelten van het Eiland die nog niet door het Project waren gevorderd. Dit was de derde keer dat ze erheen ging. Ze had de sleutel, maar het kerkje, dat tegenwoordig schuilging achter bosschages, was niet afgesloten en altijd verlaten. Het rook er naar schimmel en verval; het was geen geborgen toevluchtsoord meer, eerder een voortzetting, een concentratie zelfs, van de dompige kilte buiten. De geborduurde knielkussens voelden klam aan; in de gezangbundels, die sterk naar tweedehandsboekwinkel roken, zat het weer; zelfs het licht dat zijn best moest doen om door het Victoriaanse glas naar binnen te schijnen leek daar vochtig van te worden. En hier stond ze dan: een nieuwsgierige, deinende vis in een aquarium met een stenen bodem en groene wanden.

De kerk was in haar ogen niet opvallend mooi: hij was niet fraai van proporties, ontbeerde glans en zelfs eigenaardigheden. Dat was een voordeel, want daardoor kon ze zich bezighouden met wat het gebouw symboliseerde. Haar blik dwaalde, net als bij haar vorige bezoeken, over de lijst predikanten, die terugging tot de dertiende eeuw. Wat was trouwens het verschil tussen een pastoor en een dominee, of tussen een anglicaanse en een katholieke pastoor? Dat soort onderscheidingen waren aan haar niet besteed, net zomin als alle andere ingewikkelde, subtiele details van het geloof. Haar voet schraapte over de oneffen vloer op de plek waar lang geleden een monumentale koperplaat was weggehaald, gelicht om in een of ander museum te worden geseculariseerd. Dezelfde lijst met gezangen als de vorige keer keek op haar neer, als een cijferreeks die in de eeuwigdurende loterij geregeld in de prijzen viel. Ze dacht aan de dorpsbewoners die hierheen waren gekomen en, generatie na generatie, dezelfde gezangen hadden gezongen en dezelfde dingen hadden geloofd. Nu waren de gezangen en de dorpelingen verdwenen, even definitief als wanneer de mannen van Stalin waren langsgekomen. De componist over wie Paul het had gehad toen ze elkaar net kenden, die zouden ze hierheen moeten sturen om nieuwe gezangen te bedenken, authentieke vroomheid.

De levenden waren verjaagd, maar de doden niet: van hen kon je op aan. Anne Potter, beminde echtgenote van de weledele Thomas Potter, en moeder van zijn vijf kinderen Esther, William, Benedict, Georgiana en Simon, ook daar vlakbij begraven. Vaandrig Robert Timothy Pettigrew, op de 23ste februari 1849 in de Baai van Bengalen aan de koorts bezweken, oud 17 jaar en 8 maanden. De soldaten James Thorogood en William Petty, van het Royal Hampshire Regiment, twee dagen na elkaar gesneuveld tijdens de slag bij de Somme. Guilliamus Trentinus, die in het Latijn aan iets onbegrijpelijks was overleden en jammerlijk werd betreurd, 1723. Christina Margaret Benson, wier royale schenking in 1875 de restauratie van de kerk door Hubert Doggett mogelijk had gemaakt, en die wordt herdacht in een klein raam van de absis, waarop haar initialen zijn verstrengeld met acanthusbladeren.

Martha had geen idee waarom ze ditmaal bloemen had meegebracht. Ze had kunnen voorzien dat er geen vaas was om ze in te zetten, noch water om die te vullen. Ze legde de bloemen op het altaar, draaide zich om en nam onwennig plaats op de voorste bank.

> Want uwer is het bonenrijk, de bloemenpracht en de hele historie...

Ze nam de tekst uit haar jeugd nog eens door, langvergeten, tot hij door gemompel van dr. Johnson weer tot leven was gewekt. Het leek niet godslasterlijk meer, gewoon een parallelle versie, een alternatieve poëzie. Een ranke wigwam van verplaatsbare bonenstaken was even zinvol als een vochtige stenen kerk die op één plek was verankerd. De bloemenpracht was een vanzelfsprekende menselijke offerande, het symbool van onze eigen vergankelijkheid – en de hare een nog levender symbool gezien het ontbreken van vaas en water. En de historie: een acceptabele variant, zelfs een verbetering van het origineel. De heerlijkheid ís de hele historie. Ach, dat zou zo zijn, als het waar was.

Wás het maar waar. Op school waren haar ongeduldige schimpscheuten en slimme godslasterlijkheden juist voortgekomen uit het volgende gegeven, de volgende conclusie: dat het níét waar was, dat het een grote leugen was die de mensheid tegen zichzelf had gesmeed. *Uw wijn worde versneden...* De kortstondige aandacht die ze als volwassene aan godsdienst had geschonken had altijd in hetzelfde soepele kringetje rondgedraaid: het is niet waar, ze hebben het bedacht om ons met de dood te verzoenen, ze hebben een stelsel gegrondvest en dat stelsel vervolgens gebruikt als sociale-controlemiddel; ongetwijfeld geloofden ze er zelf in, maar ze hebben het geloof opgelegd als iets onweerlegbaars, een maatschappelijke oerwaarheid, net als vaderlandsliefde, erfmacht en de onontkoombare superioriteit van de blanke man.

Was de redenering daarmee rond, of was ze domweg een ellendig ideeënloos meisje? Als het stelsel instortte, als de aartsbisschop van Canterbury minder bekend en minder geloofwaardig zou kunnen worden dan dr. Max bijvoorbeeld, zou geloof dan een eigen leven kunnen gaan leiden? En zo ja, zou het daar dan waarachtiger van worden, ja of nee? Wat had haar hierheen gevoerd? Ze kende de negatieve antwoorden: teleurstelling, de leeftijd, onvrede met de schraalheid van het bestaan, of althans van het bestaan zoals zij het had gekend, of het had verkozen. Maar er was ook nog iets anders: een stille, aan afgunst grenzende nieuwsgierigheid. Wat wisten zij, deze toekomstige metgezellen van haar, Anne Potter, Timothy Pettigrew, James Thorogood en William Petty, Guilliamus Trentinus en Christina Margaret Benson? Meer dan zij wist, of minder? Niets? Iets? Alles?

Toen ze thuiskwam deed Paul bestudeerd gewoon. Terwijl ze

aten en dronken voelde ze dat spanning en verongelijktheid zich in hem opbouwden. Maar wachten, daar was ze goed in. Drie keer merkte ze dat hij omzeilde wat hij eigenlijk had willen zeggen. Toen hij een kop koffie voor haar neerzette, vroeg hij ten slotte zachtjes: 'Zeg, heb je soms een verhouding?'

'Nee.' Martha lachte van opluchting, wat hem zo irriteerde dat hij er schoolmeesterachtig van werd. 'Nou, ben je dan soms verliefd op een ander en overweeg je een verhouding te beginnen?' Nee, ook dat niet. Ze was naar een kerkje geweest dat niet meer in gebruik was. Nee, daar was ze al eens eerder geweest, op andere momenten van verdachte afwezigheid. Nee, ze had er met niemand afgesproken. Nee, ze was niet gelovig aan het worden. Nee, ze ging erheen om alleen te zijn.

Het leek wel of hij teleurgesteld was. Het was misschien gemakkelijker geweest, en tactvoller, om te zeggen: ja, er is een ander. Dat zou de matheid en de afstand verklaren die tussen hen was ontstaan. Dr. Johnson had het uiteraard beter verwoord: de tedere blik en de welwillende geesteshouding waren verloren gegaan. Ja, had ze kunnen zeggen: geef mij de schuld maar. Andere vrouwen bedienden zich van die truc; andere mannen ook. 'Ik ben verliefd op een ander' kwetste de ijdelheid altijd minder dan 'ik ben niet meer verliefd op jou'.

Later in het donker keek ze met gesloten ogen op naar dikke knopen, een witte foularde en een breed, gekweld gezicht. Het is zo, Paul, had ze kunnen zeggen, het is waar dat ik me tot iemand anders aangetrokken voel. Een oudere man, ten langen leste. Iemand van wie ik me kan voorstellen dat ik verliefd op hem word. Ik zeg niet wie het is, dan zou je me uitlachen. Het is in zekere zin lachwekkend, maar niet lachwekkender dan sommige andere mannen van wie ik heb geprobeerd te houden. De moeilijkheid is, zie je, dat hij niet bestaat. Althans, hij heeft wel bestaan, maar hij is een paar eeuwen geleden gestorven.

Zou dat het voor Paul gemakkelijker hebben gemaakt?

Ted Wagstaff stond voor Martha's bureau als een weerman die op het punt staat een landelijke vrije dag te bederven.

'Een ongebruikelijke kwestie?' souffleerde ze.

''k Vrees van wel, mevrouw Cochrane.'

'Maar je gaat me vertellen wat het is. Liefst nu meteen.'

'Het gaat over meneer Hood en zijn Bende, vrees ik.'

'Nee, hè.'

De Bende... Die andere voorvallen konden worden afgedaan als hinderlijke incidentjes: verwende werknemers die het hoog in hun bol kregen, het criminele gen dat zich stilaan weer deed gelden, mensen die zomaar uit hun rol vielen. Weinig meer eigenlijk dan wat de koning laatdunkend een lolletje zou noemen. Gemakkelijk de kop ingedrukt door middel van directionele rechtsspraak. Maar de Bende was voor het Project van het allergrootste belang, zoals Bezoekersfeedback had aangetoond. Het was een oermythe, die na heel veel heen en weer gepraat een nieuwe plaats was toebedeeld. Bendemedewerkers waren uiterst zorgvuldig gehergroepeerd; kwetsende elementen in het scenario – achterhaalde opvattingen over de oorspronkelijke flora en fauna, overdadige consumptie van rood vlees – waren geschrapt of afgezwakt. Gedurende het hele jaar had de afdeling Publiciteit de Bende met vette koppen onder de aandacht gebracht. Ze waren weliswaar nummer zeven op Jeffs lijst van Wezenskenmerken geweest, ze stonden nummer drie bij Bezoekersvoorkeur en waren het komende half jaar al volgeboekt.

Nog maar een paar dagen terug had Martha de Grot op het scherm bekeken, en alles had een getrouwe indruk gemaakt. De eivormige, met rotsblokken afgewerkte tumulus zag er echt middeleeuws uit; de gerepatrieerde Saoedische eiken tierden welig; de man in het berenpak was volkomen geloofwaardig. Aan weerszijden van de Grot stonden rustige rijen voor de kijkramen. Door die ramen konden bezoekers de huiselijke levensstijl van de Bende bestuderen: Much de Molenaarszoon bakte tiengranenbrood; Willem Rood wreef zijn geïrriteerde huid in met kamillelotion; Kleine John en anderen van zijn formaat trapten lol in hun op schaal gebouwde onderkomen. De rondleiding werd voortgezet met boogschietoefeningen (deelname werd aangemoedigd) en een bezoek aan de barbecuekuil, waar men Broeder Tuck bezig kon zien met het bedruipen van zijn 'os' (in vorm gekneed kunstvlees dat droop van het veenbessensap, als iemand ernaar informeerde). Ten slotte werden de bezoekers naar de tribunes geloodst, waar een Engelse nar met rinkelmuts hen met een satire vol anachronismen in de stemming zou brengen voor de climax: de slag – liever gezegd de morele historische strijd – tussen de vrijheidsgezinde, op de vrije markt gerichte Hoodisten en de sheriff van Nottingham, een slechterik die werd gesteund door zijn corrupte bureaucraten en hi-tech leger.

De Bende speelde niet alleen een uiterst belangrijke rol in de manier waarop het Eiland zich presenteerde: de leden verdienden een topsalaris. De hoogste echelons van het theatervak waren uitgekamd; verscheidene bendeleden hadden een percentage van de bijproducten bedongen. Ze hadden luxueuze appartementen en een fanclub met onderafdelingen van Stockholm tot Seoel. Wat konden ze in vredesnaam te klagen hebben?

'Vertel op.'

''t Is ongeveer een maand geleden begonnen. Gewoon een kink in de kabel, dachten we. Een flink pak rammel, dan ging het wel over.'

Werd zij steeds ongeduldiger, of vereenzelvigde Ted Wagstaff zich steeds meer met zijn rol?

'Ter zake, Ted.'

'Sorry, mevrouw Cochrane. De Bende zei dat ze de os niet lustten. Ze zeiden dat hij niet te vreten was. Wij zeiden dat we zouden zien wat we eraan konden doen. We hebben hem zelf geproefd. Niet geweldig, maar best te doen. We zeiden: hoor eens, de scène waarin jullie er stukken afsnijden en verlekkerd met je lippen smakken duurt niet zo lang, kunnen jullie niet doen alsof, of de hap in je mond houden en naderhand uitspugen? We zeiden dat we iets aan het probleem zouden doen. Daar waren we ook echt mee bezig, mevrouw Cochrane. We wilden het op twee fronten aanpakken. Eén, een Franse topkok uit Rouen laten overvliegen om te kijken of hij er een echtere vleessmaak aan kon geven. Twee, een uitwijkmogelijkheid, het script zodanig herschrijven dat Broeder Tuck absoluut niet kan koken, zodat het logisch is dat de Bende het eten uitspuugt.'

Hij keek Martha aan alsof hij applaus voor hun ondernemingszin verwachtte. Martha wilde opschieten. 'Maar?'

'Maar wie schetst onze verbazing, opeens stijgt er een heel andere lucht uit de barbecuekuil op, zit de Bende zich vol te proppen zonder ook maar iets uit te spugen en ontbreekt Dingle de Wollige Stier uit de Erfgoeddierentuin.'

'Maar die ligt aan de andere kant van het Eiland.'

'Weet ik.'

'Zijn die beesten niet allemaal voorzien van een oormerk?'

'Dat hebben we gevonden, met oor en al, in Dingle z'n schuur.'

'Ze hebben dus hun os gehad. Wat nog meer?'

'Ze hebben een langharig Devon-schaap, een paar Gloucester Old Spot-varkens en drie zwanen gepikt. Toen hebben ze vorige week ook nog alle eenden uit de Stacpoole-vijver gehaald. Alles wat wij aanleveren mikken ze regelrecht in de vuilnisbakken. Ze jagen hun eigen voedsel bij elkaar.'

'In onze erfgoedparken.'

'En op onze Oud-Engelse boerderijen. En in onze bossen en wouden. De rotzakken doden alles wat ze met die pijlen maar kunnen raken, lijkt het wel. En dan hebben we het nog niet eens over de groente die ze gappen uit de achtertuintjes in Bungalow Valley.'

'Gaat het alleen om het eten?'

'Vergeet het maar, mevrouw Cochrane. Die Robin heeft een klachtenlijst van hier tot gunder. Hij zegt dat het tempo van de jacht en de gevechtscapaciteit worden gedrukt doordat er bepaalde mensen met een functiebeperking in zijn Bende zitten. Hij wil ze vervangen door wat hij honderd-procentkrijgers noemt. Hij zegt dat de bendeleden meer privacy eisen en dat ze van plan zijn gordijnen voor de kijkramen te hangen zodat de mensen niet meer naar binnen kunnen kijken. Ja, ik weet wat u wilt zeggen. Hij beweert ook dat de homoseksuelen in de Bende een slechte invloed hebben op de militaire discipline. De nagespeelde gevechten lijken nergens naar, zegt hij, en zou het niet realistischer zijn als de mannen van de sheriff een financieel extraatje in het vooruitzicht wordt gesteld om de Bende gevangen te nemen, en zij, de Bende, de mannen van de sheriff in een hinderlaag mogen lokken waar ze maar willen. En zijn laatste klacht, tja, u zult me mijn grove taal moeten vergeven, mevrouw Cochrane.'

'Die is je vergeven, Ted.'

'Tja, hij zei dat z'n pik er zowat afvalt omdat ie d'r niks mee kan, en hij zou weleens willen weten waarom u hem hebt opgescheept met een pot, verdomme.'

Martha staarde Ted vol ongeloof aan. Ze wist niet wat ze hiermee aan moest. 'Maar... Ted... Ik bedoel, in de eerste plaats, vrouwe Marian, hoe heet ze ook weer, Vanessa, voor alle duidelijkheid, die spéélt alleen maar dat ze een pot is, zoals Robin het noemt.'

'Meer informatie hebben we niet. Het zou best eens kunnen dat ze zich helemaal met haar rol identificeert. Maar het is waarschijnlijker dat ze die als excuus gebruikt. Om zich hem van het lijf te houden, zoiets.'

'Maar... Ik bedoel, afgezien van de rest, uit het historische rapport van dr. Max meen ik me te herinneren dat vrouwe Marian toch al niet met Robin naar bed ging.'

'Tja, dat kan wel wezen, mevrouw Cochrane. De huidige stand van zaken is dat Robin klaagt dat het onredelijk en onbillijk is en een misdaad tegen zijn mannelijkheid dat hij in geen maanden, als u me mijn grove taal vergeeft maar het zijn zijn woorden, van bil is gegaan.'

Martha overwoog heel even dr. Max te bellen en hem te vertellen hoe landelijke gemeenschappen zich in de moderne wereld gedragen. In plaats daarvan pakte ze het probleem aan.

'Okay. Hij pleegt in vele opzichten contractbreuk. Dat doen ze allemaal. Maar dat is eigenlijk niet het belangrijkste. Hij is in verzet gekomen, nietwaar? Tegen het Project, tegen de plaats die wij de mythe hebben toegekend, tegen iedere bezoeker die naar hem komt kijken. Hij is... hij is...'

'Een hinderlijke vrijbuiter, mevrouw?'

Martha glimlachte. 'Dank je, Ted.'

De Bende in opstand? Het was ondenkbaar. Alles draaide om de Bende. De Bende had invloed op zoveel andere onderdelen. Stel dat ze het allemaal in hun hoofd haalden om zich zo te gaan gedragen? Stel dat de koning besloot dat hij eigenlijk wilde regeren, of, in dat verband, als koningin Boadicea besloot dat hij een parvenu was uit de een of andere Europese dynastie die pas kwam kijken? Stel dat de Duitsers besloten dat zij de slag om Engeland hadden moeten winnen? De gevolgen waren niet te overzien. Stel dat de roodborstjes besloten dat ze sneeuw niet prettig vonden?

'We moeten eens praten,' zei Martha, en ze zag Pauls wangen verstrakken. Het nukkige gezicht van een man van wie wordt verlangd dat er over een relatie wordt gediscussieerd. Martha wilde hem geruststellen. Niets aan de hand, dat hebben we nu wel gehad, het praten en het niet-praten. Er zijn allerlei dingen die ik niet kan uitspreken, en omdat jij ze toch niet wilt horen, kunnen we het maar beter zo laten.

'Het gaat om de Bende.'

Ze zag Pauls stemming verbeteren. Die verbeterde nog verder terwijl ze spraken over directiemaatregelen, het vertrouwen van de bezoekers en versnelde herscholing. Ze waren het erover eens dat het een fundamentele bedreiging van het Project betrof. Ze waren het er ook over eens dat het niet onder de douane- en accijnsdienst viel. Het was Paul die met de SAS op de proppen kwam, Paul die een deadline van achtenveertig uur aanraadde, Paul die aanbood om als technisch coördinator met de Bende te bemiddelen, Paul die haar straks nog wel zag (het zou weleens heel laat kunnen worden) en die in een staat van opgeluchte opwinding vertrok.

Op het werk konden ze met dit harmonieuze steno uit de voeten, thuis hielden ze het leefbaar met brommerige gemeenplaatsen die beleefd van alles verdrongen. Hij had een keer gezegd dat ze hem het gevoel gaf dat hij echt was. Huilde ze nu om voorbije vleierij, of om voorbije waarheid?

Wat ze niet kon uitspreken was onder meer het volgende:

– dat hem geen enkele blaam trof;

– dat ze in geluk geloofde, in weerwil van dr. Max' historische scepsis;

– dat ze, als ze zei 'geloofde in', bedoelde dat een dergelijke staat volgens haar bestond en nastrevenswaard was;

– dat zij die het geluk zochten ruwweg in twee groepen konden worden verdeeld: zij die het zochten door te voldoen aan criteria die anderen hadden bepaald, en zij die het zochten door te voldoen aan hun eigen criteria;

– dat de ene manier van zoeken in moreel opzicht niet beter was dan de andere;

– maar dat voor haar geluk inhield dat je trouw bleef aan jezelf;

– trouw bleef aan je natuur;

– dat wil zeggen: trouw bleef aan je gevoel;

– maar de grootste moeilijkheid, het probleem waar het leven om draaide, was: hoe leerde je je eigen gevoelens kennen?;

– en de bijkomende moeilijkheid was: hoe kon je weten wat je natuur was?;

– dat de meeste mensen hun natuur op hun jeugd terugvoerden; de herinneringen waar ze in opgingen, de foto's die ze lieten zien van toen ze klein waren, waren dan ook manieren om die natuur te definiëren;

– hier had je een foto van haar toen ze klein was, met haar ogen half dichtgeknepen tegen de zon en haar onderlip vooruitgestoken: kwam dat door haar natuur, of alleen doordat haar moeder niet goed kon fotograferen?;

– maar stel dat die natuur niet natuurlijker was dan de natuur die sir Jack na een wandeltocht satirisch had geschetst?;

– want als je je natuur niet wist te lokaliseren, verkleinde dat vast en zeker je kans op geluk;

– of stel dat het lokaliseren van je natuur was als het lokaliseren van een stuk moeras, waarvan de opzet een raadsel bleef en het mechanisme ondoorgrondelijk?;

– dat ze ondanks de gunstige omstandigheden en het ontbreken van hinderpalen, en ondanks het feit dat ze meende van Paul te houden, niet gelukkig was geweest;

– dat ze in het begin had gedacht dat dat misschien kwam doordat hij haar verveelde;

– of dat zijn liefde haar verveelde;

– of zelfs dat haar liefde haar verveelde;

– maar ze wist niet zeker (en hoe kon ze dat zeker weten, ze kende haar natuur immers niet?) of dat wel zo was;

– misschien was de liefde voor haar derhalve niet de oplossing;

– wat al met al niet zo'n vreselijk buitenissige positie was, zoals dr. Max geruststellend tegen haar zou hebben gezegd;

– of misschien was het zo dat de liefde voor haar te laat was gekomen, te laat om haar van haar eenzaamheid af te helpen (als dat een manier was om liefde te toetsen), te laat om haar gelukkig te maken;

– dat toen dr. Max had verklaard dat de mensen in de Middeleeuwen eerder de verlossing dan de liefde hadden gezocht, die twee ideeën niet noodzakelijkerwijs strijdig met elkaar waren;

– de eeuwen daarna waren gewoonweg minder ambitieus geweest;

– en als we het geluk zoeken, jagen we misschien een lagere vorm van verlossing na, al durven we er die naam niet aan te geven;

– dat haar eigen leven misschien was geweest zoals dr. Johnson het zijne had genoemd: een onvruchtbare tijdverspilling;

– dat ze bitter weinig was opgeschoten in de richting van de

allerlaagste vorm van verlossing;
– dat dit allemaal zijn schuld niet was.

De overval op de grot van Robin werd zonder er veel ruchtbaarheid aan te geven op het programma gezet als een eenmalig spektakel, een trefpunt van tijdperken, alleen toegankelijk voor topklasse bezoekers tegen betaling van een dubbele toeslag. Om zes uur had de U-vormige tribune zich gevuld, en de ondergaande zon bescheen als een natuurlijke schijnwerper de ingang van de Grot.

Martha en de andere directieleden zaten hoog achterin. Dit was een ernstige crisis en een uitdaging voor de hele filosofie achter het Project; maar tegelijkertijd, als alles voorspoedig verliep, zouden er misschien nuttige ideeën voor Ideeënontwikkeling uitkomen. De vrijetijdstheorie stond niet stil. Zij en Paul hadden al eens gefilosofeerd over het aan elkaar koppelen van andere, niet-synchrone episodes uit de vaderlandse geschiedenis. Waar zat hij trouwens? Hij was vast en zeker nog achter de coulissen bezig met het verfijnen van het stappenplan van de Bende.

Tot haar ergernis ontdekte Martha dat sir Jack naast haar zat. Dit was geen ceremoniële gebeurtenis, verre van dat. Wie had hij de duimschroeven aangedraaid om de plaats van dr. Max te bemachtigen? En zat er op zijn gouverneursjasje een nieuw rijtje medailles die hij zichzelf had toegekend? Toen hij zich met zijn Jolige Jack-grijns en een schelms hoofdgebaar naar haar toe wendde, viel het haar op dat de grijze draden in zijn wenkbrauwen eindelijk zwart waren geworden. 'Ik zou de pret voor geen goud willen missen,' zei hij. 'Al zou ik niet graag in jouw schoenen staan.'

Ze negeerde hem. Vroeger zou ze haar stekels overeind hebben gezet, nu deed het er niet toe. De dienst uitmaken, dat telde. En als hij zin had een spelletje te spelen... Ach, ze zou de paardenkracht van zijn landauer kunnen halveren, de armagnacclausule in zijn contract herroepen, of hem van een oormerk voorzien, net als Dingle de Wollige Stier. Sir Jack was een anachronisme. Martha boog zich naar voren om te kijken wat er gaande was.

Kolonel Michael 'Malle Mike' Michaelson was, voordat hij was gerekruteerd als hoofd van de Eiland-SAS, in het burgerleven fitnesstrainer met ervaring als stuntman geweest. Verder zaten er in zijn eenheid turners, veiligheidsbeambten, uitsmijters, sporters en balletdansers. Het gebrek aan militaire ervaring dat ze gemeen hadden verhinderde niet dat ze twee keer per week het beleg van de Iraanse ambassade van 1980 opvoerden, wat lenigheid, goede ogen en behendigheid met klimtouwen vereiste, plus het vermogen heftig onbeheerst te reageren bij het ontploffen van de verdovingsgranaten. Maar deze test was nieuw, en terwijl Malle Mike zijn mannen instructies gaf op een inderhaast met bulldozers geëffend, ongebruikt terreintje vlak voor rij AA, maakte hij zich als vakman authentieke zorgen. Niet over de afloop: de Vrolijke Vrienden zouden precies zo meewerken als de bezetters van de Iraanse ambassade normaal gesproken deden. Wel was hij bang dat de voorstelling, doordat er niet was gerepeteerd, niet echt genoeg zou ogen.

Zelfs hij wist dat een overval op een grot bij daglicht vanuit militair oogpunt bespottelijk was. De beste manier om Hood en de Bende uit te schakelen – dat wil zeggen, als ze werkelijk overlast bezorgden – zou zijn om in het holst van de nacht met stokken en zaklampen via de dienstingang binnen te dringen. Maar vooropgesteld dat iedereen zich aan zijn rol hield, meende hij er best een mooi geheel van te kunnen maken.

Net als bij het Ambassadebeleg maakte een ringleiding het mogelijk dat het publiek per koptelefoon meeluisterde. Malle Mike ontvouwde zijn plan en zette zijn woorden met weidse gebaren kracht bij. De twee gevechtseenheden, met geheel zwart gegrimeerde koppen, luisterden gespeeld aandachtig terwijl ze doorgingen met hun voorbereidingen: een man wette een lang jachtmes, een andere zette de pin van een verdovingsgranaat op scherp, weer twee andere controleerden de sterkte van de nylonkoorden. De kolonel rondde zijn instructie af met de strenge oproep, ontdaan van alle militaire krachttermen, om vooral gedisciplineerd en beheerst op te treden; vervolgens stuurde hij het zestal dat bekendstond als Groep A met uitgestrekte arm en de kreet 'Actie, actie ACTIE!' erop uit.

De tribune keek vergenoegd en met een aan zekerheid grenzend gevoel van vertrouwdheid toe terwijl Groep A zich in tweeën splitste, het bos in verdween en zich vervolgens aan een op slag aannemelijk katrollenstelsel uit de boomtoppen naar het dak van de Grot slingerde. Er werden afluisterapparaatjes op het rotsoppervlak aangebracht, een microfoon werd neergelaten in de opening van de grot, en twee SAS'ers begonnen aan weerszijden van Hoods appartement aan touwen af te dalen.

Groep A had zijn positie nauwelijks doorgegeven, of gegrinnik verspreidde zich over de tribunebanken. Broeder Tuck was de Grot uit gekomen, gewapend met een snoeischaar met lange handgrepen. Na veel grappen en grollen knipte hij het bungelende koord door, raapte het op en mikte het naar de toeschouwers toe. Malle Mike negeerde dit grove, niet-afgesproken staaltje schmieren en ging de leden van Groep B voor in tijgersluipgang over het open terrein. Naar de beste tradities van de militaire toneelkunst droegen ze bebladerde takken op hun wollen bivakmutsen.

'Geen angst tot Burnham Wood komt naar Dunsinane,' verkondigde sir Jack, hoorbaar voor de tien rijen voor hem. 'Zoals de grote Willem heeft opgemerkt.'

Groep B was de opening van de Grot op twintig meter genaderd toen drie pijlen over hen heen suisden en zich een paar passen voor rij AA in de grond boorden. Daverend applaus bevestigde dat dit soort realisme een dubbele toeslag dubbel en dwars waard was. Malle Mike keek van zijn medeturners en medeveiligheidsmannen naar de tribune, half en half via zijn koptelefoon een teken of aanvullende instructies van Paul verwachtend. Toen deze uitbleven fluisterde hij in zijn microfoon: 'Robin Roodborst. We gaan springen. Veertig seconden, jongens.' Hij maakte een bedacht gebaar naar Groep A boven op de Grot. Vier van de zes leden van die groep stonden aan strakke koorden klaar boven de ramen, terwijl ieder de diepte en de afstand van zijn gymnastische toer inschatte. Toen ze omlaagkeken verraste hen de zo te zien vettige glans van echt glas. Bij de Ambassade waren de ramen gemaakt van een glassoort die al bij lichte druk gemakkelijk barstte en versplinterde. Och, vermoedelijk had Techno-ontwikkeling iets nog authentiekers bedacht.

Malle Mike en zijn tweede man gingen op hun knieën zitten en gooiden ieder een verdovingsgranaat de Grot in. De speciale dertig-secondedetonators waren ontworpen om de spanning verder op te voeren; de ontploffingen zouden voor Groep A het sein zijn om door de ramen te springen. De leden van Groep B lagen nog voorover op de grond en deden of ze hun oren bedekten, toen ze achter zich de dubbele-toeslagbetalers opnieuw hoorden grinniken. De twee granaten, die nu over enkele seconden zouden ontploffen, zeilden hun kant weer op, gevolgd door drie pijlen die onnodig dichtbij neerkwamen. De granaten ontploften met donderend lawaai tussen de leden van Groep B, die blij waren dat het geen echte waren. 'Een scheet in een netje,' zei Malle Mike bij zichzelf, vergetend dat zijn woorden regelrecht naar de koptelefoon van alle patsers op de tribune gingen.

Om zijn verwarring te maskeren stond hij op en riep: 'Actie, actie ACTIE!', en ging zijn mannen voor over de resterende twintig meter terrein. Op hetzelfde moment lanceerden de vier aan kabels hangende SAS'ers zich van de rotshelling en richtten hun van noppen voorziene schoenen op de panoramaruiten.

Later viel moeilijk vast te stellen wie er het eerst had geschreeuwd: de leden van Groep A, die op de versterkte dubbele beglazing van de Grot bij elkaar twee gebroken enkels en acht ernstig verstuikte knieën hadden opgelopen, of de leden van Groep B toen ze een stuk of zes pijlen op zich af zagen komen. Eentje raakte Malle Mike in de schouder, een andere doorboorde de dij van zijn tweede man.

'Actie, Actie ACTIE!' riep de gevelde kolonel terwijl zijn team sporters en acteurs uiterst realistisch in tegenovergestelde richting wegvluchtten.

'Klote, klote KLOTE!' gromde sir Jack.

'Ambulance,' zei Martha Cochrane tegen Ted Wagstaff, terwijl onzichtbare handen de ramen van de Grot openden en de bungelende SAS'ers naar binnen trokken.

De potteuze lijfwacht van vrouwe Marian rende de Grot uit en begon Malle Mike weg te zeulen. 'Actie, actie ACTIE!' schreeuwde hij, tot het einde toe dapper.

'Klote, klote KLOTE!' herhaalde sir Jack. Hij wendde zich tot Martha Cochrane en zei: 'Zelfs jij zult moeten toegeven dat je de boel naar volledig naar de kloten hebt geholpen.'

Martha gaf niet meteen antwoord. Ze had erop vertrouwd dat Paul zich beter van zijn taak zou kwijten. Of misschien was het stappenplan afgesproken maar had Hood hem een loer gedraaid. De aanval was rampzalig amateuristisch geweest. En toch... en toch... Ze wendde zich naar de gouverneur toe: 'Moet u dat applaus eens horen.' Inderdaad. Het gefluit en geklap ging geleidelijk aan over in een ritmisch gestamp dat een bedreiging vormde voor de tribune. Ze hadden het prachtig gevonden, zoveel was duidelijk. De speciale effecten waren grandioos geweest; Malle Mike had volkomen overtuigend de gewonde held neergezet; alle ongelukjes bevestigden slechts de authenticiteit van de actie. En per slot van rekening, besefte Martha opeens, hadden de meeste bezoekers gewild dat de Vrolijke Vrienden wonnen. De SAS'ers mochten dan bij de Iraanse Ambassade helden zijn, hier waren ze een zootje ongeregeld dat was opgetrommeld door de gemene sheriff van Nottingham.

De Bende van Robin werden, als onwillige acteurs, uit de Grot gehaald en moesten vele buigingen maken. Een traumahelikopter landde voorzichtig om de tweede man van de kolonel regelrecht naar het ziekenhuis van Dieppe te vervoeren. Intussen werd Malle Mike zelf, met dik touw vastgebonden, als gijzelaar gepresenteerd.

Het applaus hield aan. Hier lagen beslist nieuwe mogelijkheden, dacht Martha. Zij en Paul zouden het met Jeff moeten doorpraten. Het concept moest natuurlijk nog verder worden ontwikkeld, en het was jammer dat de Bende té hard van stapel was gelopen; maar kennelijk maakten schermutselingen waarbij tijdperken elkaar ontmoeten bij de bezoekers veel los.

Sir Jack schraapte zijn keel en draaide zich naar Martha toe. Gewichtig zette hij zijn driekante steek op. 'Ik verwacht uw ontslagbrief morgenochtend.'

Had hij dan geen greintje realiteitszin meer?

Toen Martha de volgende ochtend de deur van haar kantoor opendeed, zat sir Jack Pitman achter haar bureau, met een duim achteloos achter een vergulde tres gehaakt. Hij was aan het bellen, althans, hij sprak in de telefoon. Achter hem stond Paul. Sir Jack wees naar een lage stoel die tegenover het bureau stond. Net als bij haar sollicitatiegesprek weigerde Martha naar zijn pijpen te dansen.

Even later, nadat hij instructies had gegeven aan iemand die al dan niet aan de andere kant van de lijn was, drukte sir Jack op een knopje en zei: 'Ik ben telefonisch niet bereikbaar.' Daarna keek hij naar Martha op. 'Verbaasd?'

Martha reageerde niet.

'Okay, niet níét verbaasd dus.' Hij lachte zachtjes, als om een duistere toespeling.

Martha had het bijna helemaal door toen sir Jack zich overeind hees en zei: 'Maar mijn beste Paul, ik vergeet iets. Dit is nu jóuw stoel. Mijn gelukwensen.' Hij deed een kamerheer of parlementsbode na, hield stram de stoel klaar voor Paul en schoof hem vervolgens onder diens dijen. Paul, zag Martha, had in elk geval het fatsoen om beschaamd te kijken.

'Ziet u, mevrouw Cochrane, u hebt het eenvoudigste lesje nog niet geleerd. U doet me denken aan de jager die achter de grizzlybeer aan ging. Kent u dat verhaal?' Hij wachtte Martha's reactie niet af. 'Hoe dan ook, een beregoed verhaal. *Beregoed*, dat is een goeie, neemt u mij mijn spontane scherts niet kwalijk. Zeker een gevolg van mijn stemming. Welnu, een jager hoorde dat er een beer zat op een eilandje voor de kust van Alaska. Hij huurde een helikopter om zich over het water te laten vervoeren. Na enig zoeken vond hij de beer, een geweldige, grote, wijze oude beer. Hij nam hem op de korrel, vuurde snel een schot af – pie-ie-ieoej – en beging de verschrikkelijke, de onvergeeflijke fout het dier slechts te verwonden. De beer rende het bos in, en de jager zette de achtervolging in. Hij maakte een rondje over het Eiland, doorsneed het in alle richtingen, hij zocht berensporen op de heuvels en in de dalen. Misschien was Bruun weggekropen in een grot en had hij de laatste harige adem uitgeblazen. In elk geval, geen beer. De dag liep ten einde, en de jager vond het dan ook welletjes en ging vermoeid op weg naar de plek waar de helikopter stond te wachten. Hij was die tot op ongeveer honderd meter genaderd toen hij zag dat de piloot nogal opgewonden naar hem zwaaide. Hij stond stil, zette zijn geweer neer om terug te zwaaien, en dát was het moment waarop de beer, met één mep van zijn buitengewoon grote klauw' – sir Jack schetste het gebaar voor het geval Martha het zich niet kon voorstellen – 'de jager onthoofdde.'

'En de beer leefde nog lang en gelukkig?' Martha kon de schimpscheut niet binnenhouden.

'Ik zal u dit zeggen: die stomme jager niet, mevrouw Cochrane, die stomme jager niet.' Sir Jack, die zich in zijn volle lengte voor haar oprichtte, begon steeds meer op een beer te lijken zoals hij heen en weer stond te zwaaien en te brullen. Paul lachte zachtjes als een in zijn functie herstelde pluimstrijker.

Martha negeerde sir Jack en zei tegen de pas benoemde algemeen directeur: 'Ik geef je hooguit een halfjaar.'

'Is dat terechte vleierij?' vroeg hij koeltjes.

'Ik dacht...' Ach, laat ook maar, Martha. Je dacht dat je de situatie, diverse situaties, goed had ingeschat. Nee dus. Punt uit.

'Vergeef me dat ik u stoor bij uw privéverdriet.' Sir Jacks stem droop van het sarcasme. 'Maar er moeten nog een paar contractuele puntjes worden verduidelijkt. Op grond van uw contract zijn uw pensioenrechten vervallen omdat u zich tijdens het voorval bij de Grot van Hood ernstig hebt misdragen. U krijgt twaalf uur om uw kantoor en uw appartement te ontruimen. Uw afscheidscadeau bestaat uit een enkeltje economy class voor de veerboot naar Dieppe. Uw carrière is ten einde. Maar voor het geval u van plan bent u te verzetten: de beschuldiging wegens fraude en verduistering die we hebben opgesteld ligt klaar om zo nodig te worden geactiveerd.'

'Tante May,' zei Martha.

'Mijn moeder had alleen maar broers,' antwoordde sir Jack zelfgenoegzaam.

Ze keek naar Paul. Hij ontweek haar blik. 'Er is geen bewijs,' zei hij. 'Niet meer. Zeker verdwenen. Verbrand of zo.'

'Of opgegeten door een beer.'

'Heel goed, mevrouw Cochrane. Het doet me genoegen dat u ondanks alles uw gevoel voor humor hebt weten te bewaren. Natuurlijk moet ik u waarschuwen dat ik niet zal aarzelen, mocht u uitlatingen doen, hetzij in het openbaar, hetzij privé, die ik schadelijk acht voor de belangen van mijn dierbare Project, om alle niet geringe middelen die mij ten dienste staan in te zetten om u daarvan af te brengen. En u kent me goed genoeg om te beseffen dat ik me niet zal beperken tot het verdedigen van mijn belangen. Ik zal zéér proactief zijn. Ik weet zeker dat u me begrijpt.'

'Gary Desmond,' zei Martha.

'Mevrouw Cochrane, u bent níét met uw tijd meegegaan. Vervroegd pensioen zat er duidelijk toch al aan te komen. Vertel haar het nieuwtje maar, Paul.'

'Gary Desmond is benoemd tot hoofdredacteur van *The Times*.'

'Tegen een riant salaris.'

'Klopt, mevrouw Cochrane. Cynici zeggen dat iedereen zijn prijs heeft. Ik ben minder cynisch dan anderen die ik ken. Ik denk dat iedereen aardig van zichzelf weet op welk niveau hij of zij beloond zou willen worden. Is dat niet een nettere manier om de zaken te bekijken? Uzelf, meen ik me te herinneren, hebt bepaalde salariseisen gesteld toen u voor me kwam werken. U wilde die baan graag hebben, maar u hebt uw prijs genoemd. Elke kritiek op de achtenswaardige heer Desmond, wiens journalistieke reputatie buiten kijf staat, zou pure schijnheiligheid zijn.'

'Waar u...' Ach, hou toch op, Martha. Laat maar zitten.

'U laat vanmorgen wel erg veel zinnen onafgemaakt, mevrouw Cochrane. Stress, vermoed ik. Een lange zeereis is de geijkte remedie. Helaas, wij kunnen u slechts een korte oversteek van het Kanaal aanbieden.' Hij haalde een envelop uit zijn zak en gooide die voor haar neer. 'En nu,' zei hij, terwijl hij zijn driekante steek op zijn hoofd zette en zich oprichtte, niet zozeer als een steigerende grizzly dan wel als een scheepskapitein die vonnis velt over een muiter, 'verklaar ik u bij deze persona non grata op het Eiland. Tot in eeuwigheid.'

Reacties welden in Martha op maar kwamen niet over haar lippen. Ze schonk Paul een neutrale blik, liet de envelop liggen en verliet voor de laatste keer haar kantoor.

Ze nam afscheid van dr. Max, van de Veldmuis, van de pragmatische heiden. Dr. Max, die het geluk noch de verlossing zocht. Zocht hij de liefde wel? Ze vermoedde van niet, maar ze hadden er niet met zoveel woorden over gesproken. Hij beweerde slechts uit te zijn op het genot, mét de fraai geschetste ongenoegens die eraan kleefden. Ze kusten elkaar op de wang, en ze ving een vleugje op van gekloonde eau de toilette. Toen Martha zich omdraaide om weg te gaan, werd ze overvallen door een gevoel van verantwoordelijkheid. Ook al had dr. Max dan misschien zijn eigen glanzende pantser opgebouwd, op dat moment zag ze hem als kwetsbaar, onschuldig, van zijn pantser ontdaan. Wie moest hem beschermen als zij er niet meer was?

'Dr. Max.'

'Mevrouw Cochrane?' Hij stond voor haar, met zijn duimen in de zakjes van zijn eucalyptusvest, alsof hij de zoveelste vraag van een student verwachtte om mee te stoeien.

‘Hoor eens, weet u nog dat ik u een paar maanden geleden bij me heb laten komen?’

‘Toen u van plan was me te ontslaan?’

‘Dr. Máx!’

‘Nou, dat was toch zo? Een h-istoricus krijgt tijdens zijn onderzoekswerk een bepaalde neus voor hoe de macht in z’n werk gaat.’

‘Redt u het verder wel, dr. Max?’

‘Ik heb zo’n idee van wel. Er zal nog veel geordend moeten worden aan de stukken van Pitman. En dan de biografie natuurlijk nog.’

Martha glimlachte hem toe en schudde verwijtend haar hoofd. Het verwijt gold haarzelf: dr. Max had haar goede raad noch haar bescherming nodig.

In de St.-Aldwyn staarde ze naar de lotnummers. Geen hoofdprijs deze week, alweer niet, Martha. Ze ging zitten op een klam knielkussen met initialen erop geborduurd, en het was alsof ze het vochtige licht bijna kon opsnuiven. Wat voerde haar hierheen? Ze kwam niet om te bidden. Er heerste geen gepaste sfeer van boetedoening. De scepticus die tot inkeer komt, de godslasteraar wiens troebele blik weer helder wordt: haar geval was geen herhaling van het bekende, de geestelijkheid welgevallige verhaal. Was er niettemin een parallel? Dr. Max geloofde niet in verlossing, maar zij misschien wel, en misschien dacht ze die te vinden te midden van de overblijfselen van een veelomvattender, afgedankt stelsel van verlossing.

– En, Martha, waar ben je dan wel op uit? Mij kun je het wel vertellen.

– Waar ben ik op uit? Ik weet het niet. Misschien de erkenning dat het leven, ondanks alles, serieus kan zijn. Al is die ernst mij ontgaan. Zoals hij de meeste mensen waarschijnlijk ontgaat. Maar toch.

– Ga door.

– Tja, ik denk dat het leven waarschijnlijk serieuzer is als het structuur heeft, als er buiten jezelf nog iets groters bestaat.

– Aardig en diplomatiek, Martha. Banaal ook wel. Een triomf van zinloosheid. Waag nog eens een poging.

– Goed. Als het leven een onbeduidende zaak is, dan is wanhoop de enige mogelijkheid.

– Beter, Martha. Stukken beter. Tenzij je eigenlijk bedoelt dat je hebt besloten God te gaan zoeken als een manier om antidepressiva te vermijden.

– Nee, zo zit het niet. Je begrijpt me verkeerd. Ik zit niet in een kerk vanwege God. Een van de problemen is dat de woorden, de serieuze woorden, in de loop van de eeuwen zijn verbruikt door mensen zoals die pastoors en dominees die op de muur staan opgesomd. De woorden schijnen tegenwoordig niet bij de gedachten te passen. Maar ik denk dat die overigens onbenijdbare wereld iets benijdbaars had. Het leven is serieuzer, en derhalve beter, en derhalve draaglijk, als er een bredere context bestaat.

– O, kom nou toch, Martha, je begint me de keel uit te hangen. Je bent dan misschien niet godsdienstig, maar je bent wél vroom. Ik vond je leuker zoals je vroeger was. Koel cynisme is een waarachtiger reactie op de moderne wereld dan dit... sentimentele verlangen.

– Nee, het is niet sentimenteel. Integendeel. Ik beweer dat het leven serieuzer is, en beter, en draaglijk, ook al is de context willekeurig en wreed, ook al zijn de wetten fout en onrechtvaardig.

– Dat kun je achteraf makkelijk zeggen. Zeg dat maar eens tegen de slachtoffers van godsdienstvervolging door de eeuwen heen. Word je liever geradbraakt of heb je liever een leuk bungalowtje op Wight? Ik denk dat ik het antwoord wel kan raden.

– En dan nog iets...

– Maar je hebt nog niet op mijn laatste argument gereageerd.

– Hmm, misschien zit je ernaast. En dan nog iets. Is afvalligheid van het geloof van één persoon en de afvalligheid van het geloof van een heel volk niet vrijwel hetzelfde? Kijk maar wat er met Engeland is gebeurd. Het oude Engeland. Dat geloofde nergens meer in. O, het modderde nog wel door. Het ging redelijk. Maar het serieuze was eraf.

– O, nu hebben we het opeens over de afvalligheid van het geloof van een heel volk? Dat is zelfs voor jouw doen wel erg ironisch, Martha. Jij denkt dat het volk beter af is als het ergens serieus in gelooft, ook al is het in iets willekeurigs en wreeds? Stel de Inquisitie maar weer in, voer de Grote Dictators ten tonele, Martha Cochrane presenteert vol trots...

– Hou op. Ik kan het niet uitleggen zonder de spot met mezelf te drijven. De woorden volgen nu eenmaal hun eigen logica. Hoe hak je de knoop door? Misschien door de woorden te laten voor wat ze zijn. Laat de woorden maar opdrogen, Martha...

Er verscheen een beeld voor haar geestesoog, een beeld dat ze deelde met degenen die vroeger in deze banken hadden gezeten. Niet Guilliamus Trentinus natuurlijk, noch Anne Potter, maar misschien had vaandrig Robert Timothy Pettigrew het gekend, en Christina Margaret Benson, en James Thorogood en William Petty. Een vrouw die was meegesleurd maar in de lucht was blijven hangen, een vrouw die deze wereld al half verlaten had, doodsbang en ontzet, maar uiteindelijk goed terecht was gekomen. Het gevoel te vallen, steeds maar dieper te vallen, dat we elke dag van ons leven ervaren, en vervolgens het besef dat de val wordt afgeremd, gebroken, door een onzichtbare stroming waarvan niemand het bestaan had vermoed. Een kort, eeuwigdurend ogenblik dat absurd was, onwaarschijnlijk, ongelooflijk, waar. Door de lichte schok bij het neerkomen kwamen er barstjes in de eieren, maar dat was alles. De volheid van het hele leven dat na dat ogenblik nog volgde.

Later had men zich dat ogenblik toegeëigend, het was opnieuw bedacht, nagebootst, verruwd; zij had daar zelf aan bijgedragen. Maar een dergelijke verruwing deed zich altijd voor. De ernst lag in het eerbiedigen van het oorspronkelijke beeld: ernaar teruggaan, het zien, het ervaren. Op dat punt sloeg zij een andere weg in dan dr. Max. Je vermoedde misschien dat het magische ogenblik nooit had plaatsgevonden, of in elk geval niet zoals men tegenwoordig veronderstelde dat het had plaatsgevonden. Maar je moest het beeld en het ogenblik eerbiedigen, ook als het nooit was gebeurd. Daarin lag de kleine ernst van het leven.

Ze legde verse bloemen op het altaar en haalde de oude van de week ervoor weg, die dor en broos waren. Ze trok de zware deur moeizaam dicht, maar deed hem niet op slot, voor het geval er nog iemand zou komen. Want uwer is het bonenrijk, de bloemenpracht en de hele historie.

DEEL DRIE

Anglia

Met een reeks soepele metalige zwaaien vanuit de pols wette Jez Harris zijn zeis. De pastoor had een stokoude Atco die op benzine liep, maar Jez deed de dingen liever zoals het hoorde; bovendien waren de dronken grafstenen opzettelijk dicht opeengezet, als om mechanische maaiers te tarten. Vanaf de andere kant van het kerkhof keek Martha toe terwijl Harris zich bukte om zijn leren kniebeschermers strakker om te binden. Daarna spuugde hij in zijn handen, uitte een paar verzonnen verwensingen en zette de aanval in op het kweekgras en de wilgenroosjes, de korenbloemen en de verwilderde wikke. Tot het onkruid weer was opgeschoten zou Martha de uitgebeitelde namen van haar toekomstige metgezellen kunnen lezen.

Het was begin juni, een week voor het dorpsfeest, en het weer wekte een bedrieglijk zomerse indruk. De wind was gaan liggen, en trage hommels snorden door de geur van doorstoofd gras. Een met zilver overgoten paarlemoervlinder verwisselde van zorgeloze vliegroute met een zandoogje. Alleen een op insecten azende, hyperactieve tjiftjaf legde een storend arbeidsethos aan de dag. De zangvogels waren brutaler dan ze in haar jeugd waren geweest. Laatst nog had Martha een appelvink vlak bij haar voeten een kersenpit kapot zien slaan.

Het kerkhof ademde ongedwongenheid en verval, zachtaardig geknaag van de tand des tijds. Een waterval van baardmos verhulde het gevaarlijk overhellen van een stenen muur. Er stond een bruine beuk, waarvan twee moe geworden takken door houten stutten werden ondersteund, en er was een toegangspoort waarvan het puntdakje lekte. De bemoste latten van het bankje waarop Martha zat protesteerden zelfs tegen haar behoedzaam verdeelde gewicht.

'Tjiftjaffen zijn rusteloze vogels, die geen zwermen vormen.' Waar kwam dat vandaan? Het was zomaar in haar hoofd opgekomen. Nee, dat was niet waar: het had altijd al in haar hoofd gezeten en had deze gelegenheid te baat genomen om door haar gedachten te schieten. Het geheugen werkte steeds onsystematischer, was haar opgevallen. Haar geest functioneerde nog helder, meende ze, maar in rusttoestand dwarrelde er allerlei rommel uit het verleden in rond. Jaren geleden, toen ze van middelbare leeftijd was, of volwassen, of hoe je het ook wilde noemen, was haar geheugen praktisch ingesteld geweest, rechtvaardigend. Herinneringen aan je jeugd bestonden bijvoorbeeld uit een opeenvolging van voorvallen die verklaarden hoe je was geworden wie je was. Tegenwoordig kwamen haperingen – een fietsketting die een tandje oversloeg – vaker voor, gevolgtrekkingen minder vaak. Of misschien zinspeelde je brein daarmee op datgene wat je niet wilde weten: dat je was geworden wie je was níét door verklaarbaar oorzaak-en-gevolg, door wilsdaden opgelegd aan de omstandigheden, maar louter en alleen door onberekenbaarheden. Je hele leven sloeg je met je vleugels, maar het was de wind die bepaalde waar je heen ging.

'Meneer Harris?'

'Zeg maar Jez, juffrouw Cochrane, dat doet iedereen.' De hoefsmid was een forse kerel wiens knieën kraakten toen hij zich oprichtte. Hij droeg een landmantenue van eigen vinding, een en al zakken, banden en onverwachte plooien, dat deed denken zowel aan een morrisdanser als aan een liefhebber van SM.

'Ik geloof dat daar nog een gekraagde roodstaart zit te broeden. 'Vlak achter dat baardmos. Pas op dat u hem niet verjaagt.'

'Komt in orde, juffrouw Cochrane.' Jez Harris trok aan een losse lok haar op zijn voorhoofd, wat wellicht spottend bedoeld was. 'Ze zeggen dat gekraagde roodstaartjes geluk brengen aan degene die hun nest met rust laat.'

'O ja, meneer Harris?' Martha keek ongelovig.

'In dit dorp wel, juffrouw Cochrane,' antwoordde Harris gedecideerd, alsof haar betrekkelijk recente komst haar niet het recht gaf de geschiedenis in twijfel te trekken.

Hij liep door om op een veldje fluitenkruid in te gaan hakken. Martha glimlachte bij zichzelf. Grappig dat ze zich er niet toe kon zetten hem Jez te noemen. Toch was Harris net zomin authentiek. Jez Harris, vroeger Jack Oshinsky, aankomend bedrijfsjurist bij een Amerikaans elektronicaconcern dat het land ten tijde van de noodtoestand had moeten verlaten. Hij had er de voorkeur aan gegeven te blijven en zowel zijn naam als zijn technologie terug te draaien; tegenwoordig besloeg hij paarden, maakte hoepels voor vaten, sleep messen en zeisen, boorde sleutels, hield de bermen bij en brouwde een kwalijk soort cider waar hij vlak voor het serveren een gloeiend hete pook in dompelde. Zijn huwelijk met Wendy Temple had zijn Milwaukee-accent lichter en plaatselijker gemaakt, en hij schepte er een onbedaarlijk genoegen in om de boerenpummel te spelen steeds wanneer er een antropoloog, reisschrijver of taaltheoreticus opdook die niet afdoende vermomd was als toerist.

'Kunt u me ook vertellen,' zo begon de oprechte wandelaar die werd verraden door bijvoorbeeld zijn nieuwe wandelschoenen, 'of dat groepje bomen daarginds een speciale naam heeft?'

'Naam?' riep Harris dan terug vanuit zijn smidse, terwijl hij zijn wenkbrauwen fronste en als een bezeten xylofonist op een vuurrood hoefijzer hamerde. 'Naam?' herhaalde hij, door warrige haren naar de onderzoeker loerend. 'Da's het bosje van Halley, da' weet toch elke onnozele hals.' Daarna mikte hij het hoefijzer met een verachtelijk gebaar in een emmer water; het gesis en de stoom onderstreepten zijn afkeuring.

'Het bosje van Halley... U bedoelt... De Halley van de komeet?' De vermomde besnuffelaar en navorser van de achterlijke mensheid begon het al jammer te vinden dat hij geen notitieboekje of bandrecorder te voorschijn kon halen.

'Komeet? Welke komeet zou dat dan moeten wezen? D'r is hier sinds mensenheugenis geen komeet geweest. Nooit gehoord van Edna Halley? Nee, de lui hier in de buurt praten daar liever niet over. Rare zaak, als je 't mij vraagt, rare zaak.'

Waarop Harris de smid, geboren Oshinsky en voormalig bedrijfsjurist, met bestudeerde tegenzin en na met gebaren zijn honger kenbaar te hebben gemaakt, zich in The Rising Sun liet trakteren op een steak-and-kidney pudding; en met een pint mild-and-bitter voor zich zinspeelde hij, zonder ooit iets hard te maken, op verhalen over hekserij en bijgeloof, over seksuele riten in de maneschijn en het in trance slachten van vee, allemaal nog niet eens zo heel lang geleden. Andere gasten in de gelagkamer hoorden zinnen wegsterven als Harris zich bedacht en melodramatisch zijn stem dempte. 'Natuurlijk heeft de pastoor altijd ontkend...' kregen ze te horen, of 'De lui die u tegenkomp beweren allemaal dat ze de ouwe Edna niet hebben gekend, maar ze heeft ze bij d'r lui geboorte gewassen en ze heeft ze na d'r lui dood gewassen, en daartussenin...'

Van tijd tot tijd sprak meneer Mullin, de schoolmeester, Jez Harris vermanend toe en wees erop dat je voor folklore, en voor bedachte folklore in het bijzonder, eigenlijk geen geld zou mogen vangen en dat er niet om gesjacherd mocht worden. De schoolmeester was tactvol en timide; hij beperkte zich dan ook tot algemeenheden en principes. Anderen in het dorp wonden er geen doekjes om: naar hun mening bewezen Harris' gefantaseer en inhaligheid dat de smid niet uit Anglia afkomstig was.

Hoe dan ook, Harris ging nooit op de reprimande in en betrok meneer Mullin met diverse knipogen en enig gekrab op zijn hoofd in zijn eigen verhaal. 'Wees maar niet bevreesd, hoor, mijnheer Mullin. 'k Heb nooit iets losgelaten over u en Edna, geen woord, ik haal mijn eigenste zeis over m'n bast als er ook maar íéts uit mijn strot komt over dat akkevietje...'

'Ach, hou toch op, Jez,' protesteerde de schoolmeester dan, hoewel hij met het bezigen van die voornaam zijn nederlaag zo goed als toegaf. 'Ik bedoel alleen: laat je niet meeslepen door al die kletskoek die je verkoopt. Als je behoefte hebt aan legenden van deze streek, kan ik je een heleboel boeken lenen. Verzamelde folklore, dat soort dingen.' Meneer Mullin was in zijn vorige leven antiquaar geweest.

'Moedertje Mooiweer en zo, bedoelt u? Eerlijk gezegd, mijnheer Mullin,' – en op dat punt keek Harris lichtelijk zelfgenoegzaam – 'ik heb dat soort dingen op ze uitgeprobeerd, maar het sloeg niet echt aan. Ze hebben liever de verhalen van Jez, om u de waarheid te zeggen. U en juffrouw Cochrane mogen best bij kaarslicht samen in die boeken van u zitten lezen...'

'O, in godsnaam, Jez.'

'Die juffrouw Cochrane zal in haar goeie jaren best een aardig toetje hebben gehad, denkt u ook niet? Ze zeggen dat verleden maandag, toen die goeie Brock de das bij maanlicht op de galgenheuvel dartelde, er iemand een onderjurk van haar waslijn heeft gepikt...'

Niet lang na deze confrontatie klopte meneer Mullin, ernstig en gegeneerd, compleet met schaamrood en leren elleboogstukken, op Martha Cochranes achterdeur en verklaarde niets af te weten van de kwestie van de gestolen onderkleding, over de vermissing waarvan hij echt niet op de hoogte was geweest totdat, totdat...

'Jez Harris?' vroeg Martha met een glimlach.

'U wilt toch niet zeggen...?'

'Ik denk dat ik waarschijnlijk zo oud ben dat niemand meer belangstelling voor mijn wasgoed heeft.'

'O, de... de schúrk.'

Meneer Mullin was een schuchtere, pietluttige man, die door zijn leerlingen Tjiftjaf werd genoemd. Hij wilde wel een kopje pepermuntthee en tilde, niet voor het eerst, zijn klachten tegen de smid naar een iets hoger niveau. 'De kwestie is, juffrouw Cochrane, ik kan er niets aan doen, maar aan de ene kant kies ik partij voor hem als hij sterke verhalen opdist aan al die bemoeizuchtige en nieuwsgierige lui die niet eens willen zeggen wat ze in de zin hebben. Laat de bedrieger maar bedrogen worden – zo luidt die uitdrukking toch, ook al kan ik op dit moment niet precies op de juiste bewoording komen. Zou het soms iets met Mars te maken hebben...?'

'Maar aan de andere kant...'

'Ja, dank u, maar aan de andere kant wou ik dat hij die dingen niet verzón. Ik heb boeken met mythen en legenden die hij gerust mag lenen. Er is een ruime keus aan verhalen. Hij kan een kleine rondleiding geven als hij dat zou willen. Met de mensen naar de galgenheuvel gaan en iets vertellen over de beul met de kap over zijn hoofd. Of over Moedertje Mooiweer en haar Lichtgevende Ganzen.'

'Maar dat zouden dan niet zíjn verhalen zijn.'

'Nee, het zouden ónze verhalen zijn. Ze zouden... wáár zijn.' Zo te horen was hij zelf ook niet overtuigd. 'Nou ja, misschien niet waar, maar in elk geval opgetekend.' Martha keek hem alleen maar aan. 'Hoe dan ook, u begrijpt mijn standpunt.'

'Ik begrijp uw standpunt.'

'Maar ik heb het idee dat u partij voor hem kiest, juffrouw Cochrane. Dat is toch zo?'

'Meneer Mullin,' zei Martha, en ze nam een slokje van haar pepermuntthee, 'als je zo oud bent als ik, merk je vaak dat je voor niemand partij kiest, niet voor iemand in het bijzonder. Of voor iedereen. Wat je het beste uitkomt eigenlijk.'

'Hemeltje,' zei meneer Mullin. 'En ik dacht nog wel dat u een van ons was.'

'Misschien heb ik in mijn leven te veel ons'en gekend.'

De schoolmeester keek haar aan alsof ze op de een of andere manier ontrouw was, onvaderlandslievend misschien zelfs. In de klas deed hij zijn best om zijn leerlingen een goede basiskennis mee te geven. Hij onderwees hen in plaatselijke geologie, volksballaden, de oorsprong van plaatsnamen, de vogeltrek en de zeven Angelsaksische koninkrijken (een stuk gemakkelijker, vond Martha, dan de graafschappen van Engeland). Hij ging geregeld met hen naar de noordrand van de Kimmeridgeformatie en demonstreerde ouderwetse, in encyclopedieën afgebeelde worstelgrepen.

Meneer Mullin was op het idee gekomen om het dorpsfeest nieuw leven in te blazen, of misschien om het in te stellen, de archieven gaven namelijk geen uitsluitsel. Op een middag was er een officiële delegatie samengesteld uit schoolmeester en pastoor bij Martha Cochrane op bezoek gekomen. Men wist dat zij, in tegenstelling tot de meeste dorpelingen van nu, buiten was opgegroeid. Onder het genot van mokken cichorei en zandkoekjes hadden ze haar naar haar herinneringen gevraagd.

'Drie wortelen lang,' had ze geantwoord. 'Drie wortelen klein. Drie wortelen variëteit naar keuze.'

'Ja?'

'Schaal met groenten. Schaal mag worden gegarneerd, maar er mag alleen gebruik worden gemaakt van peterselie. Ingeval van bloemkool moet deze met stronk worden aangeboden.'

'Ja?'

'Zes tuinbonen. Zes pronkbonen. Negen stambonen.'

'Ja?'

'Pot marmelade. Alle geiten die deelnemen dienen van het vrouwelijk geslacht te zijn. Pot citroenboter. Friese vaars, ongedekt, met maximaal twee brede tanden.'

Ze ging een boekje met een verschoten rood omslag halen. Haar bezoekers bladerden het door. 'Drie cactusdahlia's, 15 - 20 cm lang - in één vaas,' lazen ze. En: 'Vijf pompondahlia's, maximaal 5 cm doorsnee.' En: 'Vijf miniatuurpompondahlia's.' En: 'Drie sierdahlia's, minimaal 20 cm - in drie vazen.' Het broze lijstenboekje deed denken aan een potscherf van een immens gecompliceerde en duidelijk decadente beschaving.

'Kostuumwedstrijd?' zei de eerwaarde Coleman peinzend. 'Twee gecapitonneerde klerenhangers? Een voorwerp van Zoutdeeg? Beste Kinderverzorgster van onder de vijftien jaar? Hond die de Jury graag mee naar huis zou nemen?'

Ondanks zijn eerbied voor boekenwijsheid, was de schoolmeester niet overtuigd. 'Misschien kunnen we al met al beter opnieuw beginnen.' De pastoor knikte instemmend. Ze lieten 'Het Prijzenschema van het Regionale Land- en Tuinbouwgenootschap' liggen.

Naderhand had Martha het doorgebladerd, en weer waren er herinneringen bovengekomen aan de geur van een biertent, aan schapen die werden geschoren en aan haar ouders die haar hoog de lucht in zwierden. Vervolgens aan meneer A. Jones en de manier waarop zijn bonen op zwart fluweel hadden liggen glanzen. Een heel leven later vroeg ze zich af of meneer A. Jones ooit had gesjoemeld om een dergelijke perfectie te bereiken. Ze zou het nooit weten: hij was zelf inmiddels mest geworden.

Er vielen bladzijden uit de verroeste nietjes van het boekje, gevolgd door een gedroogd blaadje. Ze legde het, stijf en grijs, op haar handpalm; alleen aan het schulprandje kon ze zien dat het van een eik was. Ze had het kennelijk al die jaren geleden opgeraapt en met een bepaald doel bewaard: om haar op net zo'n dag als toen te helpen herinneren aan net zo'n dag als toen. Alleen, welke dag was het geweest? Het geheugensteuntje hielp niet: er keerde geen herinnering aan vreugde, succes of simpele tevredenheid terug, geen flits zonlicht door bomen, geen huiszwaluw die onder een dakrand schoot, geen geur van seringen. Ze had haar jongere ik tekortgedaan door de prioriteiten van de jeugd uit het oog te verliezen. Tenzij het zo was dat haar jongere ik haar tekort had gedaan door de prioriteiten van de ouderdom niet te voorzien.

Jez Harris sloop langs de waterval van baardmos zonder de gekraagde roodstaart te storen, wat volgens zijn eigen nieuwe overlevering geluk zou brengen. Door zijn gemaai en gehak lag het kerkhof er redelijk verzorgd maar niet keurig netjes bij; vogels en vlinders zetten hun leven voort. Martha volgde met haar ogen, en daarna met haar geest, een citroentje dat voorbij kwam scheren, zuidwaarts, over de heuvels, over het water en langs krijtrotsen naar een andere begraafplaats, waar lichte muren van opeengestapelde stenen stonden en frisgroen gras lag. Daar werd de natuur ontmoedigd; als het mogelijk was zouden wurmen er worden geweerd, evenals de tijd zelf. Niets mocht de laatste rustplaats van de eerste baron Pitman van Fortuibus verstoren.

Zelfs Martha misgunde sir Jack zijn grootse isolement niet. Het Eiland was zijn idee en zijn succes geweest. De boerenopstand van Paul en Martha was een incident voor de vergetelheid gebleken, dat al lang uit de geschiedenis was geschrapt. Sir Jack had ook korte metten gemaakt met de subversieve neigingen van bepaalde personeelsleden om zich te zeer te identificeren met de personages die ze op basis van hun contract moesten uitbeelden. De nieuwe Robin Hood en zijn nieuwe Vrolijke Vrienden hadden het vogelvrij-zijn in aanzien hersteld. De koning was flink de les gelezen over de normen en waarden van het gezin. Dr. Johnson was overgebracht naar het ziekenhuis in Dieppe, waar therapie en de nieuwste psychotropische geneesmiddelen zijn persoonlijkheidsstoornis niet hadden kunnen verlichten. Hij werd zwaar onder de kalmerende middelen gehouden om zijn neiging tot zelfverminking te onderdrukken.

Paul had het een paar jaar als algemeen directeur uitgehouden, wat langer was dan Martha had voorspeld; toen had sir Jack, die beweerde eigenlijk geen zin te hebben en te oud te zijn, de touwtjes opnieuw in handen genomen. Kort nadien had een bijzondere stemming in beide huizen van afgevaardigden hem tot eerste baron Pitman van Fortuibus verheven. Het voorstel was met algemene stemmen aangenomen, en sir Jack had moeten toegeven dat alleen een hoogmoedig man voor de eer zou hebben bedankt. Dr. Max stelde een gedetailleerde en aannemelijke stamboom op voor de kersverse baron, wiens villa Buckingham Palace naar de kroon begon te steken, zowel wat betrof pracht en praal als bezoekersaantal. Sir Jack keek vanaf de andere kant uit over de Mall, bepeinzend dat zijn laatste grootse idee, zijn negende symfonie, hem welverdiende weelde had gebracht, wereldfaam, marktwaardering en een leenheerschap. Terecht werd hij geprezen als vernieuwer en ideeënman.

Niettemin was hij tot in de dood wedijverig gebleven. Toen de stichter van het Eiland zijn laatste rustplaats aanwees, leek het idee dat hij een stukje grond zou moeten delen met mindere goden ietwat onwaardig. De St.-Mildred in Whippingham, de kerk van Osborne House, werd afgebroken en weer opgebouwd op een hooggelegen plek in Tennyson Down; het populaire heuvelgebied zou in de toekomst misschien worden herdoopt, maar natuurlijk alleen als het Eiland de wens daartoe uitdrukkelijk te kennen gaf. Het royale kerkhof werd omsloten door een muur van opeengestapelde stenen, waarin marmeren plaquettes waren aangebracht voorzien van sir Jacks gedenkwaardigste uitspraken. In het midden, op een flauwe heuvel, stond het Pitman-mausoleum, noodzakelijkerwijs druk bewerkt maar in wezen eenvoudig. Grootse mannen behoorden in de dood bescheiden te zijn. Niettemin zou het van nalatigheid getuigen om op een toekomstige populaire bezienswaardigheid van Engeland, Engeland de wensen van de bezoekers te negeren.

Sir Jack had gedurende zijn laatste maanden zijn aandacht verdeeld over bouwtekeningen en weersverwachtingen. Hij was steeds sterker gaan geloven in tekenen en voorboden. De machtige Willem had ergens opgemerkt dat luidruchtige klaagzangen uit de hemel dikwijls wezen op het verscheiden van een groot man. Beethoven zelf was gestorven terwijl er boven zijn hoofd onweer woedde. Met zijn laatste woorden had hij de Engelsen geprezen. 'God zegene hen,' had hij gezegd. Zou het ijdel zijn – of was het wellicht niet juist waarlijk nederig? – om hetzelfde te zeggen als de hemel protesteerde tegen zijn eigen vertrek naar gene zijde? De eerste baron Pitman zat zijn afscheidsepigram nog te overpeinzen toen hij stierf, zelfgenoegzaam naar een strakblauwe hemel turend.

De begrafenis was een indrukwekkende aangelegenheid met zwartbepluimde paarden; een deel van het verdriet was oprecht. Maar de tijd nam wraak, of nauwkeuriger, de krachten binnen sir Jacks eigen Project. De eerste maanden kwamen er topklasse bezoekers naar het mausoleum om hun eerbied te betuigen, om sir Jacks wijsheid op de muren te lezen en in gepeins verzonken te vertrekken. Ze bleven echter ook de rondleiding maken door villa Pitman aan het einde van de Mall, in groteren getale zelfs. Na de dood van de eigenaar benadrukte deze loyale belangstelling de leegte en de melancholie in het pand, en het kwam Jeff en Mark voor dat er verschil was tussen je bezoekers tot nadenken stemmen en je bezoekers neerslachtig stemmen. Toen ontvlamde de logica van het marktdenken als een boodschap op de muur van Belsassar: sir Jack moest weer tot leven worden gewekt.

Tijdens de audities deden zich gênante ogenblikken voor, maar ze vonden een Pitman die na wat coaching en research zo goed als nieuw was. Sir Jack – de oude – zou met instemming hebben gereageerd op het feit dat zijn opvolger vele belangrijke Shakespeare-rollen had gespeeld. De vervangende sir Jack werd al gauw een populaire figuur; hij stapte uit zijn landauer om zich onder de mensen te begeven, hield lezingen over de geschiedenis van het Eiland en leidde vooraanstaande directeuren uit de recreatie-industrie in zijn villa rond. De Pitman Dinerbelevenis in The Cheshire Cheese bleek een prettige optie voor de bezoekers. De enige commerciële tegenvaller was dat het aantal bezoeken aan het mausoleum even snel zakte als Betsy's eiermandje neerdaalde; op sommige dagen waren er meer tuinlieden dan bezoekers. De meeste mensen vonden het van twijfelachtige smaak getuigen om een man 's morgens toe te lachen en 's middags zijn graf te bezoeken.

Het Eiland was zijn derde sir Jack aan het verslijten toen Martha, na tientallen jaren rondzwerven, naar Anglia terugkeerde. Ze stond op het voordek van de driemaandelijkse veerboot uit Le Havre, die al toeterend aarzelend de haven van Poole binnen voer; terwijl een fijne druppelnevel haar gezicht verfriste, vroeg ze zich af waar ze zelf zou aanleggen. Kabels werden uitgeworpen en vastgesjord; een loopplank werd op zijn plaats gehesen; opgeheven gezichten speurden naar mensen maar niet naar haar. Martha ging als laatste van boord. Ze droeg haar oudste kleren, maar toen ze voor de glanzend geboende eikenhouten balie stond, salueerde de bebakkebaarde douanebeambte niettemin. Ze had haar Oud-Engelse paspoort behouden en had ook in het geheim belasting betaald. Door die twee voorzorgsmaatregelen viel ze in de zeldzame categorie Legale Immigranten. De douanebeambte, wiens pak van dik blauw kamgaren in stevige rubberlaarzen verdween, haalde het gouden savonethorloge waarvan de ketting over zijn buik hing te voorschijn en noteerde het tijdstip van haar repatriëring in een perkamenten legger. Hij was beslist jonger dan Martha, maar hij keek haar aan alsof ze een langverloren dochter was. 'Beter één ten halve gekeerd, als ik zo vrij mag zijn, m'vrouw.' Toen gaf hij haar haar paspoort terug, salueerde nogmaals en floot een schooiertje dat haar koffers naar de paardentaxi moest brengen.

Wat haar had verbaasd, terwijl ze vanuit de verte toekeek, was hoe snel het geheel uiteen was gevallen. Nee, dat was niet eerlijk, zo zou *The Times of London* – die nog steeds in Ryde uitkwam – het hebben ingekleed. De officiële Eilandversie, loyaal aangeleverd door Gary Desmond en zijn opvolgers, had de eenvoud van leedvermaak. Het oude Engeland had steeds meer ingeboet aan macht, grondgebied, welstand, invloed en bevolkingsdichtheid. Het oude Engeland zou ongunstig afsteken bij een achterlijke provincie in Portugal of Turkije. Het oude Engeland had zichzelf de das om gedaan en lag beschenen door een spookachtige gaslantaarn in de goot; het land strekte nog slechts tot ontmoedigend voorbeeld. 'Van adeldom tot armoede' zoals een kop in *The Times* het spottend had aangeduid. Het oude Engeland was zijn historie kwijtgeraakt, en derhalve – geheugen is immers identiteit – elk zelfbewustzijn.

Maar je kon er ook op een andere manier tegenaan kijken, en toekomstige geschiedkundigen, bevooroordeeld in welk opzicht dan ook, zouden het er ongetwijfeld over eens zijn dat er twee afzonderlijke perioden te onderscheiden waren. De eerste was begonnen toen het Project op het Eiland van start ging, en had geduurd zolang het oude Engeland – om die term gemakshalve over te nemen – had geprobeerd met Engeland, Engeland te wedijveren. In die tijd was het met het grote eiland in duizelingwekkend tempo bergafwaarts gegaan. De op toerisme gebaseerde economie zakte in; speculanten maakten de munteenheid kapot; door het vertrek van de koninklijke familie werd het onder de rijken bon ton zich buitenslands te vestigen, terwijl de fraaiste huizen als tweede woning werden aangeschaft door Europeanen van het vasteland. Een herrijzend Schotland kocht grote lappen grond op tot aan de oude industriesteden in het noorden; zelfs Wales betaalde ervoor om tot in Shropshire en Herefordshire te kunnen uitbreiden.

Na verscheidene reddingspogingen had Europa geweigerd nog langer goed geld naar kwaad geld te gooien. Er waren mensen die een samenzwering zagen in Europa's houding tegenover een land dat eens het primaat van het continent had betwist; er werd gesproken van historische wraak. Het gerucht ging dat de presidenten van Frankrijk, Duitsland en Italië tijdens een geheim diner op het Elysée het glas hadden geheven met de woorden: 'Het is niet alleen noodzakelijk om succes te boeken, het is noodzakelijk dat anderen falen.' En als dat niet waar was, dan lekten er vanuit Brussel en Straatsburg genoeg documenten uit die bevestigden dat vele hoge functionarissen het oude Engeland niet eens zozeer beschouwden als een geschikt geval voor noodhulp, als wel als een economische en morele les: het moest worden afgeschilderd als een mislukt land en mocht niet in zijn vrije val worden gestuit, om het in het gareel te houden en als voorbeeld te dienen voor de geldwolven in andere landen. Ook werden er symbolische straffen afgekondigd: de meridiaan van Greenwich werd vervangen door Parijse Tijd; op kaarten werd het Engelse Kanaal de Franse Mouw.

Een massale ontvolking zette in. Mensen van Caribische en Indiase afkomst begonnen terug te keren naar de welvarender landen waar hun overovergrootouders eens vandaan waren gekomen. Anderen lieten hun oog vallen op de Verenigde Staten, Canada, Australië en het vasteland van Europa, maar de Oud-Engelsen stonden laag op de lijst van welkome immigranten, omdat men dacht dat hun de smet van de mislukking aankleefde. In een clausule toegevoegd aan het Verdrag van Verona ontnam Europa de Oud-Engelsen het recht om zich vrij binnen de Unie te verplaatsen. Griekse torpedojagers patrouilleerden in de Mouw om bootvluchtelingen te onderscheppen. Hierna nam het tempo van de ontvolking af.

De vanzelfsprekende politieke reactie op deze crisis was dat er een Regering van Vernieuwing werd gekozen, die toezegde zich in te zetten voor economisch herstel, parlementaire souvereiniteit en het terugvorderen van grondgebied. De eerste stap van het kabinet was de herintroductie van het oude pond als centrale munteenheid, wat door weinigen werd betwist omdat de Engelse euro niet langer inwisselbaar was. De tweede stap was dat het leger noordwaarts werd gestuurd om gebieden te heroveren die officieel werden aangemerkt als bezet, maar die in feite verkocht waren. De blitzkrieg bevrijdde een groot deel van West-Yorkshire, tot algemeen misnoegen van de bewoners; maar nadat de Verenigde Staten zijn instemming had betuigd met het Europese besluit om het Schotse leger van modernere wapens te voorzien en het onbeperkt krediet te verlenen, leidde de slag bij Rombalds Moor tot het vernederende verdrag van Weeton. Terwijl de aandacht was afgeleid viel het Franse Vreemdelingenlegioen de Kanaaleilanden binnen, en de hernieuwde aanspraken van de Quai d'Orsay werden door het Internationale Gerechtshof in Den Haag gegrond verklaard.

Na het verdrag van Weeton zette een ontwricht land dat gebukt ging onder herstelbetalingen, het vernieuwingsbeleid – althans wat van oudsher onder vernieuwing was verstaan – overboord. Dit markeerde het begin van de tweede periode, waarover toekomstige geschiedkundigen nog lang van mening zouden verschillen. Sommigen beweerden dat het land het op dat moment domweg had opgegeven, anderen dat het uit tegenslag nieuwe kracht had geput. Wat onbetwistbaar bleef was dat de doelstellingen van het land, waarover men het hoog en breed eens was – economische groei, politieke invloed, militaire slagkracht en morele superioriteit – nu werden verlaten. Nieuwe politieke leiders spraken zich uit voor een nieuwe autarkie. Ze trokken het land terug uit de Europese Unie – ze onderhandelden met een zo halsstarrige irrationaliteit dat ze uiteindelijk geld kregen om op te stappen –, stelden een handelsembargo in tegen de rest van de wereld, verboden buitenlanders have of goed op het grondgebied te bezitten en ontbonden het militaire apparaat. Emigratie was toegestaan, immigratie slechts in bijzondere omstandigheden. Conservatieve chauvinisten beweerden dat die maatregelen bedoeld waren om een belangrijke handelsnatie te degraderen tot noten-consumerend isolationisme; vernieuwingsgezinde patriotten hadden echter het idee dat het de laatste realistische kans was voor een volk dat zijn eigen historie beu was. Het oude Engeland verbood alle vormen van toerisme, gezelschappen van twee of minder uitgezonderd, en voerde een ondoorzichtig visumstelsel in. De oude bestuurlijke verdeling in graafschappen werd afgeschaft, en er werden nieuwe provincies gevormd, gebaseerd op de koninkrijken van de Angelsaksische heptarchie. Tot slot maakte het land zijn afscheiding van de rest van de aardbol en van het derde millennium duidelijk door de naam te veranderen in Anglia.

De wereld begon te vergeten dat 'Engeland' ooit iets anders had betekend dan Engeland, Engeland, een foutieve herinnering die het Eiland naarstig in stand hield, terwijl degenen die in Anglia bleven wonen de wereld daarbuiten begonnen te vergeten. Uiteraard ontstond er armoede, hoewel het woord minder betekenis had omdat vergelijkingsmateriaal ontbrak. Als armoede niet leidde tot ondervoeding of kwalen, dan was het niet zozeer armoede als wel vrijwillige soberheid. Het stond degenen die traditionele ijdelheden najoegen nog steeds vrij om te emigreren. Anglianen schaften ook een groot deel van de communicatietechnologie af die eens onontbeerlijk had geschenen. Een nieuwe chic werd toegekend aan vulpennen en brieven schrijven, aan 's avonds met het hele gezin bij de radio zitten en aan een nul draaien om met de telefooncentrale te worden verbonden; mettertijd verkregen dat soort gewoonten een authentieke kracht. Steden verkommerden; massale vervoerssystemen werden afgeschaft, al reden er nog wel een paar stoomtreinen; paarden domineerden het straatbeeld. Er werd weer steenkool gedolven, en de koninkrijken verdedigden hun verschillen; er ontstonden nieuwe dialecten, die waren gebaseerd op de nieuwe scheidslijnen.

Martha had niet geweten wat haar te wachten stond toen de crème-met-paarse enkeldekker haar had afgezet in het dorpje in Midden-Wessex, dat haar als inwoonster had geaccepteerd. De media over de hele wereld hadden *The Times of London* altijd als richtsnoer genomen en Anglia afgeschilderd als een land van boerenkinkels en een gekunstelde hang naar vroeger. Op vernietigend satirische spotprenten werden lomperiken die zich aan cider te buiten waren gegaan onder de pomp afgespoeld. De misdaad zou zijn opgebloeid, alle inspanningen van de politie te fiets ten spijt; zelfs het weer invoeren van het schandblok had boosdoeners niet afgeschrikt. Intussen zou inteelt een nieuw en weergaloos hersenloos soort dorpsgek hebben voortgebracht.

Het sprak vanzelf dat er in geen jaren iemand van het Eiland een bezoek aan het grote eiland gebracht, al had het Slag-om-Engelandsquadron de gewoonte gehad zogenaamde verkenningsvluchten boven Wessex uit te voeren. Door perspex vliegbrillen, en af en toe met ruis in hun oren, keken 'Johnnie' Johnson en zijn in schapenleren jacks gestoken helden vol verbazing neer op wat er niet was: wegverkeer en hoogspanningsmasten, straatlantaarns en reclameborden, het onmisbare leidingnet van een land. Ze zagen uitgestorven, met de grond gelijk gemaakte voorsteden en vierbaanssnelwegen die doodliepen in bosschages, terwijl een woonwagen hotsend en botsend over het schots en scheve asfalt vol kraters reed. Hier en daar waren frisse herbeboste gebieden, sommige met de oorspronkelijke wanorde van de natuur, andere met de kaarsrechte lijnen zoals de mens ze bedoeld had. Het leven daar beneden maakte een trage, nietige indruk. Heerlijk weidse velden waren weer opgedeeld in smalle stroken; windmolens stonden nijver te draaien; een weer opengelegd kanaal weerspiegelde in felle kleuren beschilderde schuiten en zwoegende jaagpaarden. Af en toe, ver weg aan de horizon, hing nog het aardse dampspoor van een stoomlocomotief. Het squadron mocht graag laag over een onvoorzien dorpje scheren: angstige gezichten richtten hun inktpotachtige monden omhoog, een hengst steigerde op een tolbrug terwijl de berijder machteloos met zijn vuist naar omhoog zwaaide. Daarna maakten de helden, superieur grinnikend, een triomfantelijke rolbeweging, tikten met een rafelige handschoen op de brandstofmeter en zetten weer koers naar de thuisbasis.

De vliegers hadden gezien wat ze wilden zien: buitenissigheid, verkleining, mislukking. Minder opvallende veranderingen ontgingen hun. In de loop der jaren waren in Anglia de seizoenen teruggekeerd en weer net als vroeger geworden. Gewassen waren tegenwoordig weer afkomstig van de plaatselijke akkers, niet van vervoer door de lucht: de nieuwe aardappeltjes van het voorjaar waren iets bijzonders, de kweeperen en de moerbeien van de herfst decadent. Rijpheid was een notoir hachelijke zaak, en koele zomers betekenden veel groene-tomatenchutney. Het verstrijken van de winter werd afgelezen uit het bederf van in rekken opgeslagen appels en de toenemende brutaliteit van roofdieren. De seizoenen, die nu eenmaal onberekenbaar waren, werden meer gerespecteerd, en de aanvang ervan werd door vrome plechtigheden gemarkeerd. Het weer, lang geleden verworden tot niets dan een factor die de stemming van een mens bepaalde, werd weer uiterst belangrijk: iets van buitenaf dat zijn systeem van beloning en straf oplegde, voornamelijk het laatste. Het ondervond geen concurrentie of storende invloed van fabrieksmatig weer, en het leefde zijn oppermacht uit: mysterieus, immanent, grillig en immer dreigend met het wonderbaarlijke. Mist had karakter en dynamiek, onweer kwam weer van de goden. Rivieren traden buiten hun oevers, zeeweringen bezweken, en als het water weer zakte werden er schapen in boomtoppen aangetroffen.

Chemische stoffen sijpelden weg uit het land, de kleuren werden zachter en het licht werd zuiver; de maan had minder concurrentie en stond nu dominanter aan de hemel. Op het uitgestrektere platteland konden de dieren zich vrijelijk voortplanten. Hazen vermenigvuldigden zich; herten en zwijnen van fokkerijen werden in het bos uitgezet; de stadsvos at weer gezonder, bloederig en nog levend voedsel. Er werd weer grond voor gemeenschappelijk gebruik aangewezen; akkers en boerderijen werden kleiner; houtwallen werden opnieuw aangeplant. Vlinders rechtvaardigden weer de omvang van oude vlinderboeken; trekvogels die vele generaties snel over het giftige eiland waren gevlogen bleven nu langer, en sommige besloten te blijven. Huisdieren werden kleiner en beweeglijker. Het eten van vlees werd weer populair, evenals stropen. Kinderen werden erop uitgestuurd om in het bos paddenstoelen te zoeken, en de waaghalzen onder hen vielen na een voorzichtig voorproefje verdoofd neer; anderen groeven esoterische wortels op of maakten rokertjes van gedroogde varens en deden alsof ze hallucineerden.

Het dorp waar Martha nu vijf jaar woonde was een klein agglomeraat op de plek waar de weg naar Salisbury zich splitste. Tientallen jaren lang hadden vrachtwagens de cottages op hun kiezelige fundering doen schudden en hadden uitlaatgassen het pleisterwerk beroet; men had alle ramen voorzien van dubbel glas, en alleen jongelui of dronkaards waren zonder noodzaak de weg overgestoken. Het gespleten dorp was nu weer een geheel geworden. Kippen en ganzen scharrelden met een bezittersair over asfalt dat scheuren vertoonde en waar kinderen met krijt hinkelbanen op hadden getekend; eenden hadden beslag gelegd op de driehoekige dorpsbrink en verdedigden daar de kleine vijver. Wasgoed, met houten knijpers aan lijnen opgehangen, wapperde droog in de schone wind. Toen de dakpannen begonnen op te raken, ging elke cottage weer over op riet of stro. Zonder verkeer ademde het dorp meer veiligheid en beslotenheid; zonder televisie praatten de dorpelingen meer, ook al leek er minder te bepraten te zijn dan vroeger. Wat iemand ook deed, het bleef niet onopgemerkt; marskramers werden argwanend begroet; kinderen werden naar bed gestuurd terwijl verhalen over struikrovers en zigeuners hun verbeelding prikkelden, hoewel slechts weinig ouders ooit een zigeuner hadden gezien en geen van hen een struikrover.

Het dorp was idyllisch noch dystopisch. Er waren geen opvallende gekken, ook al gaf Jez Harris nog zo'n goede imitatie ten beste. Als er al stompzinnigheid voorkwam, zoals *The Times of London* met klem beweerde, dan was die eerder van het oude, op onwetendheid gebaseerde soort dan van het op kennis gebaseerde nieuwe. De eerwaarde Coleman was een welmenende zemelaar die zijn klerikale status door middel van een schriftelijke cursus had verkregen, meneer Mullin de schoolmeester was een nauwelijks gerespecteerde autoriteit. De openingstijden van de winkel waren zo ongeregeld dat zelfs de trouwste klant er geen touw aan vast kon knopen; de kroeg was eigendom van een brouwerij in Salisbury en de vrouw van de kastelein kon nog geen sandwich klaarmaken. Tegenover het huis van Fred Temple, zadelmaker, schoenlapper en barbier, was een kennel voor zwerfdieren. Twee keer per week bracht een pruttelende bus dorpsbewoners naar het marktstadje, langs het streekziekenhuisje en het krankzinnigengesticht van Midden-Wessex; de chauffeur werd steevast aangesproken als George en was graag bereid boodschappen te doen voor de thuisblijvers. Misdaad kwam wel voor, maar in een cultuur van vrijwillige soberheid ging die niet veel verder dan af en toe het gappen van een kippetje. Dorpelingen leerden aan om de deur uit te gaan zonder het huis af te sluiten.

In het begin was Martha sentimenteel geweest, tot Ray Stout, de kroegbaas, die vroeger tolgeld had geïnd op de snelweg, zich in de gelagkamer met haar gin-tonic over de toog boog en zei: 'U vindt onze kleine gemeenschap zeker *best wel amusant*?' Later was ze gedeprimeerd geraakt door de ongeïnteresseerdheid en de beperkte horizon, tot Ray Stout haar tartte met: 'U zult de levendigheid inmiddels wel missen, hè?' Ten slotte wende ze aan de rust en de noodzakelijke monotonie, de terughoudendheid, de niet-aflatende sociale controle, de hulpvaardigheid, de geestelijke incest, de lange avonden. Ze sloot vriendschap met een stel kaasmakers, die vroeger in de handel hadden gezeten; ze werd lid van de parochieraad en liet nooit verstek gaan als het haar beurt was om de bloemen in de kerk te verzorgen. Ze maakte wandelingen door de heuvels; ze leende boeken uit de bibliobus die om de andere dinsdag op de brink stond. In haar tuin kweekte ze Snowball-raapjes en Red Drumhead-kool, Bath-snijsla, St.-George-bloemkool en Rousham Park Hero-uien. Ter nagedachtenis aan meneer A. Jones kweekte ze meer bonen dan ze nodig had: Caseknife en Painted Lady, Golden Butter en Scarlet Emperor. Geen daarvan was in haar ogen goed genoeg om op zwart fluweel te worden uitgestald.

Uiteraard verveelde ze zich, maar aan de andere kant was ze naar Anglia teruggekeerd als trekvogel en niet als fanatiekeling. Ze neukte met niemand; ze werd ouder; ze kende de contouren van haar eenzaamheid. Ze wist niet zeker of ze er goed aan had gedaan, of Anglia er goed aan had gedaan, of een land zijn koers kon wijzigen en zijn gewoonten terugdraaien. Was het niet meer dan een gekunstelde hang naar vroeger, zoals *The Times* beweerde, of had dat trekje altijd al besloten gelegen in de landsaard, in de geschiedenis? Was het een dappere nieuwe onderneming, die getuigde van geestelijke vernieuwing en morele onafhankelijkheid, zoals de politieke leiders volhielden? Of was het domweg onvermijdelijk, een gedwongen reactie op economische ineenstorting, ontvolking en Europese wraak? Over die vragen werd in het dorp niet gediscussieerd, wellicht een teken dat het eindelijk afgelopen was met het tobberige, irritante zelfbewustzijn van het land.

En uiteindelijk kreeg zijzelf een plaatsje in het dorp, omdat zij geen last meer had van haar eigen persoonlijke problemen. Ze delibereerde niet meer of het leven al dan niet triviaal was, en wat de gevolgen zouden zijn als dat wel zo was. Ook wist ze niet of de rust die ze had verworven een bewijs was van volwassenheid of vermoeidheid. Tegenwoordig ging ze naar de kerk als een dorpelinge, samen met andere dorpelingen die hun paraplu in het lekkende voorportaal pootten en nietszeggende preken uitzaten terwijl hun maag hunkerde naar de lamsbout die ze bij de bakker hadden afgegeven om in zijn oven te laten braden. Want uwer is het bonenrijk, de bloemenpracht en de hele historie: gewoon een mooie versregel.

's Middags deed Martha meestal de achterdeur van de klink, maakte de eenden zenuwachtig aan het klapwieken terwijl ze de brink overstak, waarna ze het jaagpad naar de galgenheuvel nam. Wandelaars – echte, welteverstaan – waren tegenwoordig zeldzaam, en de holle weg raakte elk voorjaar overwoekerd. Ze droeg een stokoude rijbroek tegen de doornstruiken en hield een hand half omhoog om de zwiepende meidoornhaag van zich af te houden. Hier en daar liep een beekje het pad op, waardoor de keien onder haar voeten indigo opglansden. Ze klom omhoog met een geduld dat ze pas laat in haar leven in zichzelf had ontdekt en kwam uit op een gemeenschappelijk weiland rondom het groepje olmen op de galgenheuvel.

Ze ging op het bankje zitten, waarbij haar windjack bleef haken achter een dof geworden metalen plaatje ter nagedachtenis aan een lang geleden gestorven boer, en keek neer op de akkers die hij eens moest hebben geploegd. Was het zo dat kleuren verflauwden naarmate je ogen verouderden? Of was het eerder zo dat de opwinding over de wereld als je jong was overging op alles wat je zag en dat feller maakte? Het landschap waar ze over uitkeek was leer en roet, as en netel, appelgrauw en schimmel, lei en flessen. Tegen deze achtergrond bewogen zich een paar vale schapen. De schaarse tekenen van menselijke aanwezigheid hielden zich ook aan de natuurwetten van discretie, neutraliteit en vervaging: de paarse schuur van boer Bayliss, eens onderwerp van een esthetisch debat in de gemeentelijke commissie voor ruimtelijke ordening, was aan het tanen tot een zachte beurse plek.

Martha zag in dat ook zij tanende was. Dat was op een middag met een schok tot haar doorgedrongen toen ze de kleine Billy Temple een fikse uitbrander had gegeven omdat hij een van de stokrozen van de pastoor met zijn wilgentwijg had onthoofd en de jongen – uitdagend, met fonkelende ogen en afgezakte sokken – even geen krimp had gegeven en vervolgens, terwijl hij zich omdraaide om weg te rennen, had geschreeuwd: 'M'n vader zegt dat je een ouwe jongejuffrouw bent.' Ze was naar huis gegaan en had in de spiegel gekeken: haren uit de speldjes gewaaid, een geruite rok onder een grijs windjack, een frisrode teint die het ten slotte had gewonnen van tientallen jaren huidverzorging en, naar het haar voorkwam – maar wie was zij om dat te kunnen uitmaken? – een zekere mildheid in haar ogen, bijna een melkachtige witheid. Goed, ouwe jongejuffrouw dan, als ze haar zo zagen.

Toch was het een vreemde levensloop: dat zij, als kind zo wijs, als volwassene zo ontgoocheld, een oude vrijster was geworden. Niet bepaald een van het traditionele soort, dat zich die status had verworven door een maagdelijk leven, de plichtsgetrouwe zorg voor oude ouders en een misprijzende morele afstandelijkheid. Ze kon zich nog herinneren dat het onder christenen, vaak heel jonge christenen, populair was geweest om zich – op grond van welke autoriteit eigenlijk? – wedergeboren te verklaren. Misschien kon zij een wedergeboren oude vrijster worden. En misschien was het ook zo dat je, ook al had je je hele leven innerlijk geworsteld, uiteindelijk niet meer was dan wat anderen in je zagen. Dat was je natuur, of je dat nu leuk vond of niet.

Wat deden oude vrijsters eigenlijk? Ze leefden teruggetrokken, maar namen wel deel aan het dorpsleven; ze hadden goede manieren en schenen geen weet te hebben van de hele geschiedenis van de seksualiteit; soms hadden ze een eigen historie, hun eigen geleefde leven, al gaven ze de teleurstellingen daarvan niet graag prijs; ze maakten, weer of geen weer, een stevige wandeling, kenden het nut van mosterdbaden en brachten brandnetelsoep naar zieken; ze bewaarden kleine souvenirs waarvan buitenstaanders het schrijnende ontging; ze lazen de krant.

Martha scheen dan ook niet alleen aan de verwachtingen van anderen maar ook aan die van zichzelf te voldoen wanneer ze elke vrijdagochtend melk opzette voor haar kopje cichorei en zich installeerde met *The Mid-Wessex Gazette.* Ze verheugde zich op de compacte beperktheid van het blad. Het was beter om te verkeren met de werkelijkheid die je kende; saaier misschien, maar ook meer zoals het hoorde. Vele jaren was Midden-Wessex gespaard gebleven voor vliegtuigongelukken en staatsgrepen, massamoorden, drugsvondsten, Afrikaanse hongersnoden en Hollywoodachtige echtscheidingen; van dergelijke zaken werd dan ook geen melding gemaakt. Evenmin zou ze iets lezen over Wight, zoals het op het grote eiland nog steeds werd genoemd. Een paar jaar daarvoor had Anglia alle territoriale aanspraken op het leengoed van baron Pitman opgegeven. Het was een noodzakelijke afstoting geweest, ook al waren maar weinigen ervan onder de indruk. *The Times of London* had spottend opgemerkt dat het een gebaar was van een bankroete ouder die in zijn wanhoop verklaarde dat hij niet langer borg stond voor de rekeningen van zijn kind dat miljonair was.

Er waren nog wel tijdschriften waarin je kon lezen over platvloersere opwindende zaken van overzee, maar niet in *The Mid-Wessex Gazette* of andere bladen van dezelfde uitgeverij. De krant werd met recht een gazet genoemd, want nieuwtjes stonden er niet in; het was eerder een opsomming van gemaakte afspraken en gebeurtenissen die al hadden plaatsgevonden. De prijs van vee en veevoer; de marktprijs van groente en fruit; verslagen van het assisenhof en van zittingen van rechters die kleine zaken behandelden; bijzonderheden over roerende goederen die waren geveild; gouden, zilveren en louter verwachtingsvolle bruiloften; dorpsfeesten, festivals en de openstelling van tuinen voor het publiek; sportuitslagen van school, parochie, regio en het midden van het koninkrijk; geboorteaankondigingen; begrafenissen. Martha las de krant van a tot z, zelfs – juist – de pagina's waarin ze niet al te zeer geïnteresseerd was. Gretig gleed haar blik over lijsten met artikelen die werden verkocht per *hundredweight, stone* en *pound* tegen bedragen uitgedrukt in ponden, shillings en pence. Dat was eigenlijk geen nostalgie, want de meeste van die eenheden waren al afgeschaft voordat zij ervan af wist. Of misschien was het toch nostalgie, en wel van een waarachtiger soort: niet naar dat wat je kende, of meende als kind te hebben gekend, maar naar dat wat je niet had kunnen weten. Met een aandacht die kunstmatig was zonder gekunsteld te zijn, nam Martha er derhalve nota van dat de prijs van bieten stabiel was gebleven op dertien en sixpence per hundredweight, terwijl klis de afgelopen week een shilling was gezakt. Dat verbaasde haar niet: hoe kwamen de mensen er in vredesnaam bij dat klis te eten was? Naar haar mening werden de meeste van die retrogroenten niet geconsumeerd vanwege hun voedingswaarde, noch uit noodzaak, maar uit modieuze aanstellerij. Eenvoud werd verward met zelfkwelling.

De *Gazette* deed slechts terloops verslag van de buitenwereld: als een bron van weersverschijnselen, als de bestemming van trekvogels die op dat moment uit Midden-Wessex wegtrokken. Ook stond er elke week een kaart van de nachtelijke hemel in. Martha bestudeerde deze even nauwgezet als de marktprijzen. Waar Sirius was waar te nemen, welke vage rode planeet dicht bij de oostelijke horizon knipperde, waar je de Gordel van Orion aan kon herkennen. Zo zou de menselijke geest zich horen op te delen, vond ze, tussen het volstrekt plaatselijke en het bijna eeuwige. Wat had ze veel van haar leven verdaan aan al het gedoe daartussenin: carrière, geld, seks, liefdesperikelen, uiterlijk, onzekerheid, angst, verlangen. De mensen zeiden misschien dat het haar gemakkelijker viel om dat allemaal op te geven omdat ze er eens van had geproefd; dat ze nu een oude vrouw, of vrijster, was en dat ze wellicht meer spijt zou hebben om wat ze had opgegeven als ze hele velden bieten moest rooien in plaats van op haar gemak de prijs ervan volgen. Ach, ook dat was waarschijnlijk het geval. Maar iedereen ging uiteindelijk dood, hoezeer iemand zich ook bezighield met het gedoe daartussenin. En hoe zij zich voorbereidde op een uiteindelijk plekje op het pasgemaaide kerkhof was haar eigen zaak.

Het dorpsfeest vond plaats op een van die onstuimige Angliaanse dagen begin juni, wanneer er voortdurend fijne motregen dreigt en jagende wolken te laat zijn voor hun afspraak in het volgende koninkrijk van de heptarchie. Martha keek uit haar keukenraam naar de afhellende driehoekige brink, waar een vlekkerige feesttent aan zijn scheerlijnen stond te rukken. Harris de smid controleerde de spanning en sloeg met een houten moker de haringen dieper de grond in. Hij deed gewichtig en bezitterig, alsof zijn familie vele generaties terug het monopolie had verworven op dit heroïsche ritueel. Martha wist nog steeds niet goed wat ze aan Jez had: aan de ene kant leken zijn verzinsels haar overduidelijk bedriegerij, aan de andere kant was deze stadse Amerikaan met zijn nepaccent een van de meest overtuigende en toegewijde dorpelingen.

De feesttent was gezekerd, en daar kwam Jacky Tornhill, het blonde nichtje van Jez, er met in de wind wapperende haren op af gereden. Jacky zou de meikoningin zijn, hoewel het, zoals iemand opmerkte, al begin juni was, wat er, zoals iemand anders opmerkte, niet toe deed, want mei sloeg op de meidoorn, niet op de maand, althans dat dachten ze, en daarom gingen ze te rade bij meneer Mullin de schoolmeester, die zei dat hij het zou opzoeken, en toen hij dat had gedaan meldde hij dat het sloeg op de meidoornbloesem die de koningin van oudsher in haar haar droeg, hoewel dat op hetzelfde neerkwam omdat de meidoorn vermoedelijk in mei bloeide, maar hoe dan ook, Jacky's moeder had een kroontje van met goudverf beschilderd karton gemaakt, en dat had ze dan ook op haar hoofd, einde verhaal.

De pastoor had het recht en de plicht het feest te openen. De eerwaarde Coleman woonde in de oude pastorie, naast de kerk. Zijn voorgangers hadden gewoond in een wijk vol met gipsplaat beklede huizen, die al lang geleden met de grond gelijk was gemaakt. De oude pastorie was leeg komen te staan toen de laatste lekeneigenaar, een Franse zakenman, tijdens de noodtoestand naar zijn vaderland was teruggekeerd. De dorpelingen vonden het niet meer dan vanzelfsprekend dat de pastoor in de pastorie woonde, net zo goed als een kip in een kippenhok thuishoorde, maar de pastoor mocht geen verbeelding krijgen, net zomin als een hen zich een kalkoen mocht wanen. De eerwaarde Coleman mocht niet voetstoots aannemen, alleen omdat hij terug was waar zijn voorgangers eeuwenlang hadden gewoond, dat God terug was in zijn kerk of dat de christelijke moraal in het dorp wet was. In feite leefden de meeste parochianen volgens verwaterde christelijke regels. Maar als ze op zondag ter kerke gingen was dat meer vanuit een behoefte aan geregeld sociaal contact en een zwak voor melodieuze gezangen, dan om vanaf de preekstoel geestelijke bijstand en de belofte van het eeuwige leven te ontvangen. De pastoor was zo verstandig zijn positie niet te gebruiken om met een dwingend theologisch stelsel aan te komen, want hij had al gauw geleerd dat stichtelijke preken op de zilveren collecteschaal werden betaald met een broeksknoop en een waardeloze euro.

De eerwaarde Coleman veroorloofde zich dan ook niet eens een rituele opmerking over Onze Lieve Heer die op deze bijzondere dag de zon liet schijnen over het dorp. Uit oecumenisch oogpunt schudde hij zelfs nadrukkelijk de hand van Fred Temple, die verkleed als rode duivel was komen opdraven. Toen de fotograaf van de *Gazette* hen samen liet poseren, zette hij stiekem zijn voet op Freds gelede staart, terwijl hij duidelijk zichtbaar – heidens zelfs – twee vingers kruiste. Daarna hield hij een praatje waarin hij bijna iedereen in het dorp met naam en toenaam noemde, verklaarde het feest voor geopend en maakte een ongeduldig, begin-nou-maargebaar naar het vier man sterke bandje dat naast de cidertent was neergepoot.

Het bandje – tuba, trompet, trekharmonica en viool – begon met 'Land of Hope and Glory', wat sommige dorpelingen voor een gezang ter ere van de pastoor hielden, andere voor een oud liedje van de Beatles uit de vorige eeuw. Een geïmproviseerde optocht maakte vervolgens in niet op elkaar afgestemde tempi een rondje over de brink: Jacky de meikoningin, onwennig schrijlings op een pasgewassen trekpaard wiens manen en vetlok nog spectaculairder op de wind uitwaaierden dan Jacky's zelf ingezette permanentje; Fred Temple, met zijn vuurrode staart om zijn hals gewonden, bestuurde een knetterende trekker waarvan de riemen rammelden; Phil Henderson, kippenfokker, technisch genie en vrijer van de blonde Jacky, aan het stuur van zijn Mini-Cooper cabriolet, verwaarloosd in een schuur gevonden en zodanig omgebouwd dat hij op flessengas reed; en ten slotte, na enig spottend aandringen, agent Brown op zijn fiets, de wapenstok geheven, de linkerduim aan de klingelende bel, broeksklemmen om de enkels en valse snor op de bovenlip. Dit ongelijke viertal maakte een stuk of vijf rondjes over de brink, tot zelfs de naaste familieleden het zinloos vonden om nog langer te juichen.

Er waren stalletjes met kwast en met gemberbier; kegelen, bowlen om een varken en raden naar het gewicht van een gans; kokosnoten gooien, waarbij de helft van de kokosnoten, met inachtneming van een oude traditie, zat vastgelijmd, zodat de houten ballen naar de gooier terugkaatsten; een grabbelton en appelhappen. Gammele schragentafels bogen door onder kruidkoeken en conserven: allerlei soorten jam, gelei, zoetzuur en chutney. Ray Stout, de kroegbaas, zijn wangen rood gemaakt en zijn tulband op halfzeven zodat de inhammen in zijn haar zichtbaar werden, zat weggedoken in een duister stalletje en las de toekomst uit de blaadjes van lindethee. Kinderen konden ezeltje-prik spelen en met een beroete kurk een baard op hun gezicht laten tekenen; daarna mochten ze voor een halfpenny een tent binnen met drie antieke lachspiegels, waar kleine ijdeltuiten zich slap lachten van ongeloof.

Later, naarmate de middag vorderde, werd er een driebeenswedloop gehouden, die werd gewonnen door Jacky Thornhill en Phil Henderson, wier behendigheid tijdens dit onharmonische nummer voor betweters aanleiding was op te merken dat ze uitermate geschikt waren voor het huwelijk. Twee verlegen jongemannen in stevige, ruimgesneden linnen jasjes gaven een demonstratie Cornish worstelen; toen een van hen een vliegendemerriegreep ging proberen, keek hij met een half oog naar coach Mullin, die met een opengeslagen encyclopedie in de hand scheidsrechterde. Ray Stout, die zijn rode plunje aanhield maar wat aan zijn tulband verschikte, deed aan de verkleedwedstrijd mee als koningin Victoria; ook aanwezig waren lord Nelson, Sneeuwwitje, Robin Hood, Boadicea en Edna Halley. Martha

Cochrane had besloten, al maakte het misschien niet veel uit, haar stem uit te brengen op de Edna Halley van Jez Harris, ondanks haar vreemde verwantschap met de koningin Victoria van Ray Stout. Meneer Mullin wilde de smid echter diskwalificeren op grond van het feit dat de deelnemers was verzocht zich als echte figuren te kleden; de parochieraad werd dan ook ad hoc bijeengeroepen om te bespreken of Edna Halley al dan niet echt was. Jez Harris diende een tegeneis in door de echtheid van Sneeuwwitje en Robin Hood aan te vechten. Sommige mensen zeiden dat je pas echt was als iemand je had gezien; andere dat je pas echt was als je in een boek stond; weer andere dat je echt was als er maar genoeg mensen in je geloofden. Meningen werden uitgebreid te berde gebracht, aangevuurd door cider en domme overtuiging.

Martha begon haar belangstelling te verliezen. Wat haar aandacht nog vasthield waren de gezichtjes van de kinderen, waarop zo'n bereidwillig maar gecompliceerd vertrouwen in de werkelijkheid te lezen stond. Naar haar mening hadden ze de leeftijd van het ongeloof nog niet bereikt, alleen die van de verwondering, zodat ze toch geloofden, ook al geloofden ze niet. De tonronde, turende dwerg in de lachspiegel, dat waren ze zelf en dat waren ze ook níét: het was allebei waar. Ze zagen maar al te makkelijk dat koningin Victoria alleen maar Ray Stout met een rood gezicht en een sjaal om zijn hoofd was, maar toch geloofden ze én in koningin Victoria én in Ray Stout. Het was net als dat bekende raadsel uit een psychologische test: is dit een bokaal of twee profielen tegenover elkaar? Kinderen konden moeiteloos van het een naar het ander omschakelen, of ze tegelijkertijd zien. Zij, Martha, kon dat niet meer. Zij zag alleen nog maar Ray Stout die zichzelf blijmoedig voor schut zette.

Kon je de onschuld opnieuw tot leven wekken? Of was die altijd kunstmatig, geënt op het oude ongeloof? Waren die kindergezichtjes het bewijs van deze vernieuwbare onschuld – of was dat slechts sentimentaliteit? Agent Brown, dronken van de cider, reed weer rondjes over de dorpsbrink, liet met zijn duim de fietsbel klingelen en groette iedereen die hij passeerde met zijn wapenstok. Agent Brown, die lang geleden twee maanden opleiding had genoten bij een particuliere beveiligingsfirma, die aan geen enkel politiebureau verbonden was en sinds zijn komst naar het dorp nog nooit één boef had gevangen; maar hij had het uniform, de fiets, de wapenstok en de nu losrakende snor. Dat leek voldoende.

Martha Cochrane verliet het feest toen de sfeer kleffer werd en het gedans primitiever. Ze nam het jaagpad naar de galgenheuvel en ging op het bankje zitten dat uitkeek op het dorp. Had hier vroeger echt een galg gestaan? Hadden er lijken gebungeld terwijl roeken de oogbollen uitpikten? Of was dat weer zo'n bizarre toeristenfantasie van een of andere griezelige pastoor een paar eeuwen terug? Eventjes stelde ze zich de galgenheuvel voor als een attractie op het Eiland. Opwindbare roeken? Een bungeesprong vanaf de galg om te weten hoe dat voelde, gevolgd door een borrel met de beul met de kap? Zoiets.

Beneden haar was een vuur ontstoken, en congadansers maakten rondjes, met Phil Henderson voorop. Hij zwaaide met een plastic vlag waar het St.-Joriskruis op stond. Beschermheilige van Engeland, Aragon en Portugal, herinnerde ze zich; tevens beschermheer van Genua en Venetië. De conga, de nationale dans van Cuba en Anglia. Het bandje, gesterkt door nog meer cider, was opnieuw zijn programma aan het afdraaien, als een zich steeds herhalend geluidsbandje. 'The British Grenadiers' had plaatsgemaakt voor 'I'm Forever Blowing Bubbles'; daarna kwam, wist Martha zonder dat ze erover hoefde na te denken, 'Penny Lane', gevolgd door 'Land of Hope and Glory'. De rij congadansers, een rups uit een pantomime, stelden voor elk nieuw nummer hun zwierende passen bij. Jez Harris begon voetzoekers af te steken, waar de kinderen zich gillend van de lach door lieten opjagen. Een trage wolk onthulde plagerig een iets meer dan halfvolle maan. Aan haar voeten ritselde iets. Nee, geen das, in weerwil van de schilderachtige beweringen van de smid: een konijntje maar.

De maan verdween weer; het werd koud. Het bandje speelde nog één keer 'Land of Hope and Glory' en viel toen stil. Alles wat ze nu nog hoorde was af en toe de vogelimitatie van de fietsbel van agent Brown. Een vuurpijl schoot wankel schuin omhoog. De congadansers, uitgedund tot drie, maakten een rondje om het dovende vuur. Het was een gedenkwaardige dag geweest. Het feest was ingeburgerd; nu al scheen het een eigen historie te hebben. Over een jaar zou er een nieuwe meikoningin worden uitgeroepen en aan de hand van theebladeren zouden er nieuwe voorspellingen worden gedaan. Weer klonk er vlakbij geritsel. Ook ditmaal geen das maar een konijntje, onbevreesd en op een rustige manier zeker van zijn territorium. Martha Cochrane keek er een paar tellen naar, stond toen op en begon de heuvel af te dalen.